NATIONAL GALLERY
Le guide

NATIONAL GALLERY
Le guide

Erika Langmuir

NATIONAL GALLERY COMPANY, LONDON

À la mémoire de mes parents

L'éditeur remercie Daniel Arasse pour ses précieux conseils.

Traduit de l'anglais par Lydie Échassériaud
'Nouvelles Acquisitions' traduit de l'anglais par Elizabeth Mortimer

DÉTAILS DE TABLEAUX:

Page de titre	Détail de *Paysage d'automne avec une vue de Het Steen au petit matin* de Rubens, *cf. p. 236.*
Page 10	Détail de *La Nativité de nuit* de Geertgen tot Sint Jans, *cf. p. 47.*
Pae 13	Détail de *La Famille de Darius devant Alexandre* de Véronèse, *cf. p. 165.*
Page 16	Détail de *L'Annonciation avec saint Émigde* de Crivelli, *cf. p. 37.*
Page 98	Détail de *Joseph en Égypte avec Jacob* de Pontormo, *cf. p. 144.*
Page 168	Détail du *Christ chez Marthe et Marie* de Velázquez, *cf. p. 251.*
Page 258	Détail d'*Une baignade à Asnières* de Seurat, *cf. p. 320.*

COUVERTURE:
Michel-Ange, *La Vierge de Manchester* (détail), *cf. p. 135.*

Première édition publiée en Grande-Bretagne en 1994 par
National Gallery Company Limited, St Vincent House, 30 Orange Street, London WC2H 7HH
Réimpression, 2000

Suivi éditorial : Muriel Peissik
Corrections : Béatrice Vignals
Directin artistique : Gillian Greenwood
Mise en pages : Dominique Grosmangin, Édidom, Colombes
Flashage : Leyre, Paris

ISBN 1 85709 234 1
525296

N° d'édition : 1069
Nouvelle édition : 1998
Dépôt légal : février 1996

Achevé d'imprimer sur les presses de Snoeck-Ducaju & Zoon
Imprimé en Belgique

Sommaire

 **ABN·AMRO** Bank

Tout visiteur venu à la National Gallery plus d'une fois au cours des
cinq dernières années aura nécessairement noté d'importants
changements. Le programme de réaménagement, qui se poursuit,
a rendu de nombreuses salles à leur splendeur initiale. Quelques œuvres
magnifiques ont été acquises et peuvent aujourd'hui être admirées
par tous. Enfin, la nouvelle aile Sainsbury, inaugurée en 1991,
a apporté au musée l'espace supplémentaire qui lui était si nécessaire
et a permis un nouvel accrochage des collections.

Ce qu'il manquait encore à la National Gallery était un guide destiné
aux visiteurs mais aussi à toute personne s'intéressant aux collections
d'un des principaux musées de Grande-Bretagne. L'objectif du
Guide de la National Gallery est précisément de combler cette lacune.
L'ABN AMRO Bank est fière de s'être associée à ce projet, qui séduira à
n'en pas douter tous les lecteurs. Il illustre parfaitement le souci
qu'a la National Gallery d'offrir des prestations de qualité.
C'est un objectif que l'ABN AMRO Bank, dans son propre domaine
d'activités, partage avec la National Gallery.

P. J. Kalff, PRÉSIDENT
mai 1994

Remerciements

Neil MacGregor et Patricia Williams on été les véritables instigateurs et les premiers lecteurs de ce guide. Je ne saurais trop les remercier de leurs encouragements et de leurs remarques judicieuses. Neil MacGregor m'a en outre fourni de précieux renseignements historiques. En ce sens, je dois aussi remercier tout le personnel de la National Gallery, actuel ou ancien, dont les recherches ont été fondamentales pour cet ouvrage. J'espère qu'ils garderont à l'esprit le vieil adage selon lequel le plagiat est la forme de flatterie la plus sincère. J'ai eu le privilège de travailler avec Diana Davies, l'éditrice la plus scrupuleuse et la plus attentive qui soit, ainsi qu'avec Felicity Luard, qui s'est chargée du suivi éditorial de cet ouvrage. Inutile de dire que je suis seule responsable des erreurs qui pourraient avoir subsisté. La maquette de Gillian Greenwood a permis de loger des reproductions plus grandes et des textes plus longs que je ne l'espérais, et ce, dans un format pratique.

Ma dette envers de nombreuses autres personnes – professeurs et amis – n'est pas moins grande. Sir Ernst Gombrich a toujours été une source d'inspiration pour moi, et il a, à plusieurs occasions, fait preuve à mon égard de beaucoup de gentillesse. C'est grâce à Lorenz Eitner que je suis devenue historienne d'art. Tous deux trouveront dans ces pages un reflet de leurs travaux, tout comme Lorne Campbell, Judy Egerton, Jennifer Fletcher, Enriqueta Harris Frankfort, Martin Kemp, Norbert Lynton, Elizabeth McGrath, Linda et Peter Parshall, Paula Rego, Catherine Reynolds, Bridget Riley et bien d'autres, si nombreux qu'il m'est impossible des les nommer tous.

Valerie Langmuir a apporté le support informatique indispensable, et, sans le soutien infaillible de Charles McKeown, je n'aurais jamais rédigé ce livre. Je les remercie tous deux chaleureusement.

Avant-propos

Vous vous souviendrez que, par un moment de découragement au pays des Merveilles, Alice a demandé à quoi au monde pouvait bien servir un livre sans images ni conversations. Celui-ci, je suis heureux de constater, est richement doté des deux : les tableaux reproduits sont parmi les plus beaux qui ont jamais été peints, et les conversations se tiennent avec quelqu'un qui les connaît aussi intimement qu'on puisse connaître de grandes œuvres d'art.

La collection de la National Gallery est inépuisable. Dans un sens, elle est un véritable pays des Merveilles. Non pas qu'elle soit grande – par rapport à celles de l'Ermitage, du Prado ou du Louvre, elle est en effet modeste, comprenant un peu plus de deux mille tableaux, qui sont normalement tous exposés. Mais on y trouve des chefs-d'œuvre suprêmes de chacune des écoles de peinture européennes, depuis la fin du XIIIᵉ siècle jusqu'au début du nôtre. À Trafalgar Square comme nulle part ailleurs, on peut parcourir sept siècles de peinture européenne sur les cimes. Et comme toujours à la montagne, il est utile d'avoir un guide. Bien entendu, nous prenons toujours plaisir à regarder par nous-mêmes, à rencontrer Léonard de Vinci ou Van Gogh face à face. Et, bien entendu, on peut toujours se renseigner au cours d'une visite sur chaque œuvre de la collection, sur écran dans la Micro Gallery. Mais nous aurons tous sans doute découvert qu'il est plus facile de rester longtemps devant une peinture lorsque nous sommes accompagnés d'un autre, qui fera remarquer ce qui nous a échappé, et qui amorcera des idées qui ne seraient pas venues à nous seules.

Telle est l'intention de ce livre. Erika Langmuir a le rare don d'aborder les tableaux avec un regard spontané, qu'illumine une érudition vaste mais jamais pesante. Je ne connais personne que j'aimerais mieux avoir à mes côtés en me promenant dans les galeries. Maintes fois ses observations m'ont renvoyé devant des tableaux que je croyais connaître à fond, mais qui se sont révélés encore plus riches que je ne l'avais imaginé. Je suis persuadé que chaque lecteur aura la même réaction.

La National Gallery fut fondée en 1824 pour donner à chaque habitant du Royaume-Uni le plaisir de posséder et d'apprécier de grands chefs-d'œuvre de peinture. L'entrée est gratuite pour permettre à tous de venir, et de venir aussi souvent qu'ils le veulent. Ce guide sera un moyen d'intensifier leur plaisir – et nous sommes très reconnaissants à la Banque ABN AMRO, dont la grande générosité nous a aidés à le produire et à le rendre disponible au plus grand public possible. Si, grâce à lui, nos visiteurs apprécient encore mieux leurs tableaux, nous aurons tous les deux atteint notre but.

Neil MacGregor,
directeur de la National Gallery

Bref historique de la National Gallery

La National Gallery se distingue des autres musées publics européens par le fait que ses origines ne remontent pas à une collection princière ou royale. La collection n'est pas davantage constituée d'une majorité d'œuvres britanniques, lesquelles sont concentrées à la Tate Gallery, mais de peintures couvrant tous les courants picturaux de l'Europe occidentale, de la fin du XIIIᵉ siècle au début du XXᵉ, soit de Margaritone d'Arezzo *(cf. p. 65)* à Monet *(cf. p. 303)*.

Fondée en 1824, la National Gallery a été constituée tardivement par rapport aux institutions européennes comparables. Les collections des Médicis avaient en effet été offertes à l'État de Toscane dès 1737, et d'autres grands sanctuaires de l'art s'étaient ouverts au public peu après : à Vienne en 1781, à Paris en 1793, à Amsterdam en 1808, à Madrid en 1809, à Berlin en 1823. Le British Museum avait certes été fondé dès 1753, mais il abritait une collection surtout composée d'antiques, de pièces et de médailles, élargie par la suite à des livres, des estampes et des dessins : il ne comptait que peu de tableaux. La Royal Academy, créée en 1768 *(cf. p. 315)*, était un établissement d'enseignement, organisant régulièrement des expositions, mais elle ne possédait aucune œuvre ancienne susceptible d'être copiée par les peintres modernes. Si Constable était opposé, comme bien d'autres, à l'idée d'une galerie nationale – « ce sera la fin de l'art dans la pauvre vieille Angleterre... Les fabricants de tableaux seront alors un critère de perfection, à la place de la nature », écrivait-il –, d'autres artistes de l'Académie, des amateurs d'art philanthropes et des hommes politiques s'associèrent pour réclamer au Parlement « un projet... en vue d'établir une galerie nationale de peinture, susceptible d'encourager la peinture d'histoire » (Journal de Joseph Farington, de la Royal Academy, année 1805). En 1823, pour inciter le gouvernement qui manquait de moyens financiers à franchir le pas, sir George Beaumont, commanditaire de Constable et l'un des principaux défenseurs de l'idée d'une galerie nationale, s'engagea à léguer à la nation sa propre collection à condition que fût trouvé un bâtiment permettant de l'exposer et de bien la conserver. Son offre généreuse fut suivie peu après par celle du révérend Holwell Carr, assortie des mêmes conditions. *Paysage d'automne avec vue de Het Steen au petit matin* de Rubens *(cf. p. 237)* et *La Cour du tailleur de pierre* de Canaletto *(cf. p. 262)* font partie des œuvres données par Beaumont, tandis que le legs de Holwell Carr comprenait, entre autres, *Saint Georges et le Dragon* du Tintoret *(cf. p. 156)* et *Femme se baignant dans un ruisseau* de Rembrandt *(cf. p. 228)*.

En 1824, la conjonction de deux événements allait finalement décider le gouvernement : la mise en vente de la collection de maîtres anciens de John Julius Angerstein (1735-1823), financier, philanthrope et collectionneur né à Saint-Pétersbourg, et le remboursement inattendu de la dette de guerre autrichienne. Cette dernière ayant été utilisée pour acheter la collection

Angerstein, la National Gallery vit le jour. *La Résurrection de Lazare*, grand retable de Sebastiano del Piombo *(cf. p. 151)*, qui faisait partie de la collection Angerstein, porte le numéro d'inventaire « 1 ».

Tout d'abord installée dans la maison particulière d'Angerstein, 100 Pall Mall, la collection de la National Gallery ne fut transférée dans des locaux adaptés qu'en 1838. Elle devait alors partager le bâtiment de Trafalgar Square – édifice alors très critiqué dû à William Wilkins – avec la Royal Academy. Dons, legs et acquisitions vinrent rapidement augmenter la collection. Les agrandissements devenus nécessaires furent confiés dans les années 1870 à E.M. Barry : la National Gallery s'étendit à tout le bloc situé derrière la moitié Est de l'édifice d'origine. En 1887, des galeries supplémentaires furent aménagées au nord du portique ; en 1911, le bâtiment fut agrandi vers l'ouest. Des salles furent ajoutées et des cours couvertes à la fin des années 1920, au début des années 1930 et en 1961. Les galeries Nord, qui offrent une entrée supplémentaire par Orange Street, furent achevées en 1975. Enfin, l'aile Sainsbury, construite grâce à des dons privés et spécialement conçue par Robert Venturi pour abriter les œuvres les plus anciennes de la collection, fut inaugurée en 1991, à l'ouest de l'édifice principal, à l'emplacement d'un ancien magasin de meubles détruit pendant la Seconde Guerre mondiale.

Dès l'origine, il avait été prévu d'ouvrir la galerie aux artistes et copistes, mais aussi au grand public. Le Parlement avait même insisté pour que les enfants y fussent acceptés : les pauvres, qui n'avaient pas de domestiques pour garder leurs enfants, n'auraient jamais pu y venir. L'idée de transférer la galerie dans un quartier moins pollué fut rejetée, car c'était au cœur de Londres que la collection était le plus à même de répondre aux besoins de ceux qui ne pouvaient acheter de grandes œuvres – de cette « vaste classe encore peu familiarisée avec l'art mais désireuse d'en savoir plus, et qui, très occupée, dispos[ait] de temps à autre d'une demi-heure ou d'une heure de loisir, mais rarement d'une journée complète », selon les termes employés par M. Justice Coleridge dans une lettre adressée en 1857 à la Commission parlementaire chargée du site de la National Gallery.

La National Gallery actuelle, institution plus complexe qu'au XIXᵉ siècle, demeure attachée aux objectifs premiers. Le Département scientifique et celui de la conservation des peintures veillent à ce que les tableaux soient présentés et conservés dans de bonnes conditions. Le personnel de sécurité est responsable du confort, mais aussi de la sûreté tant des œuvres d'art que des visiteurs. L'accès aux collections permanentes est gratuit. La National Gallery cherche à attirer les enfants : elle est ouverte aux familles et aux groupes scolaires. Les visiteurs désirant en savoir plus ont à leur disposition des conférences, des visites guidées, des publications, des vidéos et des terminaux : le fruit des recherches effectuées par les conservateurs leur est ainsi accessible. Le musée organise aussi des expositions temporaires lui permettant de présenter des œuvres d'autres collections ou ses propres tableaux placés dans des contextes différents. En dépit de perpétuels changements, signes de vitalité de l'institution, l'objectif de la National Gallery à travers les âges reste celui qui fut formulé en 1857[/] : « L'*existence* des tableaux de cette collection n'est pas une fin en soi, mais un moyen d'offrir au peuple un plaisir ennoblissant. »

Plan des galeries de l'étage principal

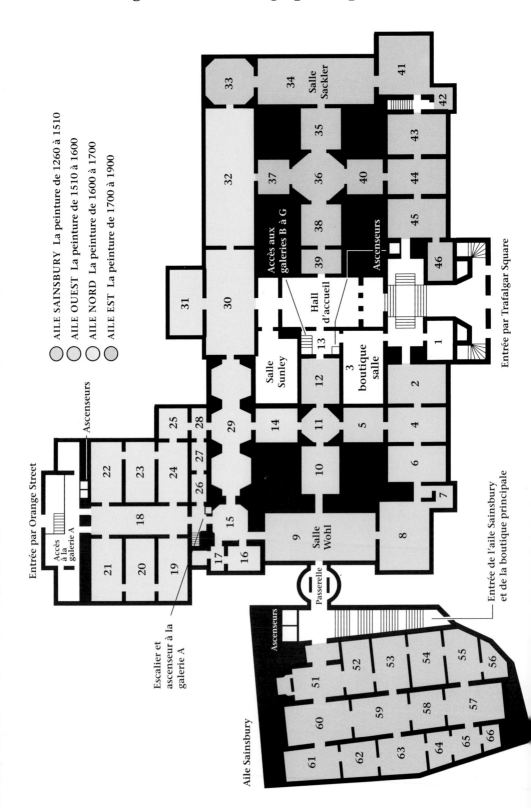

AILE SAINSBURY La peinture de 1260 à 1510
AILE OUEST La peinture de 1510 à 1600
AILE NORD La peinture de 1600 à 1700
AILE EST La peinture de 1700 à 1900

Entrée par Orange Street

Ascenseurs

Accès à la galerie A

Escalier et ascenseur à la galerie A

Aile Sainsbury

Ascenseurs

Passerelle

Salle Wohl

Salle Sunley

boutique salle

Hall d'accueil

Accès aux galeries B à G

Ascenseurs

Salle Sackler

Entrée par Trafalgar Square

Entrée de l'aile Sainsbury et de la boutique principale

Introduction

Ce guide a été conçu à l'intention des visiteurs de la National Gallery, mais aussi de tous ceux qui désireraient découvrir par la lecture la collection de la National Gallery. Il comprend quatre sections, correspondant à l'ordre chronologique choisi pour l'accrochage des tableaux à l'étage principal : la peinture de 1260 à 1510 dans l'aile Sainsbury ; la peinture de 1510 à 1600 dans l'aile Ouest ; la peinture de 1600 à 1700 dans l'aile Nord ; et la peinture de 1700 à 1900 dans l'aile Est. Chaque section débute par un texte introductif qui présente les principaux artistes et commente les principales catégories de peintures représentées (retables, décorations murales, etc.), en précisant leur fonction et leur localisation premières, mais aussi la technique, le support, le sujet et le style. L'auteur dégage certains thèmes (tels que l'évolution de la peinture de paysage ou du portrait officiel) que les lecteurs pourraient avoir envie d'étudier par eux-mêmes, et met en garde contre certaines « embûches » (l'aile Sainsbury abrite, par exemple, de nombreux tableaux de la Renaissance qui ne sont que des fragments des œuvres d'origine, et qui ont été peints pour être vus dans des conditions bien particulières). Dans chaque aile, l'auteur a sélectionné une cinquantaine de tableaux parmi les plus importants ou les plus célèbres – soit deux cents au total – et a rédigé pour chacun d'eux un texte explicatif, qui figure dans l'ouvrage sous leur reproduction ; à l'intérieur de chaque section, les œuvres sont classées par ordre alphabétique des noms d'artistes. Lorsque plusieurs œuvres d'un même artiste ont été retenues, elles apparaissent dans l'ordre d'acquisition. La seule exception est la *Femme à l'écureuil et à l'étourneau* de Holbein : acquise lors de la rédaction de cet ouvrage, l'œuvre a été incluse précipitamment. Chaque entrée se suffit à elle-même, mais l'équilibre des collections de la National Gallery, son accrochage chronologique couvrant les divers courants picturaux, la variété des thèmes abordés dans les notices, et les multiples recoupements signalés par des renvois, permettent d'utiliser le guide comme une introduction aux grands thèmes de l'histoire de la peinture occidentale. À la fin de l'ouvrage figure un index des noms et des lieux cités.

Tout lecteur désireux d'en apprendre davantage sur l'ensemble des collections pourra consulter le *Complete Illustrated Catalogue* de la National Gallery, dû à Christopher Baker et Tom Henry (parution en 1995). Les techniques et le contexte social de la peinture Renaissance en Italie et dans le nord de l'Europe sont en outre détaillés dans *Giotto to Dürer : Early Renaissance Painting in the National Gallery*, premier volume d'une série de quatre ouvrages consacrés à la collection, celui-ci s'attachant plus spécifiquement aux œuvres de l'aile Sainsbury.

AILE SAINSBURY

La peinture de 1260 à 1510

L'aile Sainsbury, ouverte depuis juillet 1991, a été conçue pour abriter les plus anciennes peintures de la National Gallery. Au lieu d'être classés par écoles nationales, les tableaux de l'Europe du Nord et de l'Europe du Sud sont accrochés selon un parcours chronologique unifié. Leur mise en regard, dans les salles en enfilade, nous rappelle qu'à cette époque les œuvres d'art, les artistes et les commanditaires voyageaient beaucoup, et que les idées et les idéaux circulaient librement. Les frontières d'alors différaient de toute façon de celles de l'Europe actuelle : ni l'Italie, l'Allemagne ou les Pays-Bas n'existaient en tant que nations. La carte de l'Europe ressemblait fort à un puzzle constitué de principautés et de cités-États, parfois liées par serment d'allégeance à un seigneur, à un roi ou à l'empereur du Saint Empire Romain Germanique. Les cours, grandes consommatrices d'art, entretenaient des relations entre elles et possédaient souvent des intérêts dans plusieurs régions d'Europe. Les gouvernants d'Europe occidentale reconnaissaient unanimement l'autorité spirituelle du pape, chef suprême de l'Église catholique romaine, à laquelle étaient destinées la plupart des grandes œuvres architecturales, picturales ou sculptées. À la même époque cependant, les corporations artisanales et les liens familiaux favorisaient le développement de traditions artistiques locales. La disposition des tableaux de l'aile Sainsbury rend compte de ces deux tendances – tendance à un certain internationalisme d'une part, à la création de styles locaux d'autre part. Le nombre important de salles consacrées à la peinture italienne reflète les distorsions de la collection, soulignées du reste par le style architectural de cette section, qui évoque la fraîcheur des intérieurs d'églises de la Renaissance italienne.

Dans cette aile prédominent les tableaux religieux : il s'agit de retables, entiers ou fragmentaires, provenant d'églises et de chapelles, ou d'images pieuses destinées à servir de support à la méditation ou à la prière, chez soi ou en voyage. Mais il est parfois difficile de savoir où se situait la limite entre piété et amour de la peinture, en particulier pour les œuvres de la fin du xve siècle (ainsi dans le cas du ravissant petit tableau d'Antonello de Messine *Saint Jérôme dans son étude*). Quant aux tableaux non religieux, ils appartiennent en majorité au portrait, dont l'aile Sainsbury permet de retracer l'évolution vers davantage de naturel – une tendance partie de l'Europe du Nord. D'autres peintures profanes, qui interprètent librement des sujets tirés de l'histoire – comme *La Bataille de San Romano* d'Uccello – ou de la mythologie gréco-romaine – par exemple *Mars et Vénus* de Botticelli –, ornaient des meubles ou des lambris.

Les peintres des générations qui se sont succédées au cours de cette période en Europe du Nord comme en Europe du Sud, semblent avoir recherché une vraisemblance toujours plus grande : ils ont tenté de peindre un monde donnant l'illusion de celui, tridimensionnel, dans lequel nous vivons – sans pour autant renoncer à l'ordre abstrait ni à la beauté. Mais ce serait une erreur d'en conclure que cette quête de vraisemblance s'inscrivait dans le cadre d'une sécularisation rampante ou d'un détournement des valeurs spirituelles. Les peintres désiraient, à l'instar des prédicateurs et des poètes contemporains, émouvoir le cœur humain, convaincre le spectateur de l'urgence du message, lui faire partager les larmes ou les joies des personnages peints, lui apporter un réconfort.

La plupart des peintures de chevalet aujourd'hui conservées ont pour support un panneau de bois; quant au cadre, il faisait souvent partie intégrante de cette structure. De nombreuses œuvres conçues comme des décorations éphémères – destinées à des processions – ou pour des commanditaires étrangers ont été exécutées sur de fins tissus de soie ou de lin. Peu de ces œuvres fragiles ont subsisté, mais l'une des plus importantes qui nous soient parvenues est indubitablement la solennelle *Mise au tombeau* de Bouts. Comme de nombreuses autres œuvres de ce type, celle-ci a été exécutée avec une peinture à base de colle. À cette époque-là, les œuvres italiennes sur bois étaient le plus souvent peintes *a tempera* : les pigments, broyés à la main, étaient mélangés à de l'œuf (œuf entier ou jaune seulement), puis appliqués sur une surface lisse et blanche. En Europe du Nord, en revanche, les artistes préféraient peindre leurs panneaux avec des huiles siccatives, en particulier l'huile de lin. Sous l'influence de l'art nordique, l'utilisation des huiles se répandit en Italie vers 1500. La *Figure allégorique* peinte par Cosme Tura dans les années 1450 pourrait être la plus ancienne peinture à l'huile italienne exécutée à la manière des premières huiles néerlandaises. Les deux types de techniques, huile et détrempe, nécessitaient une organisation méticuleuse et une grande précision, d'où la présence de dessins sous-jacents, que la réflectographie et les infrarouges permettent aujourd'hui de faire apparaître.

Au nord comme au sud, les artistes utilisaient des feuilles d'or obtenues à partir de pièces de ce métal amincies au marteau : elles constituaient le fond de l'œuvre, ou encore formaient, appliquées sur la surface peinte, des lignes lumineuses. L'or était en outre souvent gravé ou estampé de manière à augmenter les effets de surface et à différencier, par exemple, les auréoles du fond. Pour saisir ce que fut leur apparence première, il faut imaginer les retables de l'aile Sainsbury comme de précieux objets dorés et émaillés étincelant à la lueur vacillante des bougies.

Antonello de Messine   actif 1456-†1479

Saint Jérôme dans son étude

Vers 1475-1476. Huile sur tilleul, 46 × 36 cm

En 1456, Antonello de Messine exerce le métier de peintre à Messine, en Sicile, île qui était alors rattachée au royaume de Naples. En 1475-1476, on trouve le peintre à Venise, où il travaille à un grand retable. On a longtemps pensé qu'il avait enseigné aux Vénitiens le travail des couleurs en glacis – de fines couches translucides composées de pigments en suspension dans une huile siccative – après l'avoir lui-même apprise au cours d'un séjour à Bruges. Mais on sait maintenant qu'elle était déjà utilisée près de Venise dans les années 1460 *(cf. p. 92)*. Antonello pourrait l'avoir lui-même apprise dans le nord de l'Italie.

Moine lettré, saint Jérôme (v. 347-420 apr. J.-C.) est l'auteur d'une traduction en latin de la Bible, la Vulgate, qui fut officiellement adoptée par l'Église. Le cardinalat n'existait pas du vivant de saint Jérôme, mais le conseiller du pape qu'il avait été fut « promu » à ce rang à titre posthume, ce qui explique qu'il soit parfois représenté, comme c'est ici le cas, vêtu de la robe rouge de cardinal, le chapeau rouge à large bord généralement posé près de lui. Saint Jérôme ayant également mené une vie d'anachorète pénitent, le XVe siècle l'a souvent représenté en plein désert, se frappant la poitrine avec une pierre, devant un crucifix. Ici, confortablement installé à un pupitre en bois dressé dans un édifice gothique mi-église, mi-palais, il fait figure de lettré et de dignitaire. La légende lui a attribué le bienfait miraculeux d'un autre saint, à savoir l'extraction d'une épine enfoncée dans la patte d'un lion. Aussi on le voit ici en compagnie de l'animal apprivoisé, qui, à droite, avance dans l'ombre à pas feutrés.

En 1529, ce tableau appartenait à une collection vénitienne, où il était répertorié comme œuvre d'Antonello, de Jan van Eyck ou d'un autre « primitif flamand ». Tout y est représenté avec une merveilleuse minutie, et en particulier les effets de lumière. Provenant de l'espace où se tient le spectateur, celle-ci s'engouffre dans la pièce par l'ouverture située au premier plan et traverse les fenêtres représentées derrière saint Jérôme. Sur son passage, elle projette ici et là des ombres, tantôt franches, tantôt nuancées ; elle se réfléchit sur diverses surfaces, illumine le ciel et le paysage – visible à travers les fenêtres basses. Placé à l'origine dans une maison particulière, où il pouvait être regardé de très près, le tableau devait donner l'impression que l'artiste avait peint tout ce que l'œil est susceptible de percevoir : les oiseaux tournoyant dans le ciel ou se posant sur le rebord des fenêtres, les passagers de la barque sur le fleuve, les arbres, la ville fortifiée, les montagnes s'élevant à l'arrière-plan.

La vie active du monde extérieur contraste avec la vie contemplative qui règne à l'intérieur de l'étude. On imaginerait volontiers Jérôme se délassant, assis à la fenêtre de gauche, regardant la barque s'éloigner. La perdrix et le paon représentés au premier plan ont probablement une valeur symbolique, représentant respectivement la vérité – les perdrix étaient censées reconnaître infailliblement la voix de leur mère – et l'immortalité – la chair des paons étant réputée imputrescible.

Alesso Baldovinetti   vers 1426-1499

Portrait d'une femme en jaune

Vers 1465. *Tempera* et huile sur bois, 63 × 41 cm

Outre ses peintures sur bois et ses fresques exécutées directement sur plâtre frais, Baldovinetti a conçu des vitraux, des mosaïques et des marqueteries.
Le modèle de ce portrait n'a pu être identifié : les trois grandes palmes encadrées de deux feuilles (ou plumes ?), qui sont peut-être des éléments d'un blason, n'ont pas suffi à déterminer si cette femme était de Florence, à l'instar de Baldovinetti, ou d'une autre ville italienne.
Si l'Europe du Nord préfère à cette époque le portrait de trois-quarts au portrait de profil, ce dernier reste au goût du jour dans certaines régions de l'Italie jusque vers 1500. Ses inconvénients sont ici manifestes : le modèle semble lointain et impassible, il n'établit aucun contact avec le spectateur. Mais le portrait de profil évoque les pièces de monnaie antiques grecques et romaines – alors objets de maintes collections –, les médailles contemporaines qui s'en inspirent, et peut-être même l'origine de la peinture, que la légende situe au moment où une jeune fille eut l'idée de tracer les contours formés par l'ombre de son bien-aimé sur un mur.

Portrait d'une femme en jaune

Baldovinetti a renforcé la netteté métallique de la silhouette en dessinant une mince ligne blanche à l'intérieur d'un contour plus foncé. Contrairement au dégradé de bleu évoquant le ciel, utilisé en toile de fond du portrait du doge Loredan de Bellini *(cf. p. 23)*, la surface bleu uniforme qui entoure ici le portrait contraste avec la tonalité blonde du modèle, tout en la complétant, et confère à l'ensemble du tableau l'apparence d'un blason. Contrebalançant cet aspect bidimensionnel, de minuscules touches de blanc viennent donner au visage et au corps leur volume. Le drapé de la robe, mais aussi la rondeur et l'éclat des perles, sont admirablement rendus. Le cadre est d'origine, bien qu'il soit distinct du panneau de bois.

Giovanni Bellini   vers 1435-1516

Le Doge Leonardo Loredan

Vers 1501-1504. Huile et probablement *tempera* sur peuplier, 62 × 45 cm

Giovanni Bellini avait pour père Jacopo et pour frère Gentile, tous deux peintres. Cette dynastie d'artistes, qui recevait de nombreuses commandes officielles, dominait

Venise. La famille noua des liens en 1453 avec Andrea Mantegna, artiste en pleine ascension *(cf. p. 62)* qui épousa la sœur de Giovanni et de Gentile, Niccolosia. La première peinture à l'huile connue de Giovanni Bellini, *Le Couronnement de la Vierge* de Pesaro, date de 1475 environ. Outre les grandes œuvres publiques et les portraits officiels qu'il a peints, ses nombreuses images pieuses représentant la Vierge et l'Enfant ont contribué à sa notoriété.

Ce portrait, très connu, a probablement été réalisé peu après l'élection de Leonardo Loredan (1436-1521) à la charge de doge, c'est-à-dire de chef d'État de la république de Venise. Il est représenté avec le bonnet cornu et la cape de cérémonie, confectionnés dans une nouvelle étoffe, un damas tissé au fil d'or, dont Bellini a rendu le chatoiement en « hérissant » délibérément la peinture. L'huile est le seul médium permettant d'obtenir un tel épaississement de la couche picturale et de parvenir à une transparence des ombres. À la fois inspiré des bustes sculptés de la Rome antique et des portraits néerlandais, le tableau donne une image officielle et figée du modèle, mais il suggère sa personnalité et invite peut-être même à une méditation sur la vieillesse.

Pour parvenir à ses fins, Bellini a joué avec la lumière et les traits de son modèle. L'expression du visage est asymétrique : le côté droit, éclairé, est plus sévère ; le côté gauche, dans l'ombre, plus doux. Le dégradé de bleu, de plus en plus clair du bord supérieur à la moitié inférieure du tableau, évoque le ciel, contrairement au bleu uni

qui sert de toile de fond au *Portrait d'une femme en jaune* de Baldovinetti *(cf. p. 22)*. L'orientation très marquée de la lumière et les reflets perceptibles dans les yeux de Loredan laissent à penser que son regard est tourné vers le soleil. Celui-ci doit être relativement bas sur l'horizon pour que sa lumière se reflète ainsi, bien qu'à en juger par sa couleur il ne s'agisse pas d'un soleil couchant. Cette indication du temps qui passe, associée au visage âgé du doge, fait songer à cette vieille comparaison entre la durée d'un jour et celle d'une vie humaine, ainsi qu'à l'inévitable venue de la nuit.

Giovanni Bellini vers 1435-1516

Le Christ au jardin des Oliviers

Vers 1465-1470. *Tempera* sur bois, 81 × 127 cm

Cet épisode de la vie du Christ, traditionnel en peinture, est relaté dans les quatre Évangiles. Après la Cène, Jésus se rend avec ses disciples au jardin des Oliviers (ou Geth-sémani, jardin de la vallée du Cédron), près de Jérusalem. Prenant Pierre, Jacques et Jean avec lui, il leur demande de veiller avec lui pendant qu'il prie Dieu le Père : « Père si tu veux écarter de moi cette coupe [...]. Pourtant, que ce ne soit pas ma volonté mais la tienne qui se réalise ! [...] Alors lui appar[aî]t du ciel un ange qui le fortifi[e] » (Lc XXII, 42-43). Pierre et ses compagnons s'endorment ; lorsque le Christ les réveille, Judas survient avec les soldats pour l'arrêter.

Le tableau de Bellini doit beaucoup à la version qu'en a donné Mantegna *(cf. p. 64)*. S'il semble avoir eu de l'admiration pour son beau-frère, Bellini s'en démarque ici par la manière dont il traite l'espace, et plus encore la lumière. C'est peut-être la première fois dans l'histoire de la peinture italienne qu'un artiste représente un lever de soleil tel qu'on peut en observer, un lever de soleil qui teinte le dessous des nuages d'un rose orangé, se reflète sur les murs des villes lointaines et scintille sur les armures ; son ton chaud, diffus dans l'air, enveloppe toute la campagne. (Comme Mantegna, et suivant en cela une vieille convention, il indique les rehauts du manteau bleu du Christ par de fines lignes qu'il exécute avec un pigment obtenu à partir de feuilles d'or réduites en poudre par broyage.) La notation du moment de la journée souligne la longueur de cette nuit d'angoisse, qui s'achève avec l'acceptation de la Passion, symbolisée ici par le calice que l'ange, tel un prêtre officiant, présente au Christ. Elle permet en outre de mieux saisir la lassitude des disciples, qui ont eu la faiblesse de s'endormir. Bien que d'une taille disproportionnée, ces derniers s'inscrivent dans le paysage de manière plus naturelle que les figures de Mantegna. Contrairement aux fantastiques formations rocheuses et à la ville ancienne imaginées par celui-ci, les paysages du lointain du tableau de Bellini ressemblent à ceux qui étaient familiers aux contemporains des deux artistes. La scène rappelle ainsi au spectateur que l'événement historique unique de la Passion du Christ est quotidiennement réactualisé par nos péchés.

Grâce à ses nouvelles facultés descriptives, Bellini parvient cependant à délivrer un message d'espoir permettant de dépasser cette dimension pénitentielle. Il semble en effet suggérer que le Sauveur, pareil au soleil qui se lève sur les villes dans les collines du nord de l'Italie, ressuscitera d'entre les morts. Ainsi se réalisera la prophétie d'Isaïe (Is LX, 20) : « Ton soleil ne se couchera plus […] car le Seigneur sera pour toi la lumière de toujours et les jours de ton deuil seront révolus. »

Jérôme Bosch   actif 1474-† 1516

Le Christ aux outrages (Le Couronnement d'épines)

Vers 1490-1500. Huile sur chêne, 74 × 59 cm

Si Jérôme Bosch, qui travailla dans la ville néerlandaise de Bois-le-Duc (s'Hertogen-bosch en néerlandais), est aujourd'hui surtout connu pour ses tableaux fantastiques et démoniaques, très admirés des collectionneurs italiens et espagnols du XVIᵉ siècle, il est aussi l'auteur d'œuvres de dévotion moralisatrices et plus conventionnelles, telles que celle ici présentée.

L'épisode des outrages et du couronnement d'épines figure, avec quelques variantes, dans les quatre Évangiles. C'est une scène qui, précédant la Crucifixion, est souvent incluse dans le récit de la Passion. Mais le traitement ici n'a rien de narratif : tel un cinéaste réalisant un gros plan fixe, l'artiste a suspendu l'action et représenté ses prota-gonistes de si près, que le spectateur se trouve entraîné dans une relation intime avec eux. La technique picturale devient un instrument d'incitation à la piété : elle renforce l'impact des manuels exhortant les laïcs à réfléchir aux souffrances du Christ et de la Vierge Marie, et à s'identifier à ces derniers. Il est significatif que seul le Christ – victime inoffensive, vêtue du vêtement blanc de l'innocence – cherche à croiser le regard du spectateur. La couronne d'épines qu'on s'apprête à lui enfoncer sur la tête ressemble à un nimbe. Les quatre bourreaux à l'air cruel, qui entourent la divinité telles d'effroyables caricatures des quatre évangélistes *(cf. par ex. p. 65)*, portent plus ou moins des costumes de l'époque du peintre, mais ils ont reçu des attributs symboliques. Le croissant islamique et l'étoile situés sur la coiffe de l'homme représenté dans la moitié inférieure gauche du tableau font de ce dernier un incroyant. L'homme de la moitié

Le Christ aux outrages (Le Couronnement d'épines)

supérieure droite porte un collier de chien garni de pointes, rappelant que les persécuteurs du Christ ont souvent été comparés à des chiens sauvages.

La peinture à l'huile devenant plus translucide avec le temps, les repentirs de Bosch apparaissent là où la peinture a été appliquée en fines couches : la robe du Christ recouvre, par exemple, une cape fermée par une grande boucle. À d'autres endroits, le peintre a en revanche multiplié les couches de peinture : le rameau de chêne « accroché » à la toque de fourrure du persécuteur occupant la moitié supérieure droite de la toile, semble avoir été appliqué sur la surface du tableau, comme la mouche qu'un artiste souabe représentera sur une coiffe, dans un portrait de femme, quelque vingt ou trente ans plus tard *(cf. p. 91)*.

Sandro Botticelli   vers 1445-1510

Mars et Vénus

Vers 1480-1490. *Tempera* et huile sur peuplier, 69 × 174 cm

Fils d'un tanneur florentin, Alessandro Filipepi, dit Botticelli, doit sans doute son nom d'usage à son frère aîné, un batteur d'or surnommé *botticello* (« petite barrique »). Il est possible que ce dernier l'ait élevé, et peut-être est-ce grâce aux relations de l'aîné avec des peintres et des fabricants de cadres que le jeune garçon reçut une formation d'artiste, notamment auprès de Filippo Lippi *(cf. p. 58)*. À la mort de celui-ci, son fils Filippino devint à son tour l'élève de Botticelli. En 1481-1482 ce dernier participa à l'exécution des fresques de la chapelle Sixtine à Rome ; mais il demeurait le plus souvent à Florence, où il dirigeait un grand atelier spécialisé dans l'exécution d'œuvres de dévotion consacrées à la Vierge et à l'Enfant.

Ce tableau se rattache à un petit nombre d'œuvres profanes pour lesquelles Botticelli est actuellement célèbre. La forme et le sujet de ce panneau laissent à penser qu'il s'agit d'un dossier de banc ou de coffre ayant fait partie du décor nuptial d'une maison florentine. Déesse de l'Amour et de la Beauté, Vénus veille tandis que dort son amant, Mars, dieu de la Guerre. Ni le son de la conque dans laquelle soufflent de petits satyres espiègles mi-enfants, mi-chèvres, ni les guêpes qui bourdonnent près de lui ne parviennent à le réveiller (ces guêpes – *vespe* en italien – pourraient être une allusion déguisée à la famille Vespucci, pour laquelle Botticelli a travaillé). Le tableau fait référence à la mythologie, voire à des passages spécifiques de la littérature antique ; mais le traitement du sujet doit peu à l'art gréco-romain : armure, robe, bijoux, coiffures et même proportions des figures sont conformes au canon de l'époque. On trouve aussi dans ce tableau une idée répandue à l'époque de Botticelli, qui donnait lieu, à l'occasion des mariages, à de nombreuses plaisanteries : faire l'amour épuise l'homme mais revigore la femme. Mais l'œuvre est aussi porteuse d'un message plus intemporel : l'amour triomphe de tout ; faites l'amour, pas la guerre.

L'aspect diaphane de la robe de Vénus a été obtenu à l'aide de minces hachures, caractéristiques de la peinture *a tempera*, elles-mêmes appliquées sur un réseau de traits encore plus fins qui donne le modelé de la chair. Une ligne noire, appuyée et sinueuse, définit les contours, y compris dans les zones ombrées. L'emploi par Botticelli de ces conventions florentines, déjà dépassées à l'époque, semble exprimer sa volonté de subordonner la réalité observée à l'effet décoratif.

Sandro Botticelli

vers 1445-1510

Nativité mystique

1500. Huile sur toile, 108 × 75 cm

On a avancé l'idée que ce tableau – la seule œuvre signée qui nous soit parvenue du peintre – ait été peint par Botticelli pour son propre usage ou celui d'un proche. L'œuvre ne se contente pas de relater les épisodes traditionnellement associés à la naissance de Jésus et à l'adoration des bergers et des Rois mages. La vision qu'elle en propose s'inspire des prophéties de l'Apocalypse johannique. Pour mieux souligner l'irréalisme de son tableau et lui apporter une dimension symbolique, Botticelli y a introduit des textes grecs et latins et a adopté des conventions de l'art médiéval, notamment les distorsions d'échelle. La Vierge Marie, trop grande pour se tenir debout sous le toit de l'étable, est en adoration devant un Enfant lui-même gigantesque.

Les anges tiennent des branches d'olivier ; au premier plan, deux d'entre eux ont fait présent des leurs aux hommes qu'ils embrassent. Ces derniers – comme les Rois mages, vêtus de longues robes, et les bergers aux vêtements courts à capuche – portent un symbole de paix : une couronne d'olivier. Les phylactères enroulés au premier plan et certains de ceux des anges formant une ronde dans le ciel portent l'inscription : « Gloire à Dieu au plus haut des cieux et sur la terre, paix pour ses bien-aimés » (Lc II, 14). Tandis que, de droite à gauche, l'étreinte des anges et des hommes qui s'embrassent se resserre, de petits diables disparaissent dans des trous du sol. Sur les phylactères des anges qui montrent la crèche était autrefois inscrit : « Voici l'Agneau de Dieu qui enlève le péché du monde », les paroles de Jean-Baptiste au moment où il présente le Christ (Jn I, 29). Au-dessus du toit de l'étable, le ciel s'ouvre sur la lumière dorée du Paradis. Des couronnes en or sont suspendues aux rameaux d'olivier des anges qui dansent. La plupart de leurs phylactères rendent gloire à Marie, « Mère de Dieu », « Épouse de Dieu » et « Reine de l'Univers ».

La mystérieuse inscription en grec qui figure contre le bord supérieur du tableau a été ainsi traduite : « Moi, Sandro, j'ai exécuté ce tableau à la fin de l'année 1500 dans une Italie en proie aux troubles, la moitié d'un temps après un temps, en m'inspirant du chapitre XI de l'Apocalypse de saint Jean, qui relate le deuxième malheur, soit le déchaînement du diable qui dura trois ans et demi avant que celui-ci ne fût enchaîné au chapitre XII et que nous ne le voyions [...] comme dans ce tableau. » Le passage manquant pourrait être « s'enterrer ». L'expression « la moitié d'un temps après un temps » a généralement été comprise comme « une année et demie plus tôt », soit 1498, date à laquelle les Français envahirent l'Italie ; mais elle pourrait faire référence au demi-millénaire (cinq cents ans) ayant suivi le premier millénaire (an 1000), donc à l'année 1500, date du tableau. En 1500, la fin du demi-millénaire – comme auparavant celle du premier millénaire – fut considérée par beaucoup comme susceptible de coïncider avec la seconde venue du Christ, prophétisée dans l'Apocalypse.

À une époque où les peintres florentins récréent la nature dans leurs tableaux, Botticelli reconnaît en toute liberté le caractère artificiel de l'art. Dans l'œuvre profane de la page précédente, *Mars et Vénus*, il s'était détourné du naturalisme afin d'exprimer un idéal de beauté. Dans la *Nativité mystique*, il va plus loin, au-delà même de tout archaïsme, afin d'exprimer des vérités spirituelles, un peu comme les Britanniques de l'ère victorienne le feront lorsqu'ils redécouvriront Botticelli au XIXe siècle et associeront le style gothique à une période de ferveur religieuse.

Dirk Bouts   1400 ?-1475

La Mise au tombeau

Vers 1450-1460. Peinture à la colle sur lin, 90 × 74 cm

Bouts, l'un des plus grands artistes néerlandais de son époque, vécut à Louvain, où il peignit pour l'hôtel-de-ville, mais exécuta aussi des retables et des œuvres de dévotion destinées à des particuliers.

Étant donné la fragilité de la technique utilisée, *La Mise au tombeau* est fort bien conservée. Elle faisait probablement partie d'un ensemble d'épisodes de la vie du Christ formant un grand retable à volets, et pourrait avoir été peinte sur un léger support en tissu, roulé plus tard pour être exporté vers l'Italie, où son existence est mentionnée au XIXe siècle. Elle présente des bords peints, servant de guides pour retendre le tableau après son arrivée à destination.

La peinture, à base de pigments mêlés à de la colle soluble dans l'eau, a été directement appliquée sur le tissu, de manière à être absorbée par celui-ci. L'humidité retenue dans la toile a permis au peintre d'obtenir le fondu des couleurs nécessaire à des transitions douces – si subtiles dans le paysage. Pour les détails, il lui a cependant fallu procéder par

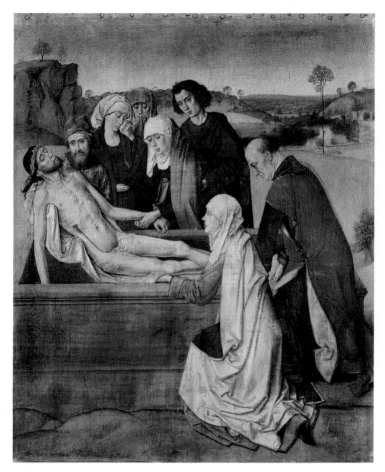

La Mise au tombeau

touches légères de manière à ne pas provoquer une nouvelle dissolution des premières couches. Le modelé des visages, par exemple, a été renforcé par des hachures rapides. Bien que les couleurs n'aient jamais pu avoir la brillance de couleurs à l'huile, certains pigments se sont décolorés : la partie du ciel autrefois recouverte par un ancien cadre est plus bleue que celle qui est située plus bas, sur laquelle de la saleté s'est accumulée en surface.

La mise au tombeau du Christ après sa crucifixion est un épisode décrit dans les Évangiles qui a été repris sur un mode plus pathétique dans les livres de piété de l'époque. Pour donner à la scène plus d'impact, les figures ont reçu ici des vêtements contemporains. Bouts différencie la douleur de chacun des protagonistes. Les yeux baissés, les trois Marie sont représentées sous différents angles. L'une sèche ses larmes, une autre se voile la bouche tandis que la troisième retient l'un des bras du Christ. Cette dernière est soutenue par Jean, qui a pour son maître un ultime et intense regard. Joseph d'Arimathie soutient le Christ par les épaules, ne touchant son corps, par respect pour Lui, qu'au travers du linceul, tel un prêtre élevant l'hostie. Nicodème, disciple secret de Jésus, fait descendre les pieds dans le tombeau, tandis que Marie-Madeleine, la pécheresse repentante, lève les yeux vers le visage du Christ – elle est la seule femme à lever les yeux. Le peintre a pris soin de présenter le corps de Jésus de manière à ce que la blessure au côté et le sang qui s'en écoule (autre référence à l'Eucharistie) soient apparents. L'artiste a cherché à éveiller chez le spectateur, agenouillé devant l'autel et s'apprêtant à recevoir le corps du Sauveur, les mêmes sentiments de douleur et de stupéfaction que ceux que l'on peut lire sur les visages représentés.

Robert Campin   1378/79-1444

Portraits d'un homme et d'une femme

Vers 1430. Huile et *tempera* sur chêne ; chaque portrait 41 × 28 cm

Ces deux panneaux figurent au nombre des doubles portraits les plus anciens connus à ce jour. Ils font partie d'un groupe d'œuvres néerlandaises non signées, dont il n'est fait mention dans aucun document, mais attribuées à celui qu'on on a appelé le « maître de Flémalle » en raison de l'existence de trois panneaux provenant de cette localité. Le nom de Robert Campin apparaît dans les archives de Tournai, ville où il dirigeait un atelier florissant et occupait un poste officiel. Ses mœurs dissolues lui valurent quelques ennuis, mais il bénéficia de la protection de la fille du comte de Hollande. La plupart des historiens d'art s'accordent actuellement à penser que Robert Campin et le maître de Flémalle ne font qu'un. Quel qu'ait été son nom, l'artiste qui a exécuté le portrait de ces citadins prospères était un grand peintre.

Il est intéressant de noter comment Campin/Flémalle a résolu la difficulté que constitue la mise en relation de deux individus mariés, représentés sur deux panneaux distincts. Bien que leurs regards ne se croisent pas, les deux époux sont tournés l'un vers l'autre. L'épouse a un visage plus petit, qui est soumis à une lumière plus vive et de direction opposée à celle qui éclaire le portrait masculin. Les traits des deux visages sont cependant alignés les uns sur les autres, et les deux compositions répondent à une subtile symétrie. Celle-ci est d'autant plus surprenante et séduisante qu'elle embrasse des différences flagrantes : opposition de sexe, d'âge, de teint, de tempérament, mais aussi de couleur et de texture des coiffes. Cette formule n'ôte à ces portraits rien de leur vraisemblance. Ces époux, qui investissent davantage d'espace que les portraits en buste de van Eyck *(cf. p. 46)* et se détachent plus nettement de l'arrière-plan, ont un air plus affirmé et plus vivant.

Atelier de Robert Campin   1378/79-1444

Vierge à l'Enfant dans un intérieur

Vers 1435. Huile sur chêne, avec cadre 23 × 15 cm

Avant son acquisition par la National Gallery en 1987, ce minuscule tableau était quasiment inconnu et n'avait jamais été reproduit dans une publication. Comme la *Madone au pare-feu* (salle 56), il montre la Vierge Marie dans un décor domestique intimiste. Elle vient de donner un bain à l'Enfant Jésus devant le feu – à moins qu'elle ne s'apprête à le faire. Cette scène ne correspond à aucun passage des Évangiles, mais s'inspire d'ouvrages de piété alors très répandus aux Pays-Bas. Le peintre nous invite à admirer l'humilité de Marie, citadine modeste – bien qu'étonnamment aisée –, son dévouement maternel – elle ne confie pas à une nourrice le soin de s'occuper de son enfant –, et la tendre affection qui l'unit à son fils. Il nous amène en outre à réfléchir à l'Incarnation : si le Christ touche ses parties génitales comme n'importe quel autre bébé de sexe masculin, c'est qu'il s'est véritablement fait homme. Sa mère est sans aucun doute la Vierge, car elle a les cheveux dénoués comme une femme non mariée ou une reine lors de son couronnement. Marie et l'Enfant ont tous deux la tête entourée des rayons d'un nimbe. La bougie allumée doit peut-être être interprétée comme un symbole nuptial, car Marie est la Mère, mais aussi l'Épouse du Christ.
    Par une application tout en finesse de minces pellicules de peinture translucides,

l'artiste a réussi à rendre l'effet de trois sources lumineuses – la fenêtre, le feu qui crépite, la bougie qui se consume régulièrement – ainsi que l'aspect des différents matériaux représentés, du métal étincelant de la cuvette au brocart velouté des coussins et de la banquette. Il est parvenu avec non moins de magie à évoquer le ciel, au loin, à travers la fenêtre ouverte et les petits vitraux situés au-dessus. Ces merveilleux détails étaient certainement destinés à capter et à retenir l'attention du spectateur, afin de l'amener insensiblement – elle ou lui, mais peut-être plus spécialement elle – à réfléchir aux valeurs spirituelles ici incarnées.

Le cadre et le support, sculptés dans une seule pièce de bois, proviennent de la même planche que le petit portrait d'un moine peint dans l'atelier de Robert Campin, également conservé à la National Gallery.

Giovanni Battista Cima da Conegliano   1459/60-1517/18

L'Incrédulité de saint Thomas

Vers 1502-1504. Huile sur peuplier, transposée sur panneau synthétique, 294 × 199 cm

Lorsqu'on entre dans l'aile Sainsbury par la passerelle qui la relie au bâtiment principal de la National Gallery, ou lorsqu'après avoir gravi le grand escalier de l'aile on prend à gauche, on se retrouve devant une enfilade de colonnes et d'arcs qui prend fin devant *L'Incrédulité de saint Thomas*, et dont la perspective encadre l'œuvre. C'est le seul grand retable vénitien des premières années du XVIe siècle que possède la National Gallery. Originaire de Conegliano, une petite ville située au nord de Venise, Cima da Conegliano eut peut-être pour maître Giovanni Bellini *(cf. p. 22)* et fut peintre dans la cité des Doges de 1492 à 1516.

Sur ce retable, commandé en 1497 par les pénitents de Saint-Thomas pour l'église San Francesco de Portogruaro (à l'est de Venise), le peintre a représenté le moment central de la vie de Thomas (Jn XX, 24-29). Le jour de la Résurrection, Jésus apparut aux disciples réunis dans une pièce close ; Thomas, qui n'était pas présent, refusa de croire au miracle sans le témoignage de ses sens. Huit jours plus tard, Jésus apparut de nouveau. Il montra alors à Thomas la marque des clous dans ses mains et l'invita à toucher sa blessure au côté. Le récit de cet épisode se termine par ces paroles du Christ : « Bienheureux ceux qui, sans avoir vu, ont cru. »

La figure du Christ est présente dans cette scène pour nous permettre avant tout d'identifier Thomas, le saint patron de la confrérie. Cima da Conegliano a cependant placé le Sauveur, miraculeusement ressuscité, au centre de la composition et a focalisé notre attention sur lui en lui donnant une taille supérieure à celle des autres figures, et en lui attribuant essentiellement des couleurs délavées. Il l'a aussi mis en valeur en adoptant une perspective linéaire : toutes les lignes de fuite du sol carrelé et du plafond, soigneusement gravées dans le gypse blanc de la préparation, convergent en un point situé légèrement à gauche du genou découvert du Christ. Toutes ces formules ont permis de composer une œuvre narrative capable de remplir les fonctions d'un retable, c'est-à-dire d'attirer l'attention sur la consécration du pain et du vin – corps et sang du Christ. Outre l'illusion de perspective produite par l'architecture, l'emploi d'éclatants contrastes de couleurs explique en grande partie l'impression de relief laissée par cette œuvre. La palette est exceptionnellement riche : Venise étant à l'époque le centre du commerce européen des pigments, le peintre a pu se procurer facilement jusqu'aux couleurs les plus rares.

Après avoir été grossièrement restauré en 1745, le retable, en mauvais état, fut envoyé vers 1820 à Venise afin d'y subir d'autres traitements jugés nécessaires à sa conservation. À Venise, il fut cependant victime de l'inondation de la salle du rez-de-chaussée où il avait été entreposé. Après son acquisition par la National Gallery, de nombreuses tentatives de restauration ont été effectuées. Il s'est finalement avéré nécessaire de transférer les couches de préparation et de peinture du panneau d'origine sur

L'Incrédulité de saint Thomas

un nouveau support, de manière à éviter que la peinture subsistante ne se cloque et ne s'écaille suite à la longue immersion de l'œuvre en eau salée.

Lorenzo Costa   vers 1459/60-1535

Concert

Vers 1485-1495. Huile sur peuplier, 95 × 76 cm

Originaire de Ferrare, cité-État d'Italie du Nord, Lorenzo Costa fut nettement influencé par Cosme Tura *(cf. p. 92)*. À Bologne en 1483, il travailla pour la famille régnante des Bentivoglio. En 1506, à la mort de Mantegna, il lui succéda à la cour de Mantoue, où il devait finir ses jours.

Bien que ce tableau soit daté de la période bolognaise, il s'inspire peut-être davantage des concerts donnés à la cour de Ferrare, où la musique était tout particulièrement appréciée, et où la musique profane était apparue plus tôt que dans les autres grands centres ita-

liens. Il est peu probable qu'il s'agisse d'un portrait commandé par les modèles. Il faisait très vraisemblablement partie d'une série d'œuvres destinées à orner une pièce. Nous ignorons cependant si les autres toiles représentaient des musiciens jouant des instruments différents ou si elles célébraient les arts d'autres muses – la poésie, la danse, etc.

Costa a fidèlement rendu la gestuelle des musiciens en concert. Au centre, le joueur de luth chante et dirige la formation, les yeux posés sur son livret ; les autres mêlent leur voix à la sienne en battant la mesure. Ils ont apparemment choisi un chant polyphonique : arrondissant chacun la bouche d'une manière différente, ils chantent nécessairement des notes distinctes. L'homme de droite regarde attentivement le joueur de luth tandis que la femme a posé une main sur son épaule pour mieux le suivre. La présence au premier plan d'un violon et d'une flûte à bec laisse à penser que les deux chanteurs les utilisent peut-être de temps en temps pour accompagner le joueur de luth.

Si le *Concert* est, pour l'époque, une œuvre originale car dépourvue de connotation religieuse ou symbolique, elle n'est pas la seule, à la fin du XVe siècle, à s'attacher à suggérer un son polyphonique. Il suffit pour s'en convaincre d'observer les anges dans *La Nativité* de Piero della Francesca *(cf. p. 82)*. Costa adoptera par la suite une facture adoucie, mais cette œuvre, tout comme ses portraits en buste, cherche à atteindre le réalisme méticuleux de la peinture néerlandaise.

Carlo Crivelli   années 1430-1494 ?

La Madonna della Rondine (La Madone à l'hirondelle)

Vers 1490-1492. *Tempera* et huile sur peuplier, panneau principal : 150 × 107 cm

Né à Venise, Crivelli dut passer la plus grande partie de sa vie loin de cette ville après y avoir été emprisonné en 1457 pour avoir séduit la femme d'un marin. Il s'installa finalement dans les Marches, où il devint l'un des principaux peintres de retables, ceux-ci étant le plus souvent destinés à des églises franciscaines.

La Madone à l'hirondelle est l'un des rares retables que la National Gallery possède au complet, probablement dans sa présentation d'origine. Sa restauration, achevée en 1989, a permis de découvrir l'éclat d'origine de l'ornementation du cadre de la prédelle, qui se compose de bandes roses, vertes, rouges et bordeaux, tachetées et mouchetées de manière à ressembler à du porphyre et à d'autres pierres de couleur. L'hirondelle à laquelle le tableau doit son titre est bien en vue sur le trône de la Vierge. Censée hiberner dans la boue, elle symbolisait à l'époque de Crivelli l'Incarnation – Dieu devenu chair – mais aussi la Résurrection – une nouvelle naissance. Ces deux interprétations symboliques font donc de l'hirondelle un élément qui a sa place ici.

La Vierge, Reine du Ciel, dont le genou gauche porte l'Enfant Jésus tenant une pomme, est flanquée de saint Jérôme et de saint Sébastien vêtus de leurs plus beaux habits de cour. Jérôme, âgé et accompagné du lion qui lui est généralement associé (*cf. p. 20 les attributs et l'histoire de ce saint*), soutient l'Église – clairement symbolisée par un modèle réduit d'église – à l'aide de ses écrits. Sébastien est en revanche représenté sous les traits d'un jeune chevalier comme il sied au commandant de la garde prétorienne de Dioclétien. Lorsque l'empereur découvrit que Sébastien était chrétien, il le fit transpercer de flèches (*cf. p. 84*), d'où l'arc à ses pieds et la flèche, ornée en son extrémité à la feuille d'argent, qu'il tient à la main.

Sous cette scène intemporelle qui se déroule dans le Ciel, figurent sur la prédelle des épisodes extraits de la vie terrestre des deux saints et de la Vierge. Ainsi, sous sa propre image, Jérôme réapparaît, faisant pénitence dans le désert ; sous la Vierge et l'Enfant figure la scène de la Nativité et sous Sébastien, nous voyons les archers de l'empereur exécuter le saint. Une flèche a transpercé son pied, qu'il lève sous l'effet de la douleur comme le lion de Jérôme lève sa patte endolorie par l'épine dans la scène principale. Contrairement à celle-ci, chargée d'or et d'ornementation, les petits épisodes naturalistes et pleins de vie situés dessous s'inscrivent dans une grande profondeur de champ. Sur les côtés sont représentés d'une part sainte Catherine et sa roue (*cf. p. 60*), d'autre part saint Georges, saint patron du « gardien » du monastère franciscain à Matelica qui allait être le récipiendaire de cette œuvre, commandée grâce à la contribution du seigneur de la ville. Sur un bandeau décoratif peint sous le trône de la Vierge, les armoiries de ce dernier voisinent avec un cartouche indiquant le nom de l'artiste.

Il est bon de rappeler qu'un retable comme celui-ci n'était pas censé être vu sous un éclairage électrique, mais à la lueur des cierges d'un autel. Le retable était un hommage rendu à la splendeur divine, dont il était l'emblème.

Carlo Crivelli   années 1430-1494 ?

L'Annonciation avec saint Émigde

1486. *Tempera* et huile sur panneau de bois. Œuvre transposée sur toile, 207 × 146 cm

Ce tableau d'autel illustre parfaitement l'enchevêtrement des sphères politique et religieuse au xvᵉ siècle. Peint pour l'église franciscaine de l'Annonciation d'Ascoli Piceno, une des possessions pontificales des Marches, il célèbre l'autonomie limitée accordée en 1482 par le pape franciscain Sixte IV aux citoyens de la ville, placés sous le contrôle général de l'évêque. La ville ayant pris connaissance de ce privilège un 25 mars, le jour de la fête de l'Annonciation, une procession commémorative menant à l'église fut organisée chaque année à cette date. C'est pourquoi, dans ce tableau, Crivelli a accordé une place à saint Émigde – évêque-martyr local et saint patron de la ville – qui tient ici un modèle réduit de la cité. C'est pour la même raison que l'œuvre porte l'inscription LIBERTAS ECCLESIASTICA, qui n'est autre que le titre de l'édit papal ayant accordé à la ville une certaine liberté. Les trois armoiries représentées sont celles de la ville, du pape (en 1486, il s'agissait d'Innocent VIII) et de l'évêque, Prospero Caffarelli.

L'Annonciation n'a probablement jamais été présentée dans un espace aussi public que celui-ci. L'archange Gabriel s'est en effet agenouillé dans la rue et non pas dans la chambre de la Vierge. Il semble que le rayon doré indiquant la trajectoire empruntée par la colombe du Saint-Esprit, depuis le ciel jusqu'à la chambre de Marie, soit remarqué par le moine franciscain et le petit garçon, situés à gauche en haut des marches, mais aussi par l'homme qui, au loin, met sa main en visière pour se protéger du soleil. Une ouverture providentielle dans le mur a permis à la colombe d'entrer dans la maison de Marie. Sur le pont, un homme lit un message apporté par un pigeon voyageur, qui a regagné la cage posée à côté. Cette scène profane fait référence au message papal

L'Annonciation avec saint Émigde

et fait judicieusement pendant à l'événement sacré de l'Annonciation. Les balustrades sont ornées de tapis d'Orient comme pour une véritable fête publique.

La ville est représentée avec force détails, comme en témoignent, par exemple, les coulées de mortier des réparations du mur crénelé du fond. Influencé par Mantegna *(cf. p. 62)*, Crivelli présente Ascoli Piceno comme une cité idéale de la Renaissance, toute de briques, de pierres et de marbre, avec des ornements en relief dans le nouveau style inspiré de l'Antiquité romaine. La maison de la Vierge est de toute splendeur, avec ses plantes en pot, sa loggia spacieuse et ses oiseaux apprivoisés. Le paon est un symbole d'immortalité, car sa chair est réputée imputrescible. Les « yeux » de sa queue servent aussi parfois à symboliser « l'Église omnisciente ». Afin de trouver assez d'espace à l'intérieur du format étroit du retable, l'artiste a eu recours à une grande profondeur de champ, prouvant en outre sa maîtrise de l'art du raccourci, comme en témoignent les petites ouvertures du pigeonnier dans le coin supérieur gauche du tableau.

Gérard David — actif 1484-†1523

Vierge à l'Enfant entourée de saintes et d'un donateur

Vers 1510. Huile sur chêne, 106 × 144 cm

Né aux Pays-Bas, Gérard David devint en 1494, à la mort de Memling *(cf. p. 76)*, le peintre le plus important de Bruges et fut à partir de 1515 membre de la guilde d'Anvers. Il fut le dernier des grands maîtres flamands à travailler dans un style traditionnel hérité de Jan van Eyck et Rogier van der Weyden *(cf. p. 44, 95)*, par opposition au nouveau style italianisant forgé à Anvers par Quinten Massys *(cf. p. 130)*. Ce retable, qui provient très vraisemblablement de l'autel dédié à sainte Catherine dans la chapelle Saint-Antoine de l'église Saint-Donatien de Bruges, constitue un merveilleux exemple du style de l'artiste en pleine maturité.

À l'aide de couches de peinture translucides, le peintre a créé l'illusion d'un monde riche en couleurs mais méticuleusement ordonné. Gagnés par une pieuse méditation, nous nous joignons au cercle, empreint de sérénité, qui entoure la Vierge et l'Enfant, et nos sens s'éveillent au subtil parfum des fleurs, à la caresse des rayons du soleil. Mais le peintre et son commanditaire désiraient certainement entraîner le spectateur plus loin. Le retable pourrait avoir été commandé par le chantre de Saint-Donatien, Richard de Visch de la Chapelle – agenouillé ici à gauche – pour commémorer les travaux de restauration qu'il avait entrepris dans la chapelle Sainte-Catherine, où sa mère était enterrée. C'est peut-être en l'honneur de cette dernière et en celui de sa sainte tutélaire Catherine, que seules des saintes femmes tiennent compagnie à la Vierge. Marie trône dans un jardin entouré de murs, le « jardin clos » du Cantique des cantiques (IV, 12), image symbolique de sa virginité, à laquelle font aussi allusion les lis blancs. Derrière le donateur, l'ange qui cueille du raisin évoque l'Eucharistie. L'Enfant Jésus passe un anneau au doigt de sainte Catherine, qui, placée à sa droite, bénéficie de la place d'honneur : Catherine d'Alexandrie fut martyrisée pour avoir refusé d'épouser l'empereur, sous prétexte qu'elle était déjà l'Épouse du Christ *(cf. aussi p. 60)*. À la gauche de la Vierge, sainte Barbe lit un livre. Cette sainte martyre parvint à se convertir au christianisme malgré l'opposition de son père, très possessif, qui l'enferma dans une tour – édifice qui lui tient lieu d'attribut. Celui-ci apparaît dans sa coiffe ornée de pierreries et est repris, sous la forme d'une véritable tour, dans la représentation symbolique de la ville à l'arrière-plan. Tenant d'une main le vase à parfums avec lequel elle a oint les pieds de Jésus, sainte Marie-Madeleine, imperturbable, tourne de l'autre la page du livre que tient sainte Barbe. Ce geste est dû à un repentir, qui n'apparaît qu'au niveau des dernières couches de peinture. Saint Antoine abbé, le saint auquel la chapelle était consacrée, se tient debout à l'arrière-plan, à la droite de sainte Barbe.

Richard de Visch de la Chapelle, identifiable aux armoiries figurant sur le collier de son lévrier, mais aussi au bâton de chantre, au livre de prières et au chapeau noir reposant à ses pieds, se détache légèrement des autres figures. C'est à sa vision que David a donné corps, et l'art du peintre a immortalisé le donateur de manière à ce que nous le gardions en mémoire, agenouillé dans ce jardin sacré, à jamais baigné d'une lumière estivale, où il adore l'Enfant Jésus, vénère la Vierge et ses saintes, et rend hommage à sa mère.

Duccio di Buoninsegna   actif 1278-†1318/19

Vierge à l'Enfant entourée de saints

Vers 1315. *Tempera* sur peuplier, panneau central, avec cadre, 61 × 39 cm

Duccio, l'un des plus grands et des plus influents peintres du xive siècle italien, travailla essentiellement à Sienne, bien que la *Madone Rucellai*, l'une des deux œuvres de l'artiste dont des documents font état, ait été commandée pour une église florentine. Fortement influencé, comme Margaritone d'Arezzo *(cf. p. 65)*, par la peinture grecque médiévale, Duccio apporta toutefois au schématisme rigoureux de l'art byzantin la grâce et la vigueur de l'art gothique, qu'il connaissait au travers d'ivoires et de manuscrits importés de France. Il étudia aussi probablement en détail l'œuvre sculpté de Nicola et de Giovanni Pisano (installés à Sienne à la fin du xiiie siècle), ce dernier s'étant lui-même inspiré à la fois de modèles gothiques et de vestiges de la Rome antique.

Ce petit triptyque, très bien conservé, a été conçu pour être transportable : fermé, il était facile à déplacer ; ouvert, il constituait une chapelle miniature se prêtant à un usage privé. Duccio a dû imaginer la structure en bois de ce triptyque dans son ensemble, avant de le faire fabriquer et de travailler aux panneaux. La peinture et le cadre ont été conçus de pair, pour former un ensemble tridimensionnel qui entraîne subtilement le spectateur dans l'harmonie créée par l'artiste. C'est ainsi que le complément du demi-cercle couronnant la Vierge passe par les pieds de l'Enfant Jésus et les mains de Marie.

Tandis que les rouleaux du roi David et les prophètes de l'Ancien Testament représentés dans le gâble évoquent la Vierge et son rôle dans l'histoire du Salut, les saints des volets renseignent sur le premier propriétaire du triptyque : la présence de saint Dominique sur le volet gauche laisse à penser qu'il s'agissait d'un dominicain, et la figure qui lui fait pendant à droite – Aurea, sainte rarement représentée qui fut condamnée à périr noyée à Ostie, un boulet accroché autour du cou – pourrait indiquer que le commanditaire fut le dominicain Niccolò de Prato, cardinal-évêque d'Ostie († 1321).

S'offrir un retable aussi luxueux n'était pas à la portée de tout le monde. La robe bleue de la Vierge, par exemple, doit son éclat à l'utilisation de la meilleure qualité d'outremer, obtenue à partir d'un minerai extrait du lapis-lazuli – une pierre semi-précieuse provenant à l'époque exclusivement d'Afghanistan, et qui était plus chère que l'or pur. Cependant, chez Duccio, la tendresse de la relation entre la mère et l'Enfant vient tempérer la somptuosité de l'œuvre, et le modelé est plus naturaliste que chez Margaritone d'Arezzo une génération plus tôt. Le modelé sous-jacent du visage de la Vierge, de couleur verte, transparaît actuellement davantage qu'à l'origine.

En 1989, la réflectographie infrarouge a permis de faire une découverte passionnante : sous la draperie couleur prune recouvrant les jambes de l'Enfant figure un dessin, que l'on peut de manière convaincante attribuer à Duccio. Il présente des caractéristiques semblables à celles de certains panneaux de la *Maestà* du même peintre *(cf. p. 43)*. Heurtées et emphatiques, les lignes ont été esquissées avec une plume qui grattait légèrement la préparation et dont la pointe fendue en deux a créé un double contour, bien visible après grossissement *(fig. 1)*.

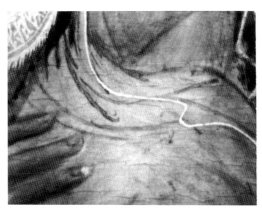

Fig. 1. *Réflectogramme infrarouge de* La Vierge à l'Enfant entourée de saints *de Duccio : détail du dessin à la plume situé sous la draperie de l'Enfant.*

Duccio di Buoninsegna   actif 1278-†1318/19

L'Annonciation

1311. *Tempera* sur peuplier, 43 × 44 cm

Ce petit panneau ainsi que les deux autres œuvres du même artiste accrochées à proximité, *La Guérison de l'aveugle* et *La Transfiguration*, proviennent de la prédelle d'un gigantesque retable double-face peint dans l'atelier de Duccio, œuvre qui fut portée en triomphe jusqu'au maître-autel de la cathédrale de Sienne en 1311. Le retable est actuellement conservé en majeure partie au musée de la cathédrale de Sienne, bien que quelques panneaux aient disparu et que d'autres aient été vendus à l'étranger (comme ce fut le cas de ceux de la National Gallery) après le démantèlement de la structure, sciée en plusieurs parties en 1771. La prédelle, une structure en forme de boîte qui soutenait le panneau principal, était elle aussi peinte des deux côtés. La face antérieure du retable était tournée vers la congrégation, tandis que la face postérieure était réservée au clergé. Sur la partie antérieure du panneau principal figurait la Vierge – patronne de la ville de Sienne –, une Vierge en Majesté entourée d'anges et de saints, d'où le titre qui a été donné à l'œuvre complète : la *Maestà* (terme italien signifiant « majesté »). Placée à l'origine sous cette scène intemporelle, la prédelle montrait d'importants épisodes de la vie terrestre de la Vierge, en commençant à gauche par *L'Annonciation (cf. fig. 2)*. Les deux autres œuvres conservées à la National Gallery proviennent du revers de la prédelle, qui représentait des scènes du ministère du Christ ;

elle supportait à l'origine un panneau représentant vingt-six épisodes liés à la Passion, la Mise au tombeau et la Résurrection du Christ.

Dans cette scène de l'Annonciation, l'archange Gabriel est représenté au moment où, avançant à grands pas, son bâton de messager à la main, il salue Marie : « Sois joyeuse, toi qui as la faveur de Dieu, le Seigneur est avec toi » (Lc I, 28). Le livre de la Vierge porte

Fig. 2. Reconstitution de la Maestà *de Duccio, face antérieure (d'après John White).*
Le panneau de L'Annonciation, *situé dans le coin inférieur gauche, est indiqué en bleu.*

la prédiction d'Isaïe (VII, 14) : « Voici que la vierge est enceinte et enfante un fils […]. » Entre Marie et Gabriel est posé un vase de lis blancs symbolisant la pureté de Marie. La Vierge porte une main à son cœur. Ce geste est généralement interprété comme un geste de soumission : « Je suis la servante du Seigneur. Que tout se passe pour moi comme tu me l'as dit ! » (Lc I, 38). Mais il existe une autre interprétation possible : venant juste de baisser son livre, Marie s'éloigne de Gabriel, trahissant ainsi le trouble qui s'empare d'elle et son besoin de réflexion, deux émotions successives mentionnées dans la description que saint Luc a livré de la scène : « À ces mots, elle fut très troublée, et elle se demandait ce que pouvait signifier cette salutation » (Lc I, 29). Quelle qu'ait été l'intention précise de Duccio, sa manière de traiter cette scène clé de l'histoire du Salut nous invite à méditer. Le décor architectural, d'une complexité nouvelle, est loin d'être étranger à cet effet : une femme mortelle et un ange se rencontrent dans un espace réel qui s'étend au-delà des limites du panneau. Les verticales des murs et des piliers, les arcs cintrés et les arcs en ogive s'opposent aux diagonales instables des figures, leur prêtant ainsi un semblant de mouvement. Bien qu'isolée, la Vierge oscille en réponse à Gabriel.

La photographie infrarouge a révélé la présence, sous la peinture, d'un dessin à la plume d'oie de la même main que celui de la figure 1 *(cf. p. 41)*. À l'origine, il avait probablement été prévu de dorer à la feuille l'espace situé à gauche du pilier, sous l'aile de Gabriel, comme l'a été le pan de mur au-dessus de l'aile. En effet, sous la couche de peinture orange s'étend une couche de bol rouge, cette argile qu'on trouve sous les dorures à la feuille. Duccio – ou plus probablement l'un de ses assistants – a oublié de dorer cet espace, et l'a finalement peint, étendant la peinture orange au côté droit du pilier pour donner un fini à l'œuvre.

Jan van Eyck   actif 1422-†1441

Portrait de Giovanni(?) Arnolfini et de son épouse
(Le Portrait Arnolfini)

1434. Huile sur chêne, 82 × 60 cm

Jan van Eyck a longtemps été considéré comme l'« inventeur » de la peinture à l'huile.
Nous savons maintenant qu'il n'en est rien : l'huile a peut-être même été le premier
médium utilisé par les peintres sur bois du nord de l'Europe. En tout cas, elle a été utilisée

ailleurs dès le VIIIe siècle, peut-être même avant, par les peintres sur pierre et sur verre. Que van Eyck ait amené cette technique à son plus haut degré d'expression est cependant incontestable. Comme en témoigne ce double portrait fort célèbre, il était capable de rendre n'importe quelle texture – des poils soyeux du petit chien aux perles de cristal du rosaire accroché au mur, en passant par le laiton poli des bras du lustre ou la surface convexe et argentée du miroir. Les couleurs à l'huile séchant lentement, il les travaillait patiemment – parfois du bout des doigts comme l'attestent les empreintes digitales laissées sur la robe verte – jusqu'à obtenir, non seulement les reflets lumineux présents sur les objets, mais l'aspect même de la lumière, cette lumière qui semble ici entrer dans la pièce par la fenêtre à gauche, et aussi par une seconde fenêtre, invisible, qui se situerait à notre gauche, ou encore par la porte que réfléchit le miroir.

La lumière découpe des ombres, se glisse derrière et entre les figures, et semble avoir l'omniprésence de l'air, comme celle du jour dans la vie réelle. L'un des procédés utilisés pour faire naître cette illusion est la constante variation des rapports de tons. Tout près de la fenêtre, par exemple, l'épaule droite d'Arnolfini paraît claire par rapport au volet foncé, tandis que son épaule et son bras gauches semblent sombres contre le mur clair situé derrière. Ces changements très subtils, justifiés par l'orientation de la lumière, servent à « arracher » le premier plan au fond et les figures à leur environnement. C'est la faculté qu'a van Eyck de rendre l'aspect de la lumière en soi qui lui permet de suggérer l'espace, non la perspective linéaire, qu'il n'utilise que de manière approximative. L'illusion est si forte que ni l'allongement des figures, ni leurs minuscules têtes n'ébranlent en nous la certitude que cette scène est réelle.

Il est cependant improbable que l'artiste ait représenté une véritable cérémonie de mariage. L'identité des deux modèles n'a du reste pas été établie avec certitude. L'inscription en latin figurant sur le mur du fond, « Jan van Eyck fut ici /1434 », a été interprétée comme une preuve de la présence de l'artiste au mariage en tant que témoin, mais elle pourrait simplement indiquer que l'artiste est l'auteur de ce tableau, le créateur de cet instant. Il est cependant certain que le tableau représente un couple marié. Dans ce contexte, le chien pourrait être un symbole de fidélité, et la seule bougie allumée celui de l'œil du Dieu qui voit tout – symbole renforcé par le miroir, dont le cadre est orné d'épisodes de la Passion du Christ. La figure sculptée sur le banc est sainte Marguerite, sainte patronne des femmes sur le point d'accoucher *(cf. sa vie p. 65)*, bien que le ventre rond de la femme semble plutôt être la marque d'une époque que l'indication d'une grossesse. Les sabots et les sandales que le couple a retirés peuvent, comme d'aucuns l'ont remarqué, être aussi bien des cadeaux de mariage que faire référence au retrait des chaussures dans les lieux sacrés. Le geste qu'Arnolfini fait de la main droite – dont l'artiste a atténué la verticalité comme en témoigne un repentir – peut être un geste de bienvenue ou d'affirmation ; il est impossible de le préciser actuellement.

Toutes ces notations contribuent certes à dresser le portrait d'un couple bourgeois prospère, vivant dans la crainte de Dieu. Mais seul le génie descriptif du peintre nous donne l'illusion d'avoir sous les yeux un moment décisif de leur vie, qui se déroule en un lieu particulier.

Jan van Eyck   actif 1422-†1441

L'Homme au turban

1433. Huile sur chêne, 33 × 26 cm

Dans ce tableau, la lumière sert davantage à suggérer les volumes et les textures qu'à créer, comme dans le cas de *Portrait Arnolfini*, une illusion d'espace. C'est l'un des rares portraits du XVe siècle doté de son cadre d'origine. Sur le bord supérieur figure en flamand, et en partie en lettres grecques, l'inscription « Comme je peux », tandis que sur le bord infé-

L'Homme au turban

rieur, on peut lire en latin : « Jan van Eyck me fit le 21 octobre 1433. » Toutes deux semblent gravées dans le bois, mais ont en fait été peintes. La première est peut-être un jeu de mots car « IXH », qui signifie « je », est très proche de « Eyck ». Cette inscription, qui apparaît dans d'autres œuvres de l'artiste, semble extraite du proverbe flamand : « Comme je (Eyck) peux, et non comme je (Eyck) le souhaiterais. » La fausse modestie du proverbe et le regard du modèle, qui semble se regarder dans un miroir, ont conduit à considérer ce tableau comme un autoportrait – idée qui reste actuellement une hypothèse.

Aussi remarquable soit-elle, la représentation du modèle – avec son œil gauche injecté de sang et sa barbe de plusieurs jours hérissée contre un col en fourrure d'aspect très doux – est moins saisissante que celle du turban. Van Eyck est connu pour l'impassibilité de ses figures, et il est intéressant de comparer ce portrait avec celui qu'a livré Campin d'un homme portant un turban rouge assez semblable *(cf. p. 31)*. Dans ce dernier, les extrémités du turban, qui tombent sur les épaules, servent à encadrer un visage dénotant une grande force de caractère et auquel nous pouvons associer des émotions. En comparaison, le personnage de van Eyck reste impénétrable. Le turban rouge occupe plus de place que le visage ; son volume est en outre plus affirmé, et ses plis et remplis plus spectaculaires. Cela laisse supposer qu'il a été étudié plus longuement – peut-être même sur un support, en l'absence du modèle – et qu'il a été, telle une nature morte d'atelier, disposé, noué et tordu de manière à revêtir l'aspect le plus pittoresque possible. Il semble moins céder aux conventions que le visage vu de trois-quarts. Van Eyck doit le réalisme avec lequel il a représenté ce portrait à sa maîtrise de la peinture à l'huile, technique qui lui permet de représenter des ombres profondes et des rehauts de lumière sans perdre la rutilance de la teinte rouge générale – effets impossibles à rendre à la détrempe.

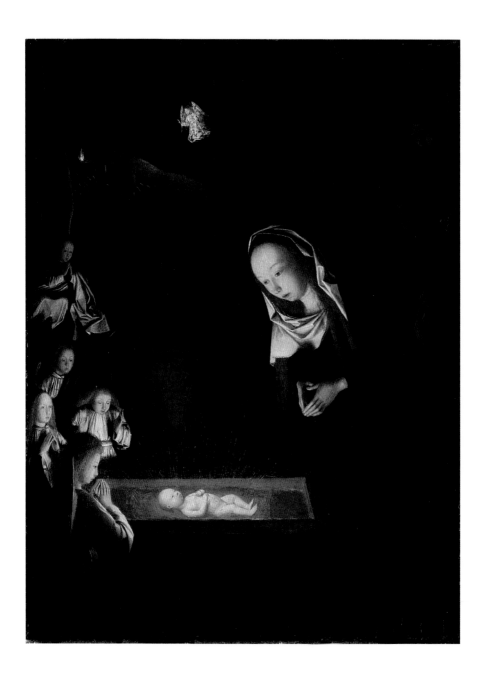

Geertgen tot Sint Jans 1455/65-1485/95

La Nativité de nuit

Vers 1480-1490. Huile sur chêne, 34 × 25 cm

Cet artiste de Haarlem, dont le nom signifie « Petit Gérard de la confrérie de Saint-Jean », n'est mentionné dans aucune source contemporaine. Ce tableau lui a été attribué par analogie avec des œuvres auxquelles son nom a été attaché dans des documents du XVIIᵉ siècle. Il s'inspire peut-être d'un retable aujourd'hui disparu ; à cette époque, les grandes compositions étaient fréquemment adaptées pour servir d'images pieuses aux familles.

Ce petit panneau magique a pour thème la vision, dans toutes les acceptions du terme : vision mystique d'une sainte du xive siècle, Brigitte de Suède, qui fut témoin de la mise au monde sans douleurs du Christ, de l'adoration de la Vierge devant son Fils, et du rayonnement de l'Enfant éclipsant la lumière de la bougie de Joseph ; vision oculaire des bergers, éblouis par l'ange venu, telle une étoile filante, annoncer la naissance du Messie ; regard émerveillé que portent les anges innocents, l'âne et le bœuf, Marie et Joseph, sur la Lumière du Monde reposant nue dans la crèche. S'expriment en outre ici une nouvelle vision de l'art (cf. détail p. 10), ainsi que de la piété – courante dans le nord des Pays-Bas – selon laquelle l'humilité est la clé de la sainteté.

Le rayonnement divin ne se matérialise pas dans un objet précieux élaboré à grands renforts d'or et de pigments rares (cf. p. 40). Elle nous est rendue visible grâce à la patiente modulation de l'obscurité de cette nuit d'hiver où ne percent que quelques étoiles lointaines – cette nuit qu'un feu ne parvient pas à réchauffer et qui n'est que faiblement éclairée par la bougie que devait tenir Joseph (et qui a probablement disparu au moment où le panneau a été rogné). Geertgen tot Sint Jans a une telle maîtrise de la description naturaliste, appliquant seulement quelques minces rayons à la feuille d'or autour de l'Enfant, qu'il nous fait percevoir cette nuit d'hiver telle qu'elle était avant la naissance du Christ, une nuit où, comme il est écrit dans l'Évangile selon saint Jean (XI,10), « si quelqu'un marche [...], il trébuche, parce que la lumière n'est pas en lui ».

Gentile da Fabriano   vers 1385-1427

Vierge à l'Enfant (Madone Quaratesi)

1425. Tempera sur peuplier, 140 × 83 cm

Gentile da Fabriano est connu pour ses peintures sur bois, bien que ce soient surtout ses peintures murales qui, de son vivant, ont fait sa réputation. Originaire de Fabriano dans les Marches, Gentile fut un artiste itinérant, auquel firent appel les commanditaires les plus distingués de toute l'Italie : la république de Venise, le seigneur de Brescia, les magnats florentins, les notaires de Sienne, la cathédrale d'Orvieto... Il mourut à Rome, où il travaillait pour le pape.

Bien que Gentile – capable d'assortir sa technique médiévale, fort complexe, de tentatives de réalisme – ait été le peintre le plus éminent de son époque, il ne s'est pas fermé à l'influence d'autres peintres, pas même à celle du jeune Masaccio (cf. p. 66), qu'il a à l'origine lui-même influencé : en une génération, Masaccio était parvenu à éclipser Gentile da Fabriano, en transposant avec rigueur dans ses œuvres les observations tirées de la nature et des sculptures antiques. Prêtée à la National Gallery par la Royal Collection, la Madone Quaratesi – nom des commanditaires du retable dont elle constituait le panneau central – est présentée près de la Vierge à l'Enfant peinte par Masaccio un an plus tard.

Le polyptyque Quaratesi, peint pour le maître-autel de San Niccolò Oltrarno à Florence, démembré au xixe siècle, représentait à l'origine la Vierge et l'Enfant flanqués de sainte Marie-Madeleine et saint Nicolas à gauche, et de saint Jean-Baptiste et saint Georges à droite. Figurant chacun sur un panneau couronné d'un gâble, les quatre saints (Florence, Offices) se tenaient – comme s'ils étaient vus derrière les minces colonnes d'une loggia – debout sur un socle peint, continu, dont les rebords sont perceptibles de chaque côté des marches du trône de Marie. Comme le Christ, dont le nimbe en raccourci donne l'impression qu'il se penche sur la Vierge depuis un médaillon du gâble, les figures représentées de manière identique dans les autres gâbles semblent se courber vers les saints des panneaux principaux. Dessous, sur la prédelle

(actuellement au Vatican), de petites scènes relataient les épisodes de la vie de saint Nicolas, auquel l'église était consacrée. Par de subtils ajustements de composition et de couleur, l'artiste était parvenu à harmoniser les divers éléments du polyptyque. C'est actuellement le brocart à fil d'or qui permet le mieux d'apprécier les somptueux effets décoratifs obtenus par Gentile da Fabriano, car le drap d'honneur situé derrière la Vierge et l'Enfant, autrefois brillant grâce à son rouge translucide sur feuille d'argent et son vert sur or, a foncé et s'est taché au fil du temps.

Malgré la magnificence et la majesté du groupe central, la scène conserve un caractère intime. La Vierge, qui correspond à l'idéal de beauté de l'époque, regarde au loin d'un air grave, tandis que l'Enfant sourit, révélant ses dents de lait. Agrippé au manteau de sa mère, il se tourne vers l'ange en adoration. La pâquerette qu'il tient entre un pouce et un index potelés est un symbole d'innocence, cueilli dans le jardin éternellement printanier du Paradis.

Giotto di Bondone (attr. à)   1266/67-1337

La Pentecôte

Vers 1306-1312. *Tempera* sur peuplier, 46 × 44 cm

Les contemporains de Giotto reconnurent qu'il avait changé le cours de l'art. Contrairement aux peintres antérieurs, il souligne la dimension spatiale de ses figures et de ses décors, et cherche à intégrer les spectateurs en leur faisant jouer un rôle de témoin dans le déroulement dramatique de l'histoire de la chrétienté. Par la suite, d'autres Florentins, notamment Michel-Ange, suivront son exemple. Les œuvres qui sont incontestablement attribuées à Giotto sont des cycles muraux peints dans diverses églises de Florence et de Padoue. C'est à la lumière de ces derniers qu'il faut considérer les peintures sur bois, telle celle-ci attribuée à l'artiste et à son atelier. La qualité inégale des figures laisse supposer la participation d'assistants, mais les deux hommes du premier plan, solidement ancrés au sol et expressifs, sont, malgré la symétrie ornementale de leur pose, presque certainement de la main de Giotto.

Une étude scientifique a permis d'établir que ce petit panneau est le septième et dernier d'une série de scènes de la vie du Christ peintes à l'origine sur une seule planche formant un retable bas d'une largeur exceptionnelle. Les autres panneaux, actuellement dispersés dans plusieurs musées des États-Unis et d'Europe, représentaient à l'origine de gauche à droite : la Nativité, la Présentation au Temple, la Cène, la Crucifixion, la Mise au tombeau et la Descente aux limbes. Ces panneaux forment une unité due aux épisodes représentés, au format et au style, à la continuité que présente le grain du bois, mis en évidence par les rayons X et aussi à la manière inhabituelle dont les panneaux ont été dorés. Pour donner aux nimbes et à leurs arrière-plans le chaud reflet du métal, les artistes posaient généralement une feuille d'or sur de l'argile rouge collante appelée bol. Ici, l'or a été appliqué sur une couche de terre verte, un pigment normalement utilisé sous les tons chair par les peintres italiens de l'époque. Ceci renforce la teinte naturellement verdâtre de la feuille d'or, et confère aux tableaux une tonalité froide.

La Pentecôte, dernier épisode de la série, est la seule scène dans laquelle le Christ n'apparaît pas. Décrite dans les Actes des Apôtres (II, 1-13), elle marque le point de départ de la mission d'évangélisation confiée aux disciples du Christ. Rassemblés après l'Ascension du Christ, les douze apôtres sont remplis de l'Esprit Saint qui se présente sous la forme de « langues de feu […] se pos[ant] sur chacun d'eux ». « La foule […] se trouv[e] en plein désarroi, car chacun les entend parler sa propre langue. » L'Esprit Saint, qui a pris la forme d'une flamme sur la tête des apôtres, est en outre représenté sous son aspect habituel, celui d'une colombe de laquelle émanent des rayons. Giotto a conçu la scène avec la clarté qui caractérise ses cycles muraux, représentant à la fois l'extérieur et l'intérieur de la pièce, où les apôtres sont rassemblés sous un plafond à caissons vu en perspective. Seules trois figures représentent la foule venue de tous les pays dont les Actes des apôtres signalent la présence : un homme réfléchissant aux paroles des apôtres, et deux autres qui, tout en écoutant, partagent entre eux, mais aussi avec le spectateur, l'étonnement que suscitent en eux le miracle et le message entendu.

Giovanni di Paolo actif 1417-†1482

La Retraite de saint Jean-Baptiste dans le désert

Vers 1453. *Tempera* sur peuplier, sans les bords 32 × 38 cm

Au xve siècle, Giovanni di Paolo fut, avec Sassetta *(cf. p. 89)*, l'un des plus célèbres peintres de Sienne. Les grands maîtres du xIV^e siècle – Duccio *(cf. p. 40)* et ses disciples – eurent une emprise si forte sur l'art siennois qu'ils furent tout naturellement une source d'inspiration pour Giovanni di Paolo et Sassetta. La dette du premier envers l'art tant moderne qu'ancien est clairement perceptible dans les quatre panneaux de la prédelle intitulés *Scènes de la vie de saint Jean-Baptiste* et conservés à la National Gallery. *La Retraite de saint Jean-Baptiste dans le désert* était probablement le second à partir de la gauche. Les autres panneaux représentent la Naissance du saint, le Baptême du Christ et le Festin chez Hérode, au cours duquel Salomé danse devant son oncle afin d'obtenir

La Retraite de saint Jean-Baptiste dans le désert

de lui la décapitation de saint Jean-Baptiste. La vie de ce dernier est relatée dans les Évangiles, mais aussi dans des textes apocryphes, et sa représentation picturale au xve siècle était conforme à une tradition bien établie. Le retable dont ces panneaux constituent la prédelle – c'est-à-dire la partie inférieure servant de soubassement – n'a pas été identifié avec certitude, mais le saint devait y être représenté.

En 1427, deux reliefs en bronze exécutés par les sculpteurs florentins Ghiberti et Donatello, respectivement. *Le Baptême du Christ* et *Le Banquet d'Hérode*, vinrent orner les fonts baptismaux de Sienne. Giovanni di Paolo s'inspira de ces compositions pour les scènes de même thème représentées sur sa prédelle. Pour peindre l'épisode où saint Jean enfant quitte le domicile familial et se glisse dans une crevasse de la montagne avant de rejoindre le désert, il ne disposait en revanche d'aucune source d'inspiration aussi récente. Il a donné l'illusion du mouvement en ayant recours au vieux procédé qui consiste à associer deux épisodes : Jean, aux portes de la ville, puis dans la montagne, est chaque fois représenté de profil, comme si l'histoire se déroulait de gauche à droite. L'artiste a aussi utilisé d'autres procédés tout aussi anciens : disproportion entre la taille des figures et les dimensions du paysage, vue extrêmement plongeante sur celui-ci, qui semble se dérober vers l'angle supérieur droit de l'œuvre. C'est cette perspective plongeante qui nous permet de percevoir la courbure de la terre à l'horizon et le découpage des champs et des bois. Les montagnes ont été peintes selon une convention héritée de l'art médiéval grec, et l'ensemble de l'œuvre, avec sa palette de tons doux que ponctue un rose éclatant et l'or étincelant du nimbe, a le charme d'un conte de fées.

Les roses peintes de manière très réaliste de part et d'autre de la scène sont tout aussi charmantes, mais pour de tout autres raisons. Curieusement, elles sont vues de dessous, comme si elles étaient perçues par un regard placé à la hauteur du bourgeon inférieur de chaque branche.

Jacopo di Cione (attr. à)   actif 1362-†1398/1400

*Le Couronnement de la Vierge entourée de saints en adoration
(Retable de San Pier Maggiore)*

1370-1371. *Tempera* sur peuplier, panneau central 206 × 114 cm,
chaque panneau latéral 169 × 113 cm

Le *Couronnement de la Vierge* et les *Saints en adoration* qui l'encadrent constituaient le corps principal de l'un des retables les plus grands et les plus élaborés commandés à Florence au cours de la seconde moitié du XIVᵉ siècle. Celui-ci fut érigé sur le maître-autel de l'église San Pier Maggiore ; des témoignages indiquent qu'il fut nécessaire d'utiliser un palan pour le mettre en place. Au XVIIIᵉ siècle, quelque temps après la destruction de l'église, le retable fut démembré, et le cadre détruit. En outre, la forme des panneaux fut modifiée, et ceux de la prédelle furent dispersés entre différents musées. Bien que la National Gallery possède les peintures du corps principal et les pinacles, il est impossible de les disposer comme à l'origine en raison de leur grandeur.

Une composition aussi complexe que celle-ci ne peut être l'œuvre d'un seul artiste. Si la peinture est dans le style de Jacopo di Cione – le cadet de quatre frères florentins, tous artistes –, la composition générale du retable est en effet attribuable à son collaborateur Niccolò di Pietro Gerini. Un troisième maître a peut-être été chargé de la dorure et de l'ornementation. La collaboration entre les trois artistes fut si étroite et si efficace qu'il ne s'écoula guère plus d'un an entre le dessin initial et l'installation finale.

Le principal sujet de l'œuvre, à savoir le Couronnement de la Vierge, était alors extrêmement populaire à Florence *(cf. p. 60)*. Il servait de prétexte à la réunion d'un orchestre céleste et d'un grand nombre de saints tenant lieu de spectateurs. On en dénombre ici quarante-huit, le plus en vue étant Pierre, à qui est consacré San Pier Maggiore. Représenté au premier rang, à la droite du trône, il occupe la place honorifique par excellence ; il tient la clé du Paradis et une maquette de son église, symbolisant l'Église universelle. Bien qu'à première vue toutes les figures semblent dotées de traits individuels, il est peu vraisemblable qu'elles aient été peintes ou dessinées d'après nature ; il est en revanche presque certain qu'elles proviennent d'un répertoire de modèles *(cf. p. 38)*. D'une figure à l'autre, les traits ont parfois simplement été inversés : ainsi ceux du jeune diacre saint Stéphane, représenté au premier rang sur le panneau gauche (il porte sur la tête l'une des pierres avec lesquelles il fut martyrisé) réapparaissent inversés sur le visage de saint Laurent, également diacre, peint sur le volet droit (avec le gril de son martyre). L'utilisation de poncifs a en grande partie dilué le naturalisme et la puissance dramatique de la mise en scène de Giotto *(cf. p. 50)*. Bien que les figures aient une certaine consistance et soient représentées à genoux ou debout, en rangées successives, bien que le trône ait reçu à main levée un semblant de perspective, l'effet d'ensemble reste bidimensionnel.

L'intérêt nouveau porté à la richesse de la décoration – à ces étoffes dont les motifs ont été obtenus en grattant la couche de peinture afin de faire réapparaître la feuille d'or sous-jacente – contrebalance l'impassibilité des figures et l'austérité d'ensemble de la composition. À la lueur des bougies, l'or ouvragé et la répétition rythmique des couleurs devaient même insuffler à la scène un semblant de mouvement : les figures sacrées sont bercées par la musique solennelle jouée par des anges musiciens.

Léonard de Vinci   1452-1519

Vierge aux rochers

Vers 1508. Huile sur bois, 190 × 120 cm

Léonard de Vinci, génie légendaire, inspirait déjà le respect à ses contemporains. Ayant reçu une double formation d'artiste et d'ingénieur à Florence, il dépassa les limites de sa profession en même temps qu'il la trahit : travaillant sans relâche, il ne parvint à achever qu'un petit nombre de ses projets. Incapable de travailler de manière systématique, de la commande à l'achèvement de l'œuvre – ou peu enclin à le faire –, il vécut des traitements que lui versaient certains princes. Considéré par le roi de France comme un « très grand philosophe », il mourut dans un des châteaux de la Loire, le Clos-Lucé. C'est en vain que des collectionneurs lui réclamaient des tableaux « exécutés avec cet air de douceur et cette suavité qui [lui était] propre », pour reprendre les termes d'Isabelle d'Este, marquise de Mantoue. Il semble qu'il ait gardé en sa possession de célèbres tableaux très convoités, tels que *La Joconde*, et les ait cédés, à sa mort, à un élève peu scrupuleux. Ses précieux carnets de notes, remplis de dessins et de remarques sur l'art, l'architecture, l'ingénierie et diverses sciences, n'ont jamais été publiés de son vivant. Un membre de son atelier, Giovanni Francesco Melzi, a cependant rédigé, à partir de ces notes qui lui avaient été léguées, le célèbre *Traité de la peinture* qui, bien que fragmentaire, fut étudié avec avidité pendant des siècles. Chacune des compositions de Léonard de Vinci, qu'elle ait été ou non achevée, exerça une influence sur l'art de toute l'Europe. *La Joconde* n'a jamais perdu de son pouvoir de fascination et la peinture murale de *La Cène* demeure, même endommagée, la plus imposante et la plus célèbre représentation artistique racontant un épisode de l'histoire chrétienne.

La *Vierge aux rochers* fut peinte vers 1508 pour la confrérie laïque de l'Immaculée Conception de San Francesco de Milan. Il est possible que Léonard ait eu l'intention d'exécuter ce tableau à son arrivée à Milan en 1483, avant d'en avoir la commande, car une version antérieure, probablement vendue au roi de France, est conservée au Louvre. Le tableau de la National Gallery substitue un motif populaire à Florence à l'iconographie franciscaine de la doctrine de l'Immaculée Conception, à savoir celle de la Vierge sans l'Enfant, debout au milieu de prophètes qui tiennent des textes faisant référence à son exemption du péché originel. Ici, Jean-Baptiste, s'abritant sous le manteau de Marie, vénère l'Enfant Jésus dans un paysage sauvage, arrosé d'eau. Les clients milanais de l'artiste ont dû craindre une confusion entre les deux enfants, car une autre main a ultérieurement donné à Jean-Baptiste un phylactère l'identifiant et une croix maladroitement fichée dans l'une des délicieuses études de plantes de Léonard.

Le panneau fut inséré dans un cadre préexistant, décoré de sculptures, de dorures et de volets peints. (Les deux musiciens présentés à côté et exécutés par un assistant de Léonard de Vinci, proviennent probablement de la face antérieure et du revers du volet droit.) À la lueur des bougies de la chapelle, le cadre scintillant et les rochers peints, projetant une ombre d'où les figures émergent, devaient ensemble contribuer à suggérer l'intérieur d'une grotte mystérieuse. Dans ses carnets de notes, Léonard de Vinci a évoqué le jour où, debout à l'entrée d'une grotte, il sentit « soudain monter en lui, à la fois la peur de l'obscurité menaçante [et] le désir de voir s'il y avait quelque merveille à l'intérieur ». Le contraste entre les zones inachevées du tableau – la main de l'ange posée sur le dos du Christ par exemple – et les passages achevés ne devaient pas être aussi dérangeant qu'il l'est actuellement. Peut-être est-ce la tête et le voile diaphane de l'ange, avec leurs touches chatoyantes d'une fermeté et d'une délicatesse miraculeuses, qui correspondent le mieux à l'accomplissement des intentions de Léonard de Vinci dans cette œuvre à forte charge émotionnelle et pourtant étrangement peu expansive.

Léonard de Vinci 1452-1519

La Vierge, l'Enfant Jésus, sainte Anne et saint Jean-Baptiste

Vers 1507-1508. Fusain et rehauts de blanc à la craie sur papier, 142 × 106 cm

Dans une petite salle délibérément obscurcie est accrochée, derrière la *Vierge aux rochers* *(cf. p. 55)*, dans un renfoncement du mur spécialement aménagé à cet effet, l'une des œuvres les plus précieuses et fragiles que possède la National Gallery. Il s'agit du « carton » de Léonard de Vinci, un dessin représentant sainte Anne, mère de la Vierge, laquelle est assise sur ses genoux, tenant dans ses bras l'Enfant Jésus, lui-même penché sur le côté pour bénir Jean-Baptiste en lui caressant le menton. Le dessin couvre huit feuilles de papier collées ensemble. La faiblesse de l'éclairage permet d'éviter que la craie et le fusain ne s'estompent, tout en créant une atmosphère de recueillement qui semble appropriée. Comme dans la *Vierge aux rochers,* Léonard a représenté quatre figures qui apparaissent en profonde communion les unes avec les autres, chargées d'une intense émotion humaine et d'une signification théologique. Les regards échangés et les sourires introspectifs confèrent aux visages des expressions énigmatiques, qui ont fait la célébrité du peintre.

Le triangle ouvert constitué par les figures de la *Vierge aux rochers* s'est ici resserré en une pyramide composée de formes imbriquées ; les figures sont de taille supérieure tandis que le paysage rocheux a disparu dans le lointain ; seuls quelques galets subsistent au premier plan. En dépit d'une plus grande monumentalité, rien n'est résolu de manière décisive. Les passages difficiles, là où les corps entrent en contact les uns avec les autres et se chevauchent, sont restés flous. L'avant-bras de sainte Anne, prophétiquement levé vers le ciel, est à peine esquissé. Nous commençons à comprendre pourquoi Léonard de Vinci trouvait si difficile de mener à bien ses projets : l'indétermination du dessin et le manque de fini contribuent à la portée de l'œuvre, le mystère pictural renvoie au mystère divin. Dieu s'est fait homme dans les entrailles d'une femme elle-même conçue en dehors du péché, la Passion est annoncée et acceptée avec une joie mélancolique.

Les cartons étaient des dessins à l'échelle, destinés à être transférés sur un mur, un panneau, ou une toile, afin de servir de guide à la réalisation de l'œuvre picturale. Le dessin de la National Gallery en était certainement un, mais il n'a jamais été transféré, car les contours ne présentent aucune trace de piquage ou d'incision. Comme dans la *Vierge aux rochers,* il s'agit d'une variation sur un thème qui occupa Léonard de Vinci pendant quelques années. En 1501, les Florentins « hommes et femmes, jeunes et vieux » avaient afflué, « comme à l'occasion d'une fête solennelle », pour voir un dessin antérieur de Léonard de Vinci qui, de même dimension et de même sujet, avait probablement été exécuté pour un retable dédié à sainte Anne – sainte patronne de la république de Florence – destiné à l'église de la Santissima Annunziata. Le retable ne fut jamais exécuté, et le dessin correspondant a disparu.

Quelque temps plus tard, Louis XII, roi de France, attiré par le sujet de l'œuvre car son épouse s'appelait Anne, demanda à Léonard de Vinci d'en revoir la composition.

Le tableau, commencé vers 1508, demeura inachevé à la mort de l'artiste. Il est actuellement conservé au Louvre. Il montre Anne souriant à la Vierge assise sur ses genoux. Celle-ci se penche pour empêcher l'Enfant Jésus de jouer avec un agneau, symbole du sacrifice du Christ et attribut de saint Jean-Baptiste. Le tableau de Paris comme le carton de la National Gallery permettent de saisir ce qui suscita l'émerveillement du spectateur devant le dessin de 1501 aujourd'hui disparu : « Toutes ces figures sont grandeur nature, mais elles évoluent dans l'espace d'un petit carton, car elles sont soit assises, soit courbées, et chacune représente une certaine masse par rapport à l'autre [...]. » Léonard possédait avant tout l'art de résoudre les problèmes formels en ayant recours à un nombre incalculable de procédés, qui, tous différents, n'en étaient pas moins évocateurs.

Fra Filippo Lippi   vers 1406-1469

L'Annonciation

Vers 1448-1450. *Tempera* sur bois, 68 × 152 cm

Orphelin placé encore enfant dans un couvent, Fra Filippo prononça ses vœux à Santa
Maria del Carmine à Florence en 1421. Il eut donc l'occasion d'observer Masaccio et
Masolino *(cf. p. 66 et 69)* y exécuter les célèbres fresques. Il était davantage fait pour être
artiste que frère carmel : chapelain en 1456 dans un couvent de Prato, il incita une
nonne à s'enfuir avec lui. Il en eut un fils, Filippino, qui devint un excellent peintre
d'œuvres pieuses ; l'aile Sainsbury abrite un magnifique retable de sa main. Filippo qui,
en tant qu'artiste, travaillait pour les Médicis, fut grâce à leur intercession délié de ses
vœux pour épouser la mère de Filippino.

À l'origine, *L'Annonciation* était un des deux panneaux conçus pour un palais de Florence appartenant aux Médicis. Sur le second panneau, accroché à la National Gallery à
côté de celui-ci, sont représentés sept saints ayant une signification particulière pour la
famille Médicis. La forme et le sujet des deux tableaux laissent à penser qu'ils faisaient
partie du décor intérieur de deux pièces, distinctes mais jumelles : il s'agissait soit de
têtes de lit, soit de panneaux situés au-dessus d'un lit ou d'une porte. Les *Sept Saints*,
qui illustre un thème dynastique à travers la lignée masculine de la famille, semble
avoir été destiné à une chambre d'homme, et *L'Annonciation* à une chambre de femme.

Les armoiries des Médicis, trois plumes à l'intérieur d'une bague ornée d'un dia-
mant, apparaissent sous la forme d'un bas-relief sur le petit côté du muret, séparant le
« jardin clos » *(cf. p. 39)* de la chambre de la Vierge. Les lis tenus par l'archange Gabriel,
comme ceux qui poussent dans l'urne placée entre les deux figures, font allusion à la
pureté de Marie. Au centre de l'arc formant le bord supérieur du panneau figure la
main de Dieu le Père, qui a envoyé la colombe de l'Esprit Saint. La trajectoire en spirale
de son vol, soulignée par de l'or scintillant, est sur le point de s'achever dans les
entrailles de la Vierge, d'où émanent quelques rayons dorés. L'attitude soumise de
Marie illustre le passage de l'Évangile selon saint Luc (I, 38) qui lui prête ces mots : « Je
suis la servante du Seigneur. Que tout se passe pour moi comme tu me l'as dit ! »

Ce panneau présente toutes les qualités que les Médicis appréciaient dans l'art de Fra
Filippo. L'austérité de la perspective centrale (l'inclinaison du sol est exagérée en raison
de l'angle selon lequel le panneau devait être regardé à l'origine) et de la géométrie très
stricte, héritée de Masaccio, est atténuée par la sublime délicatesse de la ligne, de la

couleur et de l'ornementation. Le voile diaphane de la Vierge adoucit légèrement la courbe de son cou et de ses épaules ; les ailes en plumes de paon de Gabriel font écho à la courbe de l'arc. Mais la beauté de l'œuvre réside essentiellement dans la rencontre de l'ange et de la Vierge, qui semblent être le reflet l'un de l'autre : l'un incline la tête et replie le bras par déférence ; l'autre, par humilité.

Stephan Lochner   actif 1442-†1451

Saint Matthieu, sainte Catherine d'Alexandrie et saint Jean l'Évangéliste

Vers 1445. Huile sur chêne, 69 × 58 cm

Lochner fut de son vivant le peintre le plus renommé de Cologne, ville où Dürer se rendra en 1520 et aura accès à son *Adoration des Mages*, moyennant paiement. Le panneau de la National Gallery correspond à l'intérieur du volet gauche d'un petit retable dont la partie centrale a disparu. Le revers de ce même volet, représentant aussi trois saints debout, est en très mauvais état. Actuellement conservée dans un musée de Cologne, l'aile droite du retable a été, quant à elle, sciée en deux parties. Tandis que l'œuvre de la National Gallery a été rognée en haut et en bas, la face antérieure du volet droit – à l'origine de même dimension que son pendant à gauche – présente encore des entrelacs sculptés au-dessus et au-dessous des figures. Sur cette face sont peints saint Marc, sainte Barbe et saint Luc, de sorte que les deux volets réunis présentaient, lorsqu'ils étaient ouverts, les quatre évangélistes et deux des saintes les plus populaires. Les six figures sont identifiables à leurs attributs, ceux des évangélistes étant les quatre animaux de l'Apocalypse (IV, 6-8). Ici, Matthieu rédige son évangile accompagné de son ange ; Jean, en compagnie de son aigle, tient à la main un calice où se love un serpent – allusion à la coupe empoisonnée qu'il but et dont il réchappa miraculeusement. Il est représenté un plumier à la ceinture et la main droite levée en signe de bénédiction. Catherine d'Alexandrie présente l'épée avec laquelle elle a été décapitée ; à ses pieds gisent des fragments de la roue garnie de pointes avec laquelle elle a été torturée. Tous trois se tiennent debout sur un sol pierreux ; ils se détachent sur un fond doré à la feuille et travaillé de manière à capter la lumière et à donner l'illusion d'une somptueuse étoffe à fils d'or.

Lochner associe des contours nets et des volumes bien lissés, comme en témoigne le front élégamment arrondi de Catherine. La reprise des mêmes couleurs – vert, rouge et blanc – crée entre les figures une certaine unité, laquelle est renforcée par la pose des trois saints qui rappelle le schéma des danses lentes de l'époque : trois partenaires, deux de même sexe encadrant un troisième de sexe opposé, avancent en pointant le même pied. L'analogie devait être encore plus frappante lorsque le retable était complet, car tandis que les figures de Londres tendent le pied droit, les trois saints de Cologne avancent le pied gauche.

Lorenzo Monaco   avant 1372-1422/24

Le Couronnement de la Vierge entourée de saints en adoration

Vers 1414. *Tempera* sur peuplier, section gauche 182 × 105 cm ;
section centrale 217 × 115 cm ; section droite 179 × 102 cm

Piero di Giovanni devint « Lorenzo le Moine » en 1391, après avoir prononcé ses vœux au monastère camaldule de Santa Maria degli Angeli, à Florence. Cet ordre ascétique avait été fondé en 1012 par un moine bénédictin, saint Romuald, choqué par le relâchement et la décadence de la vie monastique dans son propre monastère. Le saint avait donné à cet ordre un nom forgé à partir de « Camaldoli », le village de montagne toscan où il avait construit un ermitage. La légende raconte qu'après avoir rêvé qu'une échelle reliait la terre au ciel et qu'empruntaient des hommes en robe blanche, il avait décrété que les moines de son nouvel ordre seraient vêtus de blanc. C'est la raison pour laquelle saint Benoît, fondateur au VIᵉ siècle de l'ordre des Bénédictins, apparaît, sur les retables camaldules, vêtu de blanc et non de noir comme les bénédictins.

Benoît est ici représenté à l'extrême gauche ; dans son livre sont inscrits les mots par lesquels commence le prologue de sa Règle, que les camaldules, en tant que bénédictins réformés, observaient. Il tient dans la main gauche les verges qu'il utilisait pour châtier les moines dévoyés. À ses côtés sont assis saint Jean-Baptiste et saint Matthieu

avec son Évangile. À l'extrême droite figure un saint d'un âge également respectable, vêtu de blanc. Il s'agit de saint Romuald, avec à ses côtés les vénérés saint Pierre et saint Jean l'Évangéliste. Tous les saints ici représentés assistent au Couronnement de la Vierge, qui suit l'Assomption. Cette scène (qui fut représentée pour la première fois en France au XIIIe siècle), était à l'époque extrêmement populaire à Florence, bien qu'elle ne figure pas dans les Évangiles. La Vierge incarnant parfois l'Église, le fait que le Christ la coiffe d'une couronne royale confirme l'autorité de l'Église et du pape – sujet approprié pour une ville politiquement alliée à la papauté. Sous la scène sont disposés en demi-cercle des anges musiciens.

À l'origine, le retable ne se présentait pas sous la forme d'un triptyque, mais d'un panneau unique surmonté de trois arcs, avec des gâbles et une prédelle ; le panneau principal fut divisé en trois parties peu après 1792. Les panneaux latéraux et la scène centrale ne sont pas entrés ensemble à la National Gallery. Ils sont aujourd'hui présentés dans un cadre moderne.

La localisation et l'état actuels de cette œuvre attrayante font facilement oublier qu'elle avait une fonction liturgique et servait les intérêts d'une institution : les saints fondateurs de l'ordre bénédictin et de l'ordre camaldule sont installés, au Paradis, sur un pied d'égalité avec les Évangélistes, les apôtres et saint Jean-Baptiste. Plus difficile encore est de se souvenir que l'auteur de ce style calligraphique, de ces délicieuses associations de couleurs (le mauve rosé de la robe de la Vierge s'est estompé) et de ces anges aux manières de courtisans était lui-même membre de cette communauté austère, vêtu de blanc.

Andrea Mantegna   1430/31-1506

L'Introduction du culte de Cybèle à Rome

1505-1506. Peinture à la colle sur lin, 74 × 268 cm

Dans son célèbre ouvrage, Vasari rapporte les propos méprisants de Squarcione, maître avec lequel Mantegna s'était brouillé : « Andrea aurait mieux réussi les figures s'il leur avait donné le ton du marbre et non tant de couleurs variées, car […] ses peintures ne ressemblaient pas à des modèles vivants mais à des statues antiques. » On ne peut s'empêcher de penser, en regardant cette peinture ou les autres faux reliefs de Mantegna conservés à la National Gallery, que l'artiste a relevé le défi. Il avait provoqué la colère de son ancien maître en se rapprochant en 1453, par des liens du mariage, de l'atelier rival, celui des Bellini, les peintres les plus en vue de la Vénétie. Mantegna utilisa certes la dot de son épouse pour mettre fin à toute obligation légale envers Squarcione, mais il ne s'associa pas avec l'atelier Bellini. En 1459, il s'établit à la cour de Mantoue, au service de laquelle il allait demeurer jusqu'à ses derniers jours. À sa mort, il était l'un des artistes les plus adulés de toute l'Italie. Ses peintures ont influencé de nombreux artistes, notamment son beau-frère, Giovanni Bellini *(cf. p. 22)*, et ses gravures, de nombreux autres, en particulier le grand artiste allemand Dürer.

    À la cour de Mantoue, Mantegna conserva l'intérêt qu'il s'était découvert pour l'archéologie et l'humanisme dans la ville universitaire de Padoue. Le tableau relativement petit examiné ici, qui évoque l'Antiquité romaine d'une manière aussi complexe que dans n'importe quelle grande composition de l'artiste, fut commandé en 1505 pour le palais de Francesco Cornaro, un noble vénitien. La famille Cornaro prétendait descendre du clan romain de Publius Cornelius Scipion Nasica, qui, en 204 av. J.-C., fut considéré comme l'homme le plus digne d'accueillir à Rome Cybèle, mère des dieux venue d'Asie Mineure. La divinité s'était manifestée sur le mont Ida sous la

forme d'un météorite, et sa venue à Rome constituait la condition préalable à l'éviction des Carthaginois du sol italien au cours des guerres puniques. Des historiens et poètes de l'Antiquité ont relaté comment le navire transportant la pierre divine s'était ensablé et comment Claudia Quinta, une matrone romaine accusée d'adultère, l'avait extrait des sables en le tirant avec sa ceinture, prouvant ainsi sa chasteté.

Ce tableau de Mantegna fut le premier d'une série jamais achevée. L'idée était de représenter des légendes en relation les unes avec les autres qui, réunies sur les murs d'une pièce, auraient donné l'illusion d'une frise sculptée. Au lieu d'imiter les reliefs en marbre, l'artiste s'est cependant attaché à rendre l'aspect des camées, ces œuvres d'art de l'Antiquité tant prisées à la Renaissance. Un camée se composait de figures, taillées dans une des couches de couleur de la pierre de telle sorte qu'une couleur différente apparaissait en toile de fond. Les dimensions du tableau de Mantegna, sans commune mesure avec celles mêmes des plus grands camées romains, en font une œuvre rare et précieuse.

Ici, le météorite de Cybèle, un buste de la déesse (inspiré d'une sculpture antique romaine) et une lampe sont transportés sur une civière par les prêtres de la déesse qui avancent d'un pas rapide et rythmé, précédés d'un des acolytes de la divinité en pantalon oriental. La figure agenouillée, aux cheveux en bataille, pourrait être Claudia Quinta, ou l'un des adorateurs émasculés de Cybèle. Scipion est vraisemblablement l'homme qui s'adresse, par un geste de la main droite, aux sénateurs méfiants. À droite, un prophète enturbanné explique à un soldat romain le culte rendu à Cybèle, tandis qu'un jeune Africain, auquel répond une trompette qui apparaît dans l'encadrement de la porte, joue du fifre et du tambour. La perspective selon laquelle l'escalier a été représenté a été calculée à partir d'un point d'observation bas, tout comme l'agencement des figures. Le mouvement qui se propage à tout le tableau et les tons « pierre » – du gris doré aux brillantes variations colorées du fond, en passant par les teintes plus douces des figures – donnent l'illusion d'une sculpture vibrante de vie.

Andrea Mantegna 1430/41-1506

Le Christ au jardin des Oliviers

Vers 1460. *Tempera* sur bois, 63 × 80 cm

Les vestiges de l'Antiquité que Mantegna étudiait avec passion ont dû éveiller en lui un intérêt pour la pierre elle-même. Il a en effet représenté en peinture des reliefs et des camées fictifs, et même des carriers au travail à l'arrière-plan d'une petite *Vierge à l'Enfant* (Florence, Offices). Lorsqu'une certaine magnificence s'imposait, il peignait des sols en marbre, des colonnes et des murs d'albâtre, de porphyre, de serpentine et autres pierres exotiques prisées par la Rome impériale et la Venise médiévale. Dans *Le Christ au jardin des Oliviers*, Mantegna a en revanche mis l'accent sur les dures aspérités de la roche nue du mont des Oliviers et sur la froideur de la pierre taillée dans la ville de Jérusalem, dont le Christ avait prédit qu'« il ne restera[it] pas [...] pierre sur pierre » (Mt XXIV, 2).

La cité est ici présentée sous l'angle d'une double infidélité : ses tours sont couronnées d'un croissant de lune, qui n'est autre que l'emblème de l'Islam, tandis qu'un édifice circulaire ressemblant au Colisée et un monument équestre doré, posé sur une colonne sculptée, évoquent la Rome païenne. La porte aménagée dans le mur nouvellement réparé ne s'ouvre que pour laisser sortir une colonne de soldats, précédée de Judas. Il s'agit de l'épisode qui, relaté dans les quatre Évangiles, a précédé l'arrestation de Jésus. Après la Cène, Jésus sort de Jérusalem avec les disciples afin de prier, et dit : « Mon âme est triste à en mourir [...] » (Mc XIV, 34). Au lieu de veiller avec lui, Pierre, Jacques et Jean sombrent dans le sommeil. Tandis que Bellini, dans une version de cette composition également conservée à la National Gallery *(cf. p. 24)*, montre l'ange qui, venu du Ciel, apparaît au

Christ et le réconforte (Lc XXII, 43), Mantegna illustre le moment où le Christ doit se soumettre à la volonté de Dieu le Père. Devant lui, cinq anges – aussi nus que les petits athlètes de l'art antique – et les instruments de sa Passion : la colonne de la Flagellation, la croix de la Crucifixion, l'éponge qui lui fut offerte imbibée de vinaigre, la lance utilisée pour lui transpercer le côté. Un vautour, sentant l'approche de la mort, fait le guet sur une branche dénudée.

Ce n'est pourtant pas un sentiment de désespoir ou de pitié que Mantegna semble avoir voulu éveiller chez le spectateur de cette petite œuvre de dévotion aux touches nerveuses et aux couleurs vigoureuses. Les lièvres (ou lapins), sans défense sur le chemin, symbolisent ceux qui ont mis leur espoir dans le Christ Sauveur, et les aigrettes, qui, blanches comme neige, évoluent sur l'eau, évoquent la purification par le baptême. Des arbres ont été abattus, mais de jeunes pousses apparaissent à même la roche. Empreinte de rigueur, la manière de Mantegna invite au courage. Et peut-être n'est-il pas hors de propos de rappeler que la « pierre » sert de métaphore dans toute la Bible et que l'apôtre Pierre l'applique au Christ (I P II, 6) : « Voici, je pose en Sion une pierre angulaire […] et celui qui met en elle sa confiance ne sera pas confondu. »

Margaritone d'Arezzo   actif 1262

Vierge en Majesté, entourée d'épisodes de la Nativité et de la vie des saints

Années 1260. *Tempera* sur bois, 93 × 183 cm

Voici l'œuvre italienne la plus ancienne que possède la National Gallery. Il est presque certain qu'elle fut conçue pour être un retable et non pour décorer le devant d'une table d'autel, comme pourrait le suggérer sa forme.

Dans les années 1260, l'iconographie de la Vierge à l'Enfant, qui fait référence au dogme de l'Incarnation, était devenue, avec le crucifix rappelant le sacrifice du Christ sur la croix, l'image religieuse la plus populaire. La représentation de Marie et de son Fils suit ici les schémas traditionnels de la peinture byzantine, c'est-à-dire de la peinture grecque médiévale : la Reine du Ciel est assise sur un trône à têtes de lion, semblable à celui de Salomon (II R X, 19), et le Christ est assis sur ses genoux. Il n'est pas représenté sous les traits d'un bébé ; il incarne, conformément à l'Évangile selon saint Jean, le Verbe de Dieu : enveloppé de l'habit des philosophes, des hommes d'État et des juges de l'Antiquité, il tient un rouleau dans la main gauche et bénit de la main droite. De part et d'autre de la Vierge et de l'Enfant, des anges balancent des encensoirs comme les enfants de chœur le font à la messe. Ces figures sont inscrites dans une mandorle, une gloire en forme d'amande représentant le Ciel. Aux quatre coins figurent les attributs des quatre Évangélistes, certes traditionnels mais inspirés à l'origine de l'Apocalypse johannique, le dernier livre prophétique de la Bible.

Les quatre compartiments carrés qui, disposés de part et d'autre, forment contraste avec cette image intemporelle et symbolique, illustrent des épisodes de l'Histoire sacrée : la naissance du Christ dans le coin supérieur gauche, puis à droite saint Jean l'Évangéliste tiré d'un chaudron d'huile bouillante par un ange. Saint Jean réapparaît dans le registre supérieur, à droite de l'image centrale : cette fois, il ressuscite Drusiane d'entre les morts ; à sa droite figure saint Benoît, qui, pour résister aux tentations de la chair, se mortifie en se roulant nu dans un buisson d'épines. Dans le coin inférieur gauche, sainte Catherine est décapitée ; son corps est porté au Sinaï par des anges. Vient ensuite sur la droite saint Nicolas prévenant les pèlerins que le diable leur a donné une huile mortelle. Il réapparaît pour sauver trois jeunes gens sur le point d'être exécutés, tandis que dans le coin inférieur droit, sainte Marguerite, derrière les barreaux de sa prison, apparaît aussi à deux reprises, dans la gueule du dragon qui l'avale et à la sortie du ventre du même dragon. Des légendes en latin décrivent au-dessus de chaque scène

Vierge en Majesté, entourée d'épisodes de la Nativité et de la vie des saints

l'épisode représenté. Sous les pieds de la Vierge, figure en latin l'inscription suivante : « Margarito d'Arezzo m'a fait. »

Cette peinture marque à la fois la fin et le début d'une tradition picturale. Margaritone d'Arezzo s'inspire, comme nous l'avons vu, des peintures byzantines présentes en Italie qui reposent elles-mêmes sur des schémas d'inspiration gréco-romaine : utilisation de diverses valeurs du clair-obscur pour suggérer, par exemple, la rondeur d'une forme, les plis d'un drapé ou les aspérités d'un rocher. Margaritone d'Arezzo a recours à ces procédés comme à une sorte d'écriture, car il ne les modifie pas en fonction des observations qu'il peut faire : on remarquera, par exemple, que l'ombre qui se dessine sur les jambes du Christ apparaît à gauche, tandis que celle des mains de la Vierge se forme à droite. La division du retable en une « image centrale » et en un certain nombre d'« histoires », mais aussi l'utilisation de cadres à l'intérieur desquels les divers épisodes se déroulent comme derrière des fenêtres – et sur l'un desquels reposent les pieds de la Vierge, comme pour pénétrer dans notre propre espace – sont cependant les rudiments d'un nouveau langage pictural, qui sera développé par des générations ultérieures de peintres italiens.

Masaccio   1401-1428 ?

Vierge à l'Enfant

1426. *Tempera* sur peuplier, 136 × 73 cm

Tommaso di Giovanni, connu sous le nom de Masaccio ou « grand Tom », est le jeune héros de la Renaissance italienne. Acclamé par ses contemporains, il n'est jamais tombé dans l'oubli. Un siècle après sa mort, intervenue prématurément, les fresques qu'il avait exécutées à Florence pour la chapelle Brancacci – en collaboration avec Tommaso da Panicale, c'est-à-dire Masolino ou « petit Tom » *(cf. p. 69)* – étaient considérées comme des œuvres de référence, difficilement égalables. Léonard de Vinci, Michel-Ange *(cf. p. 133)* et bien d'autres ont tiré enseignement de l'œuvre de Masaccio. Le jugement de Vasari : « C'est à Masaccio surtout que nous devons la bonne manière dans la peinture [… ses œuvres] sont la vie, la vérité et la nature même » n'a jamais été remis en question.

Masaccio n'a apporté aucune innovation technique, car il a eu recours dans ses œuvres sur bois ainsi que dans ses fresques à des matériaux et des procédés traditionnels. Guidé par les idéaux de Giotto *(cf. p. 50)*, par l'intérêt que portait son époque aux vestiges de la Rome antique, par les expériences de ses amis – l'architecte et sculpteur Brunelleschi et le sculpteur Donatello –, il tirait surtout parti de l'observation de la nature. Son étude de la perspective se doublait d'une analyse tout aussi poussée de la lumière. Les luths des deux anges représentés aux pieds de la Vierge, de toute évidence étudiés d'après nature, témoignent de l'utilisation conjointe du raccourci et d'un éclairage directionnel. Le chevillier de l'instrument de gauche est dirigé vers l'intérieur du tableau ; celui du luth de droite, vers le spectateur. La lumière vive provenant du coin supérieur gauche aide à définir les surfaces planes et les volumes, tandis que les ombres et les pénombres que dessinent les mains des anges semblent aller de soi.

Le panneau de la National Gallery provient d'un grand retable commandé en 1426 par un notaire, pour la chapelle familiale qu'il venait d'acquérir en l'église Santa Maria del Carmine à Pise. La figure 3 montre le schéma de reconstitution le plus plausible : l'ensemble de l'œuvre apparaît sous la forme d'un polyptyque regroupant tous les fragments retrouvés et actuellement dispersés dans divers musées du monde. Une autre solution consiste à présenter l'œuvre comme un panneau unique. Dans l'un ou l'autre des cas, Masaccio a plongé le registre principal, sur toute sa longueur, dans la même lumière que celle que nous voyons ici : une bande d'ombre correspondant à l'un des saints manquants à la droite de la Vierge se retrouve derrière l'ange assis.

Le panneau a été rogné à la base et a perdu son cadre d'origine, bien que l'ogive ait été conçue par Masaccio. La feuille d'argent appliquée sous la robe rouge de la Vierge s'est ternie, et le rouge lui-même a foncé. La surface peinte, éraflée et très abîmée, révèle en outre sur le visage de la Vierge le modelé vert sous-jacent. L'aspect ornemental, plus prononcé à l'origine, ne peut avoir été la principale préoccupation de Masaccio. La Vierge, aussi volumineuse qu'une statue romaine, est assise sur un trône massif dont les colonnes réunissent les trois ordres de l'architecture romaine. Le motif en strigile ornant le socle du trône a été emprunté aux sarcophages antiques. Le jus de raisin que Jésus suce sur ses doigts évoque le vin de l'Eucharistie et le sang versé par le Christ au moment de la Crucifixion, épisode représenté dans le panneau placé au-dessus *(cf. fig. 3)*. L'Enfant lui-même, nu et potelé tel un *putto* romain sculpté, porte un nimbe dont le raccourci définit sa position sur les genoux de sa Mère.

La technique *a tempera* utilisée par Masaccio est moins apte que les huiles néerlandaises contemporaines *(cf. p. 32)* à différencier les textures. Mais la vision qu'a le peintre de la structure des choses a d'autant plus de poids qu'elle ne s'accompagne d'aucun embellissement superficiel.

Fig. 3. Reconstitution du retable de Masaccio (initialement destiné au Santa Maria del Carmine à Pise), avec tous les fragments subsistants (d'après Gardner von Teuffel).

Masolino (attr. à)   **vers 1383-après 1432**
et Masaccio   **1401-1428 ?**

Saint Libère (?) et saint Matthias

Vers 1423-1428. *Tempera* sur peuplier, transposée sur panneau synthétique,
114 × 55 cm

On se souvient surtout du collaborateur que fut pour Masaccio *(cf. p. 66)* Tommaso di
Cristoforo Fini da Panicale, appelé Masolino. Il fut cependant un peintre à part entière,
assez renommé pour avoir été appelé à la cour de Hongrie, où il demeura de 1425 à
1427. La grâce de ses figures laisse à penser qu'il a peut-être été influencé par Lorenzo
Monaco *(cf. p. 60)* et par le sculpteur Ghilberti, avec lequel il pourrait avoir travaillé à
Florence au début des années 1400. L'extravagance avec laquelle il a appliqué les nouvelles lois de la perspective scientifique et l'intérêt qu'il a porté aux détails de la vie
quotidienne ont rendu extraordinairement fascinants les mondes qu'il a peints dans
ses fresques à Rome et à Castiglione Olona, près de Côme.
    L'œuvre considérée ici et le *Saint Jérôme et saint Jean-Baptiste* exposé à proximité consti-
tuaient les deux côtés d'un même panneau appartenant à un retable de l'église Santa
Maria Maggiore de Rome. Ce retable, peint sur ses deux faces, fut démembré en 1653. Le
panneau central comprenait probablement *L'Assomption*, sur la partie antérieure, et *Le
Miracle de la neige*, sur la partie postérieure, face au chœur (ces deux panneaux sont maintenant à Naples). *Le Miracle* fait référence à la fondation, au IVᵉ siècle, de Santa Maria

Maggiore. Selon la légende, la Vierge aurait indiqué au pape Libère où édifier l'église en envoyant au mois d'août une couche de neige à l'endroit prescrit. Le pape est représenté en train de tracer au sol le plan de l'église. C'est sans doute lui qui réapparaît sur le panneau de la National Gallery. À ses côtés figure saint Matthias, dont le corps était l'une des principales reliques de Santa Maria Maggiore. La dépouille de saint Jérôme y était également conservée ; il est en outre censé y être apparu après son propre décès en compagnie de saint Jean-Baptiste. Sur les deux faces de l'autre panneau latéral, actuellement conservé à Philadelphie, figurent d'une part saint Martin (peut-être sous les traits du commanditaire, le pape Martin V) et saint Jean l'Évangéliste (qui faisait pendant à saint Jean-Baptiste), d'autre part saint Pierre et saint Paul – soit le prince des apôtres et l'apôtre des Gentils.

On pense que le retable, commencé par Masaccio peu avant sa mort, fut achevé par Masolino, le principal auteur de *Saint Libère et saint Matthias*. L'œuvre a souffert de même que la *Vierge à l'Enfant* de Masaccio (*cf. p. 67*). Saint Libère, coiffé de la triple couronne des papes du XVe siècle, portait autrefois une chape argentée, ornée de motifs rouges translucides. La lame de la hache tachée de sang que tient Matthias, et qui fut l'instrument de son martyre, était probablement aussi argentée, mais la feuille d'argent a viré au noir. Les visages sont représentatifs de la manière traditionnelle dont Masaccio abordait la représentation du grand âge, empreint de dignité, avec chez lui un modelé de la chair et de la chevelure délicat, très naturel, et donc « moderne ». La pose guindée de saint Matthias, qui a les deux pieds parallèles à la surface peinte, est en quelque sorte contrebalancée par le mouvement des plis de son lourd vêtement de laine, dont le bord relevé fait pendant à celui de la chape de saint Libère, de sorte qu'un même type de courbes court d'une figure à l'autre, tandis que celles-ci se regardent fixement et intensément dans les yeux.

Le maître de Liesborn   actif seconde moitié XVe siècle

L'Annonciation

1470-1480 ? Huile sur chêne, 99 × 70 cm

Comme de nombreux grands retables de la même période, celui qui était placé derrière le maître-autel de l'abbaye bénédictine de Liesborn a été démembré il y a fort longtemps. Plusieurs fragments de ce qui a dû être l'un des retables allemands les plus imposants sont actuellement conservés à la National Gallery ; d'autres sont à Münster, d'autres encore ont disparu ou ont été détruits. On a donné à l'auteur anonyme, qui était à l'époque le peintre le plus réputé de Westphalie, un nom en rapport avec le retable. Le talent descriptif de cet artiste, son style narratif empreint de douceur et de poésie, et sa manière particulière d'utiliser la couleur ne font aucun doute, même si le retable est actuellement dans un état fragmentaire.

L'Annonciation était probablement l'un des deux panneaux constitutifs du volet situé à gauche de la scène centrale. Les deux parties latérales étaient consacrées à des épisodes de la vie du Christ correspondant à des fêtes de l'Église. Le panneau dont il est ici question illustre l'événement qui, relaté dans l'Évangile de saint Luc (I, 27-35), est célébré le 25 mars : il s'agit de la venue de l'archange Gabriel, chargé d'annoncer à la Vierge Marie qu'elle va donner naissance à Jésus. Une lumière éclatante et vivifiante, caractéristique des premiers jours du printemps, s'engouffre dans la chambre de la Vierge par l'ouverture en arc représentée au premier plan, enveloppant l'ange et la Vierge. Très profonde, la chambre est, quant à elle, éclairée par des fenêtres qui donnent sur un vaste paysage. Comme dans les premières peintures néerlandaises qui ont influencé l'artiste, les attributs symboliques sont représentés de manière réaliste, et avoisinent les objets quotidiens. La chambre elle-même rappelle la métaphore utilisée dans le psaume XIX (« C'est un jeune époux sortant de la chambre ») pour évoquer les entrailles de la Vierge, mais aussi son rôle

d'Épouse du Christ. L'aiguière et le bassin représentés près du lit font allusion à la pureté de la Vierge, tandis que la bougie rappelle les cierges disposés sur l'autel au moment de l'Eucharistie. Juste à côté, le matériel d'écriture pourrait indiquer que la Vierge est l'auteur de la prière figurant sur la petite plaque accrochée sous la fenêtre, pareille à celles qu'on doit trouver dans toute maison prospère. Les emblèmes représentés sur la tapisserie et les coussins en velours, leur texture même, et les armes représentées sur les vitraux constituent peut-être autant d'indications relatives à l'identité des commanditaires laïcs.

La présence, de part et d'autre de l'arc en pierre, de prophètes de l'Ancien Testament et, à l'intérieur de la pièce, de la statue en pierre de Dieu le Père, est de toute évidence symbolique, tandis que les motifs du carrelage et du mobilier ne sont que de simples décorations. C'est comme si le sacré et le profane se mêlaient l'un à l'autre dans ce monde, qui nous apparaît comme une énigme ne demandant qu'à être résolue – ce qui est à vrai dire la manière dont la réalité était perçue à l'époque du retable.

Dans ce contexte, l'Annonciation elle-même semble être un spectacle théâtral. Des représentations de ce genre étaient de fait souvent mises en scène dans les églises le jour anniversaire de l'Annonciation. L'ange ressemble à un enfant de chœur habillé de vêtements liturgiques : il porte une aube et une chape (vêtement en brocart). Il indique du doigt le phylactère enroulé autour de son bâton de messager et qui porte sa salutation à Marie « bénie entre toutes les femmes ». La Vierge, assise à son lutrin, est vêtue d'une robe somptueuse et d'un manteau bleu roi, dont les reflets sont perceptibles sur les parties ombrées de l'aube de l'ange. Marie réagit comme l'a indiqué saint Luc : « À ces mots elle fut très troublée, et elle se demandait ce que pouvait signifier cette salutation » (Lc I, 29).

Le maître du portrait de Mornauer   actif vers 1460-1480

Portrait d'Alexander Mornauer

Vers 1470-1480. Huile sur bois tendre, 44 × 36 cm

Le nom du modèle, Alexander Mornauer, secrétaire de mairie de Landshut en Bavière, a été utilisé pour donner une identité à l'auteur anonyme de ce portrait saisissant. Le modèle a pu être identifié grâce à la lettre qu'il tient dans la main droite et sur laquelle on peut lire « à l'honorable et sage Alexander Mornauer [...] scribe de Landshut, mon (fidèle ?) commanditaire ». De plus, la tête de Maure qui orne sa chevalière est par homonymie un clin d'œil à son identité.

Lorsque ce portrait fit son entrée à la National Gallery en 1991, il avait en toile de fond un bleu soutenu. Les analyses effectuées par les scientifiques de la National Gallery ont cependant révélé que cette couleur avait été obtenue avec du bleu de Prusse, un pigment synthétique fabriqué pour la première fois au XVIIIe siècle, qui ne pouvait par conséquent pas être d'origine. L'équipe scientifique a en outre constaté que la calotte relevait d'une transformation tardive. Il a alors été décidé de redonner au portrait son aspect premier et de faire apparaître le chapeau d'origine ainsi que le fond brun imitant le liège.

Le tableau, qui aux XVIIIe et XIXe siècles passait pour un portrait de Martin Luther par Holbein le Jeune, a peut-être été modifié de manière à attirer davantage les collectionneurs anglais ; il a fait son entrée en Angleterre bien avant 1800. Le tableau s'apparente en effet aux portraits peints par Holbein au XVIe siècle *(cf. p. 122 à 126)* en raison de la frontalité sans compromis de la pose et de la manière dont a été soulignée la forte corpulence du modèle, dont la carrure s'étend au-delà des limites du tableau. L'inconfort qu'entraîne un tête-à-tête avec un portrait de face a cependant été quelque peu atténué par une légère rotation et un décalage de la tête par rapport au centre de l'œuvre, mais aussi par l'angle d'incidence de la lumière. C'est ainsi que même le cadre a son ombre projetée sur le tableau.

Le maître du retable de saint Barthélemy

actif 1470 env.
-1510 env.

La Déposition de Croix

Vers 1500-1505. Huile sur chêne, 75 × 47 cm

Le *Retable de saint Barthélemy*, actuellement conservé à Munich, a donné son nom à son auteur, resté anonyme ; ce dernier fut au tournant du siècle le plus remarquable peintre de Cologne. Il a également laissé une version beaucoup plus grande de *La Déposition*, aujourd'hui au Louvre. Dans les deux tableaux de Paris et de la National Gallery, la scène semble se dérouler à l'intérieur d'une châsse sculptée et dorée, imitant les retables sculptés de l'Allemagne du XVe siècle, avec leurs entrelacs et leurs statues peintes.

　　La scène nous est ainsi présentée comme se déroulant à Cologne – c'est tout au moins l'impression qu'aurait eu un contemporain s'agenouillant devant le retable pour prier. Les rochers et la tête de mort représentés au premier plan renvoient cependant au lieu historique de la Crucifixion : le Calvaire ou Golgotha (ce terme signifie en effet « lieu du crâne » (Mt XXVII, 33). Tel un maître d'école du Moyen Âge, l'artiste nous enseigne les étapes qui conduisent à la spiritualité chrétienne. Attirés par les motifs, l'or et les riches coloris, nous nous sentons gagnés par une sorte d'empathie sensorielle, tout d'abord source de délectation : la somptueuse texture du brocart que porte Marie-Madeleine, femme attachée aux biens de ce monde, mais aussi la splendeur des perles et des glands qui ornent les vêtements du vieux Joseph, l'« homme riche d'Arimathie » (Mt XXVII, 57), nous procurent ce plaisir. Mais celui-ci cède rapidement la place aux sensations pénibles qu'éveillent en nous le bois dur de l'échelle et de la croix, la souffrance physique et la douleur liée à la mort : de grosses perles de sang jaillissent des plaies ouvertes du Christ, tandis que des larmes plus grandes que nature luisent sur les joues des autres figures aux yeux rougis ; les bras du Christ ont la raideur qui suit la mort, et son corps vire au gris. Comme l'enseignaient les manuels de dévotion de l'époque, nous devons graver son message dans nos cœurs, et revivre par la pensée ce moment qui fut le plus douloureux de la Passion. Alors seulement nous pourrons éventuellement parvenir à l'objectif des mystiques, à savoir l'imitation du Christ et de ses saints.

Les figures ont été différenciées avec soin : sur l'échelle, Nicodème transmet le corps du Christ à Joseph d'Arimathie, qui a donné sa propre tombe pour que le Christ y soit enterré ; saint Jean soutient la Vierge en train de s'évanouir ; au pied de la croix, Marie-Madeleine, se tord de chagrin, tandis que les deux Marie se tiennent debout, à l'arrière de la scène : l'une est en prières, l'autre, les yeux posés sur la couronne d'épines, réconforte Marie-Madeleine. Hommes et femmes, jeunes et vieux, riches et pauvres, trouvent leur place devant le Sauveur crucifié.

Le maître de saint Gilles   actif vers 1500

La Messe de saint Gilles

Vers 1500. Huile et *tempera* sur chêne, 62 × 46 cm

L'auteur de cette œuvre, qui a reçu un nom en rapport avec les tableaux de sa main conservés à la National Gallery, s'est probablement formé aux Pays-Bas, même si c'est à Paris qu'il travaillait au tournant du XVe siècle. Ce panneau faisait autrefois partie d'un retable qu'il n'a pas été possible de reconstituer, mais qui devait également se composer du *Saint Gilles et la biche*, exposé à côté, et probablement de deux autres tableaux de dimension semblable, actuellement conservés à Washington : l'un représente la chapelle basse de la Sainte-Chapelle, l'autre le parvis de Notre-Dame de Paris. La scène représentée ici se déroule devant le grand maître-autel de l'église abbatiale de Saint-Denis, près de Paris. Bien que le miracle représenté soit censé s'être produit en 719, à Orléans, l'intérieur de l'église est rendu avec une grande exactitude tel qu'il se présentait vers 1500.

L'épisode est relaté dans *La Légende dorée*, une compilation de la vie des saints datant du XIIe siècle. Charles Martel, roi des Francs, ayant commis un péché qu'il n'osait confesser, demanda à saint Gilles de prier pour lui. Le dimanche suivant, tandis que saint Gilles célébrait la messe au nom du roi, ici agenouillé à gauche sur un prie-Dieu, un ange vint déposer sur l'autel un papier. Sur celui-ci était écrit le péché du roi et le pardon qu'il obtiendrait grâce aux prières du saint, à condition qu'il voulût bien se repentir.

Le retable doré et parsemé de pierres précieuses devant lequel saint Gilles officie avait été offert à l'abbaye par le roi Charles le Chauve (823-877) : il est mentionné dans un inventaire de 1505 et a subsisté jusqu'à la Révolution. D'abord utilisé pour décorer le devant d'autel, le retable a dû être déplacé à l'arrière de la table d'autel au XIIIe siècle, suite à une modification de la liturgie : celle-ci préconisait l'installation d'un décor susceptible de servir de toile de fond à l'élévation de l'hostie (pain de l'Eucharistie), que saint Gilles présente ici pour que le roi et nous-mêmes l'adorions. Au-dessus du retable

figure une croix exécutée par saint Éloi, évêque de Noyon et orfèvre du VIIe siècle, devenu saint patron des orfèvres. Le petit reliquaire représenté au pied de la croix contenait un fragment de la Vraie Croix. Les anges en cuivre – debout, un chandelier à la main, sur les piliers de cuivre – figuraient aussi dans l'inventaire de 1505.

Derrière l'autel nous apercevons, monté sur de hautes colonnes, le tombeau en cuivre doré de Saint Louis. Il fut construit en 1398 et donné à l'abbaye par Charles VI. Sur la droite figure, à moitié coupé par le bord du tableau, le tombeau du roi Dagobert († 639), qui date du milieu du XIIIe siècle. Il se trouve aujourd'hui encore *in situ*, bien que fortement restauré. La couronne portée par Charles Martel elle-même pourrait être la Sainte Couronne qui, conservée à Saint-Denis, fut utilisée pour le couronnement de tous les rois de France jusqu'à sa destruction à la fin du XVIe siècle. Il ne fait aucun doute que les étoffes et divers accessoires représentés ont réellement existé. Si de nombreux peintres néerlandais étaient attachés à la vraisemblance, il était extrêmement inhabituel de trouver à cette époque une description aussi précise d'un site existant. L'ecclésiastique au regard perçant qui relève le rideau derrière le roi pourrait être le peintre lui-même – le maître de saint Gilles –, sollicitant notre admiration comme nos prières.

Hans Memling   actif 1465 - †1494

Vierge à l'Enfant entourée de saints et de donateurs (Triptyque Donne)

Vers 1478. Huile sur chêne, panneau central 71 x 70 cm ; chaque volet 71 x 30 cm

Memling, d'origine allemande, devint le peintre le plus célèbre de Bruges. De nombreux tableaux de son atelier furent exportés vers l'Italie, où ses arrière-plans paysagers aux collines lointaines, enveloppées de brume, et ses arbres aux feuilles rehaussées deçà-delà, influencèrent, entre autres peintres, le Pérugin *(cf. p. 77)*. C'est un paysage de ce genre qui apparaît dans ce petit retable peint pour un noble courtisan gallois, Sir John Donne. Celui-ci est représenté agenouillé à la droite de la Vierge, sur le panneau central, béni par l'Enfant Jésus assis sur les genoux de sa Mère. Les deux saints qui figurent sur les volets portent le même prénom que lui : saint Jean-Baptiste, qui tient l'Agneau de Dieu représenté de façon très réaliste, et saint Jean l'Évangéliste. À une place un peu moins honorifique que la sienne, soit à la gauche de la Vierge, sont agenouillées l'épouse de Sir John Donne et sa fille aînée, Anne. Les deux saintes qui figurent sur ce panneau sont Catherine, qui présente Sir John à la Vierge, et Barbe, debout derrière Lady Donne *(cf. leur vie p. 60 et 39)*. Leurs attributs, la roue de sainte Catherine et la tour de sainte Barbe, ont été adroitement glissés et intégrés dans le paysage réaliste qui sert de toile de fond. Le premier a revêtu la forme d'une roue de moulin à aubes, à côté de laquelle un meunier charge un sac de farine sur le dos d'un âne. Les anges jouent de la musique et distraient l'Enfant Jésus, qui froisse les pages du livre de sa mère, en offrant un fruit à l'un d'entre eux. Ces motifs reviennent fréquemment dans les tableaux exécutés par l'atelier de Memling. L'atmosphère est à la fois simple et grandiose – en harmonie avec l'architecture, à mi-chemin entre l'architecture domestique néerlandaise et l'architecture palatiale italianisante –, mais aussi pieuse et radieuse.

Sir John et lady Donne portent chacun un collier yorkiste, composé de roses et de soleils dorés, auquel est accroché le lion du roi Edouard IV. Le retable a pu être commandé lors du séjour de Sir John à Bruges en 1468 à l'occasion du mariage de Margaret d'York, sœur d'Edouard, avec Charles le Téméraire, duc de Bourgogne, ou au cours d'un voyage ultérieur à Gand, située non loin de Bruges.

Les volets portent au verso saint Christophe et saint Antoine abbé, qui, peints en grisaille, ressemblent à des statues de pierre.

Le Pérugin vers 1452-1523

Vierge à l'Enfant, entourée d'un ange, de l'archange Michel et de l'archange Raphaël accompagné de Tobie

Fin des années 1490. Huile et détrempe sur peuplier ; panneau central 127 × 64 cm, rogné ; chaque panneau latéral 126 × 58 cm, rogné

Sur ses vieux jours, le Pérugin, Pietro Vannucci de Pérouse, vit la considération dont il jouissait se reporter sur des artistes plus jeunes, notamment sur Michel-Ange *(cf. p. 133)* et sur son ancien assistant, *Raphaël (cf. p. 86)*, car, à un moment d'évolution artistique rapide, il continuait à se répéter. Une anecdote veut qu'il ait réagi à la critique d'une nouvelle œuvre en ces termes : « J'ai utilisé dans cette œuvre des figures dont vous avez en d'autres temps fait l'éloge [...] si maintenant elles vous déplaisent et ne suscitent plus d'éloges, qu'y puis-je ? » C'est cependant à l'époque où le Pérugin était en pleine possession de son art et au sommet de sa gloire que lui fut commandé, pour la chartreuse de Pavie – un couvent placé sous la protection du duc de Milan – le retable auquel se rattachaient ces panneaux-ci. Une dizaine d'années plus tôt, le Pérugin avait supervisé le travail d'une équipe chargée de peindre les murs de la chapelle Sixtine à Rome et avait lui-même exécuté les scènes les plus importantes. A cette époque, dans les années 1490, il était de nouveau demandé à Florence, où, dans sa jeunesse, il avait été formé auprès de Verrochio.

    Le retable comportait à l'origine six parties : en haut, l'archange Gabriel et la Vierge de l'Annonciation encadraient Dieu le Père ; dessous figuraient les trois panneaux de la National Gallery représentant la Vierge en adoration devant l'Enfant Jésus, flanquée de deux archanges, Michel et Raphaël. Chef de la milice céleste ayant vaincu Lucifer, Michel est traditionnellement représenté en armure – ici, une armure à plates contemporaine dont il existe un dessin préparatoire soigneusement

Vierge à l'Enfant, entourée d'un ange, de l'archange Michel et de l'archange Raphaël accompagné de Tobie

exécuté et conservé au château de Windsor. L'utilisation de la peinture à l'huile a permis au Pérugin de représenter la lumière renvoyée par le métal ainsi que le reflet de certains objets comme le pommeau de l'épée ou la lanière rouge par exemple. La balance dont Michel se sert pour peser les âmes est accrochée à un arbre situé derrière lui. Le démon qui figurait à ses pieds a été éliminé lorsque les trois panneaux ont été tronqués.

Dans le Livre apocryphe de Tobit, l'archange Raphaël est le mystérieux bienfaiteur du fils de Tobit, appelé lui-même Tobie. Il escorte l'enfant quand celui-ci part recouvrer une somme d'argent pour son vieux père aveugle. En chemin, Raphaël lui demande de conserver les entrailles d'un poisson : le cœur, le foie et le fiel, grâce auxquels son père retrouvera la vue. Le petit Tobie, son poisson et son chien – lui aussi coupé avec le bord – ainsi que la boîte contenant les organes du poisson ont été représentés dans le tableau de manière à nous permettre de reconnaître son protecteur Raphaël. Bien que ces figures, comme toutes les autres, aient reçu une bouche en bouton de rose et la fine chevelure qui suscitait l'admiration des contemporains, elles ont été exécutées d'après nature. Le Pérugin avait en effet fait prendre la pose à deux assistants de son atelier, puis les avait minutieusement dessinés à la pointe de métal (sur une feuille actuellement conservée à l'Ashmolean Museum, Oxford). Un deuxième dessin exécuté sur la même feuille correspond à l'agrandissement d'un détail, celui des deux mains en contact, tandis qu'un troisième s'attache au double raccourci de la tête de Tobie.

Ici, l'air doux et angélique des figures est tout aussi caractéristique du monde idéalisé du Pérugin que le paysage élégant aux arbres duveteux. Seuls les trois anges du panneau central dénotent l'utilisation de techniques simplifiant le travail, techniques qui allaient par la suite conduire au déclin de l'artiste. Les anges semblent en effet avoir été transférés sur le panneau, à un stade ultérieur, à partir d'un dessin (ou carton) à la même échelle, non conçu pour cette composition, et du reste réutilisé dans au moins un des tableaux du Pérugin de la même période.

Piero di Cosimo

vers 1462-après 1515

Satyre en deuil d'une nymphe
(La Mort de Procris)

Vers 1495. Huile sur peuplier, 65 × 184 cm

Fils d'un orfèvre, Piero di Cosimo fut l'élève du peintre florentin Cosimo Rosselli, dont il prit une partie du nom. Une génération après la mort de Piero, l'artiste et chroniqueur Vasari rend compte de l'excentricité de son amour pour la nature : « Il ne voulait pas [...] qu'on taille son jardin [...] laissait ses vignes pousser [...] ses figuiers [...] sans élagage [...]. Il avait l'habitude d'aller voir les anomalies que les hasards de la nature engendrent fréquemment chez les animaux, les plantes ou ailleurs [...]. » Sa sympathie pour les animaux et son imagination fantastique, qui contribua aussi à sa réputation, sont perceptibles dans ce tableau et dans *Combat des centaures et Lapithes*, également conservé à la National Gallery. Comme *Mars et Vénus* de Botticelli *(cf. p. 27)*, ces deux tableaux ont dû orner le dossier d'un banc ou d'un coffre dans un hôtel particulier florentin.

Le sujet de ce tableau n'a jamais été identifié, mais il pourrait se rattacher à la légende de Céphale et Procris. Comme Ovide le rapporte dans *Les Métamorphoses*, Céphale doutait à tort de la fidélité de sa femme bien-aimée, Procris. Après la réconciliation des deux époux, Procris ajouta foi à des histoires forgées de toutes pièces qui lui firent douter à son tour de la fidélité de Céphale. Elle vint l'espionner tandis qu'il se reposait dans les bois, après la chasse. Entendant un bruit dans le sous-bois, et supposant qu'il était le fait d'un animal sauvage, Céphale lança la lance magique que Procris lui avait donnée, et la blessa mortellement. Le chien représenté à côté de Procris pourrait être celui qu'elle avait offert à Céphale. Le satyre en deuil, mi-chèvre mi-homme, n'apparaît pas chez Ovide, mais dans une pièce du XVe siècle du même thème. Ce sujet, sorte de mise en garde contre la jalousie entre époux, aurait pu être offert en cadeau de mariage pour décorer une pièce.

Piero admirait Léonard de Vinci *(cf. p. 54)*, dont on reconnaît l'influence dans l'éclaircissement des couleurs vers le bleu pâle avec la distance. Le ciel a été en majeure partie travaillé au doigt. La peinture étant devenue translucide avec le temps, le dessin sous-jacent exécuté par Piero di Cosimo est désormais apparent, ce qui nous permet entre autres de constater qu'il avait apparemment l'intention, à l'origine, de représenter le chien du premier plan gueule ouverte.

Piero della Francesca
vers 1415/20-1492

Le Baptême du Christ

Vers 1450. *Tempera* sur peuplier, 167 × 116 cm

Nous aimons à penser que notre époque a été la première à savoir apprécier à sa juste valeur Piero della Francesca. Il a été salué, par exemple, comme le premier peintre « cubiste ». Pourtant, il est à bien des égards un produit de son époque et de Borgo San Sepolcro, son village natal, qui était alors un fief de Florence. Comme Uccello *(cf. p. 93)*, il se passionna pour la géométrie et la perspective, et s'intéressa, avant Léonard de Vinci *(cf. p. 54)*, au phénomène de la lumière et aux problèmes que pose sa représentation. Il semble n'avoir travaillé à Florence même qu'une seule fois, comme assistant de Domenico Veneziano. Mais il jouissait d'une grande réputation à travers toute la péninsule italienne, et travailla pour les cours de Ferrare, d'Urbino et de Rimini, mais aussi à Rome pour le pape. Ses nombreuses fresques, aujourd'hui presque toutes disparues, influencèrent la génération suivante. C'est essentiellement à travers le cycle de la *Légende de la Vraie Croix* peint dans l'église San Francesco à Arezzo et très endommagé aujourd'hui, que nous connaissons ses réalisations dans cette technique difficile qu'est la fresque. Bien qu'après sa mort Piero ne fût plus aussi célèbre, il ne sombra jamais dans l'oubli ; les fresques d'Arezzo furent copiées à partir du début du XIXᵉ siècle, à l'aquarelle ou à l'huile, par des artistes étrangers venus séjourner en Italie. C'est une de ces copies, conservée dans la chapelle de l'École des beaux-arts à Paris, qui influencera Seurat *(cf. p. 230)*. Le *Baptême* fut acheté par un collectionneur anglais en 1859 et acquis pour la National Gallery en 1861. Probablement peint pour l'autel d'une chapelle dédiée à saint Jean-Baptiste de l'abbaye camaldule de Borgo San Sepolcro, il fut transféré dans la cathédrale en 1808, ainsi que des volets et une prédelle exécutés par un autre artiste.

Le *Baptême du Christ* est l'événement central de la vie de saint Jean-Baptiste et donne au saint son identité, tout comme l'apparition miraculeuse du Christ constitue le moment le plus important de la vie de saint Thomas *(cf. Cima*, L'Incrédulité de saint Thomas, *p. 34)*. Comme Cima, Piero della Francesca a placé le Christ au centre même du tableau. Une même ligne relie le sommet de l'arc formant le bord supérieur du tableau, le bec de la colombe de l'Esprit saint représentée en raccourci, le filet d'eau versé par saint Jean (d'un bol également vu en raccourci, dont un bord capte la lumière du soleil), la ligne médiane du visage du Christ, ses mains jointes en signe de vénération, et le talon de son pied droit, sur lequel il est en appui. Les eaux limpides du Jourdain – qui ondulent doucement à travers le paysage bigarré de l'est de la Toscane, avec Borgo San Sepolcro se lovant dans ses méandres – réfléchissent les collines situées derrière le Christ. Mais précisément là où nous (ou peut-être Lui) sommes probablement censés poser notre regard, c'est-à-dire directement en bas, dans la section située à l'ombre sous l'arbre, aucune image ne se reflète et seul apparaît le lit du fleuve. (Ce devait être la première fois que ce phénomène optique était représenté dans l'art italien, bien qu'il apparaisse dans un tableau de 1444 actuellement conservé à Genève et dû à un peintre allemand, Konrad Witz.)

Les éléments conventionnels de ce tableau, tels que les trois anges attendant sur la gauche de pouvoir sécher et habiller le Christ, devaient, aux yeux des contemporains, être éclipsés par les innovations formelles : la maîtrise des raccourcis de la colombe, du bol, mais aussi des pieds – qui donnent aux figures une assise aussi ferme que celle des figures de Masaccio *(cf. p. 66)* ; et surtout la lumière fraîche de Piero della Francesca, qui définit de grandes formes simplifiées et de délicieux drapés tout en unissant les figures et l'espace dans la froideur matinale d'une aube nouvelle.

Piero della Francesca   vers 1415/20-1492

La Nativité

1470-1475. Huile sur peuplier, 124 × 123 cm

Le *Baptême du Christ* avait été peint par Piero della Francesca à la détrempe – procédé traditionnel en Italie – selon une technique inchangée depuis l'époque de Duccio *(cf. p. 40)*. Dès le milieu des années 1450, Piero della Francesca semble cependant s'être intéressé à l'art néerlandais, et *La Nativité* a été peinte à l'huile. La chair des figures a en outre reçu non plus le modelé vert sous-jacent encore perceptible dans Le *Baptême*, mais un modelé brun. Celui-ci apparaît d'autant plus clairement sur les visages des bergers venus adorer l'Enfant nouvellement né, que le tableau, par ailleurs probablement inachevé, a été endommagé au XIXᵉ siècle au cours d'un décapage trop important. Piero n'avait qu'une maîtrise approximative des techniques néerlandaises : les rides que la peinture présente en surface en témoignent ; c'est en outre surtout pour renforcer les ombres les plus foncées qu'il a eu recours aux glacis translucides. Le modelé est plus contrasté, mais le coloris général du tableau est presque aussi clair que celui de ses œuvres à la détrempe.

La Nativité

Cette *Nativité* représente en fait l'Adoration de l'Enfant Jésus : après avoir déployé son manteau au sol pour y déposer son Enfant, la Vierge s'agenouille aux pieds de celui-ci. Cette scène s'inspire de la vision de sainte Brigitte de Suède, une mystique du XIVe siècle *(cf. p. 47)*. La robe de Marie, aux perles étincelantes et au voile maintenant effacé, son visage et l'Enfant longiligne, rappellent les premiers prototypes néerlandais. Cependant, les cinq anges qui jouent d'instruments à cordes et chantent à l'unisson portent des imitations Renaissance de la tunique antique et rappellent les musiciens en marbre de Luca della Robbia dans la célèbre *Tribune de chantres* de la cathédrale de Florence, installée en 1438, soit un an avant la date à laquelle Piero est censé avoir travaillé dans cette ville.

Empreints de dignité mais représentés de manière réaliste, les bergers sont aussi très différents de Marie et de son Enfant. L'un lève la main en direction du ciel, montrant peut-être du doigt l'étoile qui guidera les Mages jusqu'à l'étable, ou expliquant que c'est un ange qui les a conduits, lui et son compagnon, jusque-là. La figure la plus surprenante est celle de saint Joseph. Assis sur une selle représentée en raccourci, le vieil homme a croisé sa jambe droite sur son genou gauche – pose d'une inconvenance sans précédent. Tirant peut-être avantage de la liberté que lui offrait l'huile par rapport à la *tempera*, Piero della Francesca a improvisé le drapé de son manteau, qui diffère du dessin sous-jacent qui apparaît aujourd'hui.

Bien d'autres choses ont été improvisées dans ce tableau énigmatique, et auraient probablement été modifiées ultérieurement. Dans ses dissonances – le sol nu, les luths sans cordes, l'âne translucide en train de braire ou de tirer de la mangeoire un foin invisible –, cette *Nativité*, imparfaite et endommagée, semble aussi vulnérable que le corps du Sauveur dont elle relate la naissance en tant que Fils de l'Homme.

Pisanello   vers 1395-1455 ?

La Vision de saint Eustache

Milieu du XVe siècle. *Tempera* sur bois, 54 × 66 cm

Pisanello (qui doit son nom à la ville natale de son père, Pise) jouissait d'une excellente réputation de médailliste, mais, outre des médailles de bronze et d'argent, il exécutait aussi de grandes peintures murales et de petits tableaux de chevalet comme celui-ci. Il fut l'assistant et l'héritier de Gentile da Fabriano *(cf. p. 48)* avec lequel il peignit à Venise et à Rome. Il passa cependant l'essentiel de sa carrière d'artiste dans les cours princières de toute l'Italie. Comme d'autres artistes de son époque, en particulier ceux employés par des aristocrates partageant un même amour de la chasse et de l'exotisme, il compilait des dessins dans des livres de modèles : des études détaillées et précises d'animaux, de plantes et de costumes, exécutées sur le motif ou d'après d'autres livres de modèles – où les œuvres d'art étaient archivées, prêtes à être directement transposées sur une peinture ou une médaille. Pisanello fut parmi les premiers à dépasser cette forme de dessin assez impersonnelle au profit de formes plus imaginatives et plus exploratrices, croquant rapidement des poses ou des expressions passagères, notant des idées de composition dès qu'elles lui venaient à l'esprit, utilisant le dessin comme un moyen de création plutôt que comme un substitut à la création.

    Ce tableau, cependant, a probablement été élaboré à partir des dessins conventionnels que Pisanello avait en réserve. La majorité des animaux sont représentés de profil, et les

---

quelques autres dans des poses tout aussi clairement définies. Ne se chevauchant quasiment pas, ils apparaissent tels qu'ils pourraient être disposés sur les pages d'un carnet de dessin, et ce, en dépit de la petite note humoristique que constitue le chien de meute reniflant le lévrier. L'histoire et le décor semblent à première vue servir uniquement de prétexte à une compilation ornementale de « nobles » bêtes (le cheval, les chiens de chasse et leurs diverses proies – l'ours, le cerf, le lièvre, le gibier d'eau), la créature la plus noble étant bien sûr le courtisan, aussi clairement délinéée que sur une médaille. De l'or véritable a été utilisé pour son harnais, son cor de chasse et ses éperons, et une feuille d'or incisée et rehaussée de blanc pour sa tunique. Mais au milieu de cette magnificence profane apparaît l'emblème d'un autre système de références : le crucifix. Ce tableau a pour thème la légende de saint Eustache (ou du courtisan saint Hubert, plus fréquemment représenté dans le Nord). Un jour qu'il chassait, saint Eustache eut une vision : il vit le Christ crucifié entre les bois d'un cerf. Dès lors, il se convertit au christianisme.

Le phylactère, au premier plan, est vierge ; le commanditaire n'a peut-être jamais fourni de devise à l'artiste. Quel était le sens de ce tableau, charmant mais curieux, aux yeux son premier propriétaire ? Était-ce pour lui un souvenir de sa vie active, ou un objet de dévotion envers le patron des chasseurs, saint Eustache, qui s'est miraculeusement converti ?

| Antonio del Pollaiuolo | vers 1432-1498 |
| et Piero del Pollaiuolo | vers 1441-avant 1496 |

Le Martyre de saint Sébastien

Achevé en 1475. Huile sur peuplier, 292 × 203 cm

Fils d'un volailler florentin (*pollaiuolo*), Antonio, orfèvre et sculpteur de formation, et Piero, avant tout peintre, travaillèrent en équipe sur la plupart des grands projets qui leur furent confiés. Leur participation, sur injonction du pape, à l'exécution des tombeaux de Sixte IV et Innocent VIII à Rome vers 1484 marque l'apogée de leurs deux carrières, qui se confondent. Mais les statuettes en bronze d'Antonio, d'inspiration romaine, et son estampe intitulée *Bataille des dix hommes nus* ont peut-être eu davantage d'influence que ces monuments sans précédent ou les prestigieuses commandes florentines des deux frères. Un siècle plus tard, Vasari évoquera la « connaissance du nu » qu'avait Antonio, « plus moderne que celle de tous ses prédécesseurs ». Vasari précisera en outre que l'artiste « disséqua de nombreux cadavres pour en étudier l'anatomie ». L'estampe de la bataille, plusieurs fois copiée, a fourni des modèles de corps masculins en pleine action à des générations d'artistes à travers toute l'Europe.

La modernité de l'approche de l'atelier Pollaiolo apparaît clairement dans ce retable de l'oratoire de Saint-Sébastien à Florence, dont l'une des précieuses reliques n'était autre qu'un os du centurion romain martyrisé. Son format même était moderne : contrairement aux polyptyques traditionnels, il se compose d'un panneau rectangulaire unique et non de nombreuses surfaces peintes surmontées d'un arc et inscrites dans un cadre gothique élaboré *(cf. par exemple p. 68)*. Le tableau a été peint de manière fluide avec une peinture à l'huile de noix, bien que cette première expérience des artistes florentins montre qu'ils ne maîtrisaient pas totalement la technique néerlandaise. Au lieu d'appliquer les couches de peinture en fins glacis translucides, ils mélangeaient les couleurs à l'avance comme pour la détrempe et les appliquaient en couches épaisses, balayant la surface du tableau de grandes touches audacieuses. Les pigments à séchage lent, tels que les bruns bitumineux du premier plan, ont donc cloqué, et les glacis verts du fond, non soutenus par une sous-couche de peinture opaque, ont passé. Il nous est toutefois encore possible de noter que le paysage panoramique, qui s'éclaircit en direction de l'horizon, comme dans les vues des tableaux nordiques, ressemble à la vallée de l'Arno, située autour de Florence ; il doit donc avoir été étudié sur le motif.

La figure représentant saint Sébastien et l'arc de triomphe romain, qui s'écroule au fur et à mesure que l'ordre ancien est vaincu par la nouvelle foi (une tête de Maure, emblème de la famille Pucci, qui fit construire l'oratoire ayant abrité le retable, apparaît dans les lunettes de l'édifice) témoignent de l'intérêt que portait Antonio au monde antique. Sébastien a été placé en hauteur sur une souche d'arbre par référence au Christ crucifié, mais aussi pour imiter les statues d'éphèbes nus élevées à la gloire de jeunes athlètes dans la Grèce et la Rome antiques. Au plan intermédiaire, les chevaliers, sur leur monture, portent en revanche le dernier modèle d'armure à plates de l'époque. Également contemporains, les archers, disposés autour du martyr de manière à décrire une forme géométrique pure, celle d'un cône, livrent une représentation réaliste des effets du travail musculaire sur le corps. Les statuettes d'Antonio ont dû suggérer l'idée de montrer les mêmes figures sous différents angles, comme dans la *Bataille des dix hommes nus*.

Sébastien ne succombera pas aux flèches des archers ; il sera soigné par de saintes femmes, avant d'être lapidé jusqu'à ce que mort s'ensuive. Cependant, les épidémies de peste bubonique étant assimilées, depuis l'Antiquité, à des flèches décochées par Dieu, Sébastien devint, par association d'idées, l'un des principaux saints invoqués contre cette horrible maladie. Il est généralement représenté à ce stade-ci de son martyre.

Raphaël — 1483-1520

Sainte Catherine d'Alexandrie

Vers 1507-1508. Huile sur bois, 72 × 56 cm

Plus jeune que Léonard de Vinci *(cf. p. 54)* ou Michel-Ange *(cf. p. 133)*, Raphaël leur est cependant associé dans la création d'un style correspondant à la seconde Renaissance. Ce style se caractérise par l'exécution d'après nature de dessins que l'étude de l'art antique gréco-romain et la quête d'une beauté idéale tempèrent. Plus prolifique que Léonard de Vinci, plus doucereux que Michel-Ange et, contrairement à celui-ci, pas exclusivement polarisé sur la forme humaine, Raphaël, homme d'une belle prestance qui apprenait rapidement et possédait un grand talent d'organisateur, n'a connu aucun des revers professionnels qui ont marqué la carrière des deux grands Florentins.

Raphaël naquit à Urbino, où son père, Giovanni Santi, peintre et poète, travaillait à la cour du duc. Raphaël fut un des assistants du Pérugin *(cf. p. 77)*. Ce dernier exerça une telle influence sur lui qu'il est extrêmement difficile de distinguer les premières œuvres de Raphaël de celles de son aîné. Des documents ont permis d'établir qu'en l'an

1500 il exerçait son art pour son propre compte. Après quelques années passées à travailler dans toute la Toscane et l'Ombrie, alors qu'il était basé à Florence, Raphaël fut appelé au Vatican en 1508 afin de participer à la décoration des nouveaux appartements du pape Jules II, entreprise qui s'acheva sous Léon X. Raphaël devint rapidement le plus grand artiste de Rome, avec lequel seul Michel-Ange pouvait rivaliser. Les nombreux artistes italiens formés dans son atelier, mais aussi ses fresques, ses tableaux de chevalet et ses projets architecturaux ont contribué à forger les idéaux de nombreuses générations.

Raphaël, l'un des plus grands dessinateurs de l'Occident, élaborait ses compositions pas à pas, du croquis au « carton » achevé, prêt à être transféré sur le panneau, la toile ou le mur, en passant par les études d'après nature. Pour cette œuvre, dont l'état de conservation est exceptionnel, il existe un carton (qui n'a pas été suivi à la lettre), des croquis de la pose de sainte Catherine, et une étude détaillée de son cou.

À mi-chemin entre œuvre de dévotion à usage privé et pièce de collection, ce tableau a probablement été peint juste avant le départ de Raphaël pour Rome. Plus marquante que l'influence du Pérugin est ici celle de Léonard de Vinci, qui a perfectionné la pose « serpentine » – cette pose qui, par l'enroulement du corps autour de son axe, insuffle mouvement, grâce et volume même aux figures statiques. Le recours à un élément narratif pour justifier cette pose affectée est caractéristique de l'art de Raphaël : Catherine, en communion extatique avec la lumière divine qui se manifeste par de fins rayons d'or, lève la tête au ciel en la tournant vers sa droite. Elle prend appui sur une des roues entre lesquelles elle fut condamnée à être déchiquetée ; Raphaël a remplacé les pointes mentionnées dans la légende par de gros clous. L'angle de représentation et le modelé de la roue aident à définir l'espace dans lequel Catherine se tourne voluptueusement, enroulée dans la doublure jaune de son manteau rouge, qui, entortillée, forme une spirale dorée sous le bleu-gris de sa robe. Sur l'épaule gauche de la sainte, cette même doublure apparaît à plat, en contact avec un foulard de gaze transparent. Ces couleurs compartimentées, nettement définies et non affectées par d'éventuels reflets, soulignent l'anatomie de sainte Catherine sans compromettre l'impression de fluidité de toute la figure, qui semble s'offrir aux rayons descendant du Ciel. Les tons gris-bleu, vert olive, dorés et rouges, qu'on retrouve sous forme de touches légères dans tout le paysage situé derrière la sainte, établissent un lien entre la figure et l'arrière-plan – comme si, debout parmi les fleurs (le pissenlit est un symbole de la Passion du Christ), elle était un distillat de toutes les couleurs de la nature.

Raphaël   1483-1520

Vierge à l'Enfant entourée de saint Jean-Baptiste et saint Nicolas de Bari
(Madone Ansidei)

1505. Huile sur peuplier, 210 × 149 cm

Ce retable, du type *sacra conversazione* (terme italien pour Sainte Conversation), où la Vierge à l'Enfant et les saints qui les accompagnent semblent en parfaite communion, fut commandé par Bernardino Ansidei pour la chapelle familiale qu'il possédait dans l'église de Pérouse. La chapelle était consacrée à saint Nicolas de Bari, qui apparaît ici avec à ses pieds trois boules dorées rappelant les bourses d'or que ce saint évêque donna en dot à trois pauvres filles. Jean-Baptiste, qui après avoir annoncé la venue du Christ baptisa ce dernier, porte la tunique fauve qu'il portait lors de son séjour dans le désert et un manteau de prophète cramoisi. Pointant l'index vers l'Enfant assis sur les genoux de la Vierge, il regarde gravement l'inscription située au-dessus de celle-ci : « Je vous salue, mère de Dieu. » Un collier de perles de corail écarlates – couleur du sang du Christ, elles sont censées conjurer le mal – est suspendu au dais ; la niche voûtée qui

Vierge à l'Enfant entourée de saint Jean-Baptiste et saint Nicolas de Bari
(Madone Ansidei)

donne sur la lumineuse campagne ombrienne s'inscrivait dans le prolongement de l'architecture de la chapelle.

Je n'avais jusqu'alors accordé de l'attention à cette peinture que pour y noter la dette de Raphaël envers le Pérugin *(cf. p. 77)*, jusqu'au jour où j'ai involontairement projeté le verso de sa diapositive. Soudain, les figures se sont mises à tituber, sortant presque du cadre par les côtés (le même effet peut être obtenu en plaçant l'illustration ci-dessus face à un miroir). Je me suis alors pour la première fois rendue compte que Raphaël, se démarquant ici du Pérugin, avait introduit une variante dans sa composition symétrique : celle-ci fait en effet écho à l'arc formé par le bord supérieur du panneau, et nous amène à « lire » l'œuvre de manière circulaire de gauche à droite. La jambe droite tendue de saint Jean et l'ombre du trône suggèrent un segment d'arc s'inscrivant dans le rectangle situé à la base de la première marche de l'estrade, et nous font passer dans un espace à trois dimensions. La tête de Jean, inclinée vers l'arrière et sur le côté en un raccourci difficile, la direction de sa croix en cristal, les visages inclinés de la Vierge, de l'Enfant et de saint Nicolas (Raphaël apportant à ces poses une justification psychologique et quasi narrative) forment une série de diagonales parallèles. Mais ce mouvement vers la droite est contrebalancé par la crosse de Nicolas, la courbe pesante de sa chape vert foncé et la verticalité du pan de doublure apparent. La direction de son regard, posé sur le livre dans lequel il est absorbé, réoriente notre propre regard de manière à ce qu'il achève le mouvement circulaire descendant – avant qu'il ne s'élève à nouveau vers le visage de saint Jean-Baptiste. Ce circuit visuel renforce l'impression que les saintes figures partagent la même méditation sans fin et le même espace lumineux dont l'éclairage vient de deux directions. Celle du jour, qui arrive par l'arche de l'arrière-plan, éclaire la pierre grise et froide de la niche. Une source plus vive, qui provient d'un point situé à droite, au-dessus du tableau – comme d'une fenêtre de chapelle située au-dessus de nos têtes –, illumine les figures et le trône, nous attirant plus intimement dans l'univers limpide de Raphaël.

Un des trois panneaux de la prédelle de ce retable, *La Prédication de saint Jean-Baptiste*, qui devait se situer sous la figure du saint, est également conservé à la National Gallery. En dessous de la Vierge et l'Enfant était placée autrefois une scène du *Mariage de la Vierge*; et sous l'image de saint Nicolas située à droite, un *Miracle de saint Nicolas de Bari*.

Sassetta   1392 ?-1450

La Stigmatisation de saint François

1437-1444. *Tempera* sur peuplier, 88 × 52 cm

Stefano di Giovanni, dit Sassetta, compta parmi les plus grands artistes siennois de son siècle. En 1437, il reçut l'une des commandes les plus importantes et onéreuses de la peinture siennoise du XVe siècle : un polyptyque à double face pour l'église San Francesco de Borgo San Sepolcro (ville natale de Piero della Francesca, *cf. p. 80*). Les religieux devaient en préciser les figures et les scènes. Le retable fut peint par sections afin d'en faciliter le transport de Sienne à Borgo San Sepolcro, où il fut livré en 1444. Il fut démembré en 1752 ; au XIXe siècle, les fragments subsistants allèrent rejoindre diverses collections.

D'après la reconstitution la plus complète possible de son aspect d'origine, ce grand retable comportait une Vierge en Majesté sur la face antérieure de son panneau principal, comme la *Maestà* de Duccio de la cathédrale de Sienne *(cf. p. 43)*. La partie postérieure, qui faisait face aux frères franciscains du chœur, montrait *Le Triomphe de saint François* sur l'insubordination, la luxure et l'avarice. Sept des huit scènes plus petites de la vie du saint, disposées de chaque côté sur deux niveaux, sont actuellement à la National Gallery. Le panneau représenté ici, l'un des mieux conservés, illustre un des épisodes clés de la vie de saint François : l'impression sur son corps des cinq stigmates du Christ. Le miracle intervint le 14 septembre 1224 sur le mont Alverne. Cette montagne boisée, proche d'Arezzo, où le saint fonda un couvent d'ermites, lui avait été donnée en 1213 ; c'est encore aujourd'hui un lieu de pèlerinage.

Saint François était seul lorsque le Christ lui apparut ; représenter le moine Léon assistant à l'épisode relève, non de l'hagiographie, mais d'une tradition artistique. Giotto *(cf. p. 50)* avait déjà peint saint François agenouillé, levant les bras vers le Christ-séraphin. Sassetta est à bien des égards un peintre singulier. Comme Giovanni di Paolo *(cf. p. 51)* et tous les autres artistes de Sienne, il s'inscrit directement dans le sillage des grands prédécesseurs siennois du XIVe siècle, disciples de Duccio. Il a cependant étudié

La Stigmatisation de saint François

l'art florentin de la même époque comme il s'est intéressé à celui de son temps. Vers 1432, il a en outre prêté attention aux miniatures françaises et nord-italiennes. Toutes ces sources transparaissent ici : arbres stylisés ; rochers du premier plan peu réalistes, semblables à des récifs ; chapelle nichée dans la montagne présentée à l'oblique, à la manière de la perspective employée au XIVe siècle.

Bien qu'adoptant les effets décoratifs de styles archaïques, Sassetta ne put se soustraire à l'influence des avancées artistiques de son temps. Ainsi, l'incidence de la lumière surnaturelle émanant du séraphin et inondant l'Alverne demeure cohérente dans presque tout le tableau : l'ombre des montagnes assombrit la façade en stuc de la chapelle dont le tympan comporte une Vierge à l'Enfant ; la cordelière servant de ceinture à saint François découpe une ombre sur sa robe, tandis que ses doigts écartés en dessinent une autre sur le sol, au-dessus de l'ombre de son épaule. Le miracle, qui a fait saigner la croix en bois de l'oratoire de fortune et fait de François un *alter Christus*, un second Christ, a laissé son empreinte sur la nature : un coucher de soleil rougeoyant inonde de sa lumière les collines ombriennes.

GEBORNE HOFERIN.

École souabe, artiste inconnu   XVe siècle

Portrait d'une femme de la famille Hofer

Vers 1470. Huile sur pin d'argent, 54 × 41 cm

Inconnu à ce jour, l'auteur de ce portrait travaillait en pays souabe, une région du sud de l'Allemagne dont la plus grande ville était alors Ulm. L'inscription indique que le modèle appartenait à la famille Hofer. Cette femme porte une coiffe molletonnée, ruchée et épinglée, que le peintre nous invite à admirer, tout comme il nous invite à apprécier le traitement méticuleusement différencié qu'il établit entre la fourrure du col et les fermoirs métalliques de la robe. Mais c'est la mouche qui démontre de la manière la plus probante l'aptitude de l'artiste à imiter les apparences. Cette mouche, qui jette une ombre sur la coiffe – ou sur le tableau – et nous donne envie de la balayer d'un revers de la main, prête à ce portrait un caractère instantané, pourtant démenti par la pose statique et le regard absent du modèle. Cette femme tient à la main un brin de myosotis – appelé « ne-m'oublie-pas » en anglais et en allemand –, symbole du souvenir. Le modèle a la main droite pointée vers le cœur et la main gauche posée en partie derrière et en partie sur le bord inférieur du panneau, comme si un rebord de fenêtre nous empêchait de voir le reste de son corps.

Le peintre a ici souligné les volumes et les textures, mais aussi les lignes et les motifs : dans tout le tableau, des diagonales font écho à celles des doigts. C'est probablement le modèle qui a choisi sa coiffe ; mais le drapé de celle-ci a permis de concentrer sur le visage et son pourtour la plus grande zone de luminosité, de sorte que l'éclat des mains ne concurrence pas celui du visage.

Cosme Tura   **avant 1431-1495**

Figure allégorique

Vers 1455-1463. Huile sur peuplier, 116 × 71 cm

Cosme Tura, premier grand peintre de Ferrare *(cf. aussi Lorenzo Costa, p. 34)*, travailla de 1458 à 1486 à la cour d'Este, au service de Borso d'Este, puis de son successeur Ercole. Il subsiste peu de tableaux de sa main, mais la National Gallery a la chance d'en posséder quatre. Influencé par les œuvres de jeunesse de Mantegna *(cf. p. 62)*, par les fresques de Ferrare dues à Piero della Francesca (aujourd'hui disparues ; *cf. p. 80)*, mais aussi par les peintures sur panneaux – également perdues – que Rogier van der Weyden *(cf. p. 95)* avait livrées au frère et prédécesseur de Borso, Lionello d'Este, Tura devint l'un des artistes les plus originaux et les plus sophistiqués de son époque. Malgré ses effets fantastiques et l'éclat de ses couleurs acidulées, il savait donner solennité et pathétisme à ses œuvres.

Il est quasiment certain que ce panneau provient du décor commencé pour le *studiolo* de Lionello d'Este dans la villa Belfiore, près de Ferrare. Au XVᵉ siècle réapparaissait l'idée romaine de la villa comme d'un lieu permettant d'échapper au monde citadin – en particulier au cœur de l'été, lorsqu'une chaleur étouffante s'abat sur les villes italiennes –, et de se rafraîchir l'esprit à l'aide de divertissements raffinés. Un *studiolo* était, comme son nom le suggère, une petite pièce où le prince pouvait se retirer pour lire, écouter des vers ou de la musique, admirer de beaux objets et recevoir des érudits en amis, sans s'encombrer du protocole de la cour. Cette pièce était décorée en conséquence, par exemple de personnifications des Arts libéraux (*cf. p. 213*) ; mais le *studiolo* de Belfiore fut le premier depuis l'Antiquité à comprendre une série de peintures représentant les neuf Muses qui, dans la mythologie grecque et romaine, président aux Arts libéraux.

Ici, l'intention était peut-être à l'origine de représenter Euterpe, muse de la Musique, car des radiographies aux rayons X ont révélé que sous l'image actuelle figure une version antérieure, pas nécessairement de la main de Tura, représentant une femme assise sur un trône constitué de tuyaux d'orgue. Dans la version définitive exécutée par Tura, la figure, qui tient à la main une branche de cerisier, est assise sur un trône en marbre orné de dauphins en ferronnerie. L'artiste a cependant conservé une référence aux origines légendaires de la musique : dans le coin inférieur droit, à l'intérieur d'une grotte, un forgeron – soit le Vulcain de la mythologie soit le Toubal-Caïn de la Bible (Gn IV, 22) – fait retentir son marteau sur une pièce de métal. La signification de la figure principale demeure cependant un mystère, qui contribue du reste à la fascination qu'elle exerce. Une analyse effectuée par l'équipe scientifique de la National Gallery a montré que l'image sous-jacente, qui n'a jamais été menée au-delà d'une sous-couche de peinture, a été exécutée *a tempera*. La femme actuellement visible a, en revanche, été peinte à l'huile, et ce, en plusieurs temps : application de sous-couches opaques, puis de glacis translucides semblables à ceux utilisés par les peintres néerlandais, permettant d'obtenir le modelé souhaité. L'effet est particulièrement somptueux dans les manches en drap d'or, qui rappellent le costume de l'un des trois Rois mages dans un retable que Rogier van der Weyden (*cf. p. 95*) exécuta quasiment au même moment que les peintures de Ferrare aujourd'hui disparues. Tura a utilisé de l'huile de noix, plus pâle et moins jaunissante, pour les couleurs claires, et de l'huile de lin pour les glacis foncés, différenciation que Vasari recommandera ultérieurement. Ce tableau ne présente aucun des défauts de séchage perceptibles dans l'œuvre de Pierro della Francesca ou dans de nombreuses autres tentatives de peinture à l'huile faites par des peintres italiens (par exemple par les frères Pollaiuolo, *cf. p. 84*).

Tura avait dû acquérir de première main la maîtrise qu'il avait de cette technique, très différente de la pratique italienne traditionnelle : soit auprès de van der Weyden ou d'un autre artiste flamand séjournant à Ferrare, soit auprès d'un peintre italien envoyé aux Pays-Bas par les d'Este. Nous n'avons aucun document mentionnant un éventuel voyage de Tura à l'étranger ; les circonstances précises dans lesquelles une muse peinte *a tempera* a été transformée en une peinture à l'huile, demeurent au jour d'aujourd'hui une énigme.

Paolo Uccello   1397-1475

La Bataille de San Romano

Années 1450 ? *Tempera* sur peuplier, 182 × 320 cm

Au milieu du XVIᵉ siècle, au moment où l'artiste et chroniqueur florentin Vasari publie la *Vie des plus excellents peintres, sculpteurs et architectes*, l'intérêt excessif d'Uccello pour la perspective était proverbial : « [...] sa femme [...] racontait souvent que Paolo passait la nuit entière dans son cabinet de travail pour résoudre des problèmes de perspective.

La Bataille de San Romano

Quand elle l'appelait pour dormir, il répondait : "Oh ! Quelle douce chose que cette perspective !". » À la différence cependant d'autres grands artistes florentins de sa génération, Uccello n'a pas utilisé la perspective à des fins symboliques, ni pour mettre au point un épisode narratif ou donner une illusion de réalité. C'est peut-être la raison pour laquelle il a si brillamment réussi le décor mural peint sur bois pour une pièce du palais Médicis.

Trois panneaux – respectivement à la National Gallery, à Florence (Offices) et à Paris (Louvre) – représentent la victoire sur les Siennois des troupes florentines conduites par Niccolò da Tolentino, au cours d'une escarmouche qui eut lieu en 1432. Niccolò fut pour Cosme de Médicis un ami et puissant allié, mais nous n'avons pas affaire ici à la reconstitution d'un événement historique visant à commémorer ou célébrer des faits héroïques. Les scènes de bataille, de joute et de chasse – qu'elles aient pour origine l'histoire ancienne ou moderne, la Bible ou la légende du roi Arthur – étaient des thèmes décoratifs très prisés dans les cours princières, eti firent l'objet de peintures murales, de tapisseries ou de décors peints pour mobilier, tant au nord qu'au sud des Alpes.

La haie de roses et d'orangers derrière les combattants, l'or et l'argent purs – maintenant oxydés – utilisés pour le harnachement des chevaux et l'armure des hommes, l'entrecroisement rythmique des lances, les arabesques des étendards qui s'enroulent et se tordent, et les chevaux qui se cabrent et caracolent, autant de détails qui rattachent les panneaux d'Uccello au monde de la fiction chevaleresque. Au premier plan de la frise formée par les trois panneaux, la perspective, obtenue par le soigneux alignement d'un soldat mort et de lances brisées, crée un espace scénique peu profond devant une toile de fond constituée de haies et de champs peuplés de figures d'une petitesse invraisemblable. Des objets irréguliers, du type de ceux qu'Uccello étudiait la nuit sous différents angles, sont représentés ici en raccourci, le plus bel exemple étant le chapeau de Niccolò da Tolentino, volumineux, rond *et* octogonal. Mais ces détails virtuoses sont eux-mêmes de nature ornementale. Pour reprendre les termes prêtés au sculpteur Donatello devant des dessins de ce type de « bizarreries », « ces choses n'ont d'utilité qu'en marqueterie ».

La marqueterie, ou bois incrusté, était une autre forme de décor en vogue dans les palais princiers. Contrairement aux marqueteurs, Uccello pouvait cependant travailler sur une grande échelle et en couleur, ce qui lui permettait de représenter, outre ses « bizarreries », les divers aspects du cheval, auquel s'intéressait tout commanditaire de la cour. Ce panneau met en scène un monde fait de merveilles et de paradoxes, une bataille sans effusion de sang, des chevaliers « sans peur et sans reproche ».

Rogier van der Weyden   vers 1399-1464

La Lecture de Marie-Madeleine

Vers 1435. Huile sur bois transposée sur acajou, 62 × 55 cm

Il est quasiment certain que Rogier van der Weyden (ou « Rogelet de la Pasture ») fut l'élève de Robert Campin *(cf. p. 31)*. Peintre officiel de la ville de Bruxelles, également actif à la cour de Bourgogne, van der Weyden fit une carrière internationale. Son influence perdura bien après son décès survenu en 1464, car ses compositions continuèrent à être utilisées jusqu'au milieu du XVIᵉ siècle à Bruxelles et à Anvers, dans l'atelier de son fils, de son petit-fils et de son arrière-petit-fils.

    On trouve, dans l'œuvre de Campin, des scènes sacrées placées, comme ici, dans des intérieurs domestiques contemporains. Cette belle figure assise sur un coussin et occupée à lire un livre de dévotion est identifiable grâce au pot représenté à côté d'elle, qui fait référence au parfum que Marie-Madeleine répandit sur les pieds du Christ (Lc VII, 37-38).

En 1956, le nettoyage du panneau permit de constater que son fond, foncé et uniforme, appliqué probablement au xixᵉ siècle, dissimulait le corps de saint Joseph tenant son rosaire, une partie de fenêtre donnant sur un paysage, ainsi que le pied et la draperie cramoisie d'une troisième figure, identifiée à saint Jean l'Évangéliste grâce à un dessin de la fin du xvᵉ siècle de composition similaire, qui montre la Vierge et l'Enfant entourés de saints. Le retable auquel se rattachait ce panneau a été partiellement reconstitué à l'aide de ce dessin et de deux autres fragments, représentant respectivement la tête de saint Joseph et la tête d'une sainte. Ces deux fragments sont actuellement conservés à Lisbonne. On estime que l'ensemble de l'œuvre devait mesurer environ un mètre de haut sur au moins un mètre et demi de long.

Les têtes des clous fixant le plancher, les perles de cristal du rosaire et le brocart d'or du jupon que porte Marie-Madeleine témoignent de l'exquise manière dont van der Weyden maîtrisait l'art du détail naturaliste. Dans ses œuvres ultérieures, cependant, il mêlera à ce réalisme du détail, tantôt l'expression d'un pathos intense, tantôt celle d'une profonde piété, se démarquant ainsi de son contemporain et aîné Jan van Eyck, dont les figures sont toujours impassibles *(cf. p. 44)*.

Diptyque Wilton   1395-1399

Entre 1395 et 1399. *Tempera* sur chêne, chaque aile 53 × 37 cm

À peine plus grand que les manuscrits enluminés auxquels il ressemble, ce petit retable qui a conservé l'intégrité de son cadre et dont les volets se rabattent, a vraisemblablement été commandé par le roi Richard II d'Angleterre pour ses dévotions personnelles. Sur le volet gauche, le roi est représenté à genoux, en présence de trois saints d'une signification particulière pour lui – les rois Edmond et Édouard le Confesseur et Jean-Baptiste – qui le présentent à l'assemblée céleste peinte sur le volet droit. Edmond tient à la main une des flèches danoises qui le transpercèrent en 869. Édouard le Confesseur, sur le tombeau duquel Richard vint prier en l'abbaye de Westminster en temps de crise, tient à la main un anneau rappelant celui qu'il donna un jour, selon la légende, à un pauvre pèlerin qui s'avéra être saint Jean l'Évangéliste. Richard était né un 6 janvier, jour-anniversaire du baptême du Christ, d'où la présence ici de saint Jean-Baptiste, son saint patron, qui lui touche l'épaule.

Nous ne connaissons pas l'identité, ni même la nationalité, de l'artiste. Le procédé *a tempera* utilisé laisse à penser qu'il s'agit d'une œuvre d'art italienne. Par son style, cette œuvre s'apparente plus précisément à l'art siennois. Le fond blanc à la craie et le support, qui est en chêne, sont en revanche caractéristiques des peintures du Nord. Aucune œuvre vraiment comparable ne subsiste en Angleterre, en France ou même ailleurs en Europe.

L'un des aspects les plus énigmatiques du retable, la signification de la bannière, a cependant été récemment clarifié. S'agit-il du symbole traditionnel de la Résurrection, de la victoire du Sauveur sur la mort, ou de la bannière de saint Georges, saint patron de l'Angleterre ? En 1992, le nettoyage du diptyque a fait apparaître, à l'intérieur du minus-

cule globe surmontant la bannière, un château blanc sur une île verte située au milieu d'une mer argentée à la feuille, qui a malheureusement noirci. Dans un retable aujourd'hui disparu, mais autrefois situé à Rome, Richard II et sa première épouse, Anne de Bohême, étaient représentés en train d'offrir le globe de l'Angleterre à la Vierge. La scène s'accompagnait de l'inscription suivante : « Ceci est votre dot, Ô Sainte Vierge, aussi, Ô Marie, puissiez-vous régner dessus. » Il devient clair que l'Enfant Jésus du diptyque a reçu, au lieu de la Vierge, la bannière et le globe de l'Angleterre qu'il passe à un ange afin d'avoir la main libre pour bénir le roi. La bannière a donc une double signification : elle fait référence à l'espoir de résurrection, mais représente aussi le royaume d'Angleterre, sur lequel règne Richard, vice-roi détenant ses pouvoirs de la Vierge.

D'autres éléments font référence au statut royal de Richard II. Les anges de la cour céleste portent la livrée du roi. Le cerf blanc, qui fut l'emblème personnel du souverain, réapparaît en outre sur la robe de Richard II sous forme de broderies, sur la broche en or et émail qu'il porte épinglée sur la poitrine, mais aussi à l'extérieur du diptyque. Le genêt est une autre référence héraldique : la *planta genista*, bien qu'étant l'un des emblèmes de la famille de Richard II (celle des Plantagenêt), fit à l'origine partie des armes du roi de France, dont Richard épousa la fille en 1396, après le décès d'Anne. Le roi et les anges portent des colliers de genêt tandis que les motifs de la robe royale sont constitués de couronnes de cette plante encerclant des cerfs.

Seule une observation attentive permet de déceler tous ces détails et de rendre justice à la délicatesse et au raffinement de cette technique. Presque tout l'or, y compris celui qui a servi au modelé de la robe de l'Enfant Jésus, a été travaillé par minuscules touches. Les couronnes de roses qui coiffent les anges, les fleurs du jardin céleste, le voile blanc de la Vierge au bord ondulé, ne sont que quelques-unes des consolations que le roi pouvait trouver dans cette œuvre lorsqu'il priait, à l'abri du mécontentement du peuple et des conspirations seigneuriales qui mirent fin à son règne en 1399 et lui coûtèrent la vie en 1400.

AILE OUEST

La peinture de 1510 à 1600

En empruntant la passerelle qui mène de l'aile Sainsbury à l'aile Ouest du musée, nous laissons derrière nous les œuvres de jeunesse de Raphaël, peintes avant son départ pour Rome, ainsi que le célèbre dessin et la *Vierge aux rochers* de Léonard de Vinci. Léonard est à la fois le dernier maître de la Première Renaissance italienne et le premier grand artiste de la Seconde. Son influence fut incalculable, non seulement en l'Italie mais au-delà des Alpes. Ses recherches relatives aux phénomènes naturels, son inventivité du point de vue tant narratif que symbolique, et ses expérimentations sur le plan aussi bien technique que formel ont élargi le champ descriptif de la peinture italienne. Artiste en quête d'une beauté idéale, il a en outre tempéré le réalisme parfois austère et laborieux de ses aînés, tel celui des frères Pollaiuolo. L'art de Léonard et les vestiges de l'Antiquité gréco-romaine – qu'on dégageait alors de terre et étudiait avec enthousiasme à Rome – imposèrent de nouvelles normes en matière d'élégance et de monumentalité. Dans les œuvres de Raphaël postérieures à 1508 comme dans celles de Michel-Ange, Bronzino et du Corrège, l'ampleur et l'échelle des figures, la complexité des poses et de la composition, la douceur des expressions du visage, enfin la nouvelle délicatesse du modelé, obtenu en voilant à l'aide de transitions graduelles les passages de l'ombre la plus sombre à la lumière la plus vive, dénotent l'influence de Léonard.

Celui-ci doit certes à la peinture à l'huile ses effets les plus subtils, mais il est demeuré fidèle à la tradition toscane de la fresque et de la détrempe, car son art s'appuie sur la ligne et la tonalité. Il n'ajoutait les couleurs que lorsqu'il avait déterminé la composition, avec ses zones d'ombre et de lumière. Il considérait en effet la couleur comme un ornement et non comme un élément constitutif du processus de création. On retrouve la même méthode d'élaboration de l'œuvre picturale chez Michel-Ange *(cf. pp. 133 et 135)*. À l'opposé, les artistes vénitiens du XVIe siècle, suivant en cela l'exemple de Giovanni Bellini et de Giorgione, considéraient la couleur comme une composante première et essentielle de l'expérience visuelle. Paradoxalement, ils utilisèrent moins de teintes que les artistes d'Italie centrale, et exécutèrent des œuvres moins « colorées ». Les formes y sont définies, moins par un contour linéaire que par le passage d'une teinte à une autre, passage cependant cassé par des reflets et des interférences avec les zones d'ombre. Les différences tonales ont été directement transcrites en couleurs, et non préalablement définies en noir et blanc.

Les compositions des artistes vénitiens du XVIe siècle évoluaient tout au long du processus d'application de la peinture, car elles dépendaient d'un continuel ajustement des rapports chromatiques. Ces artistes se détournèrent en outre de plus en plus du panneau de bois au profit de la toile, le tissu utilisé pour les voiles dans la puissante industrie navale de Venise, grand État maritime. Dans les œuvres de maturité de Titien, la technique à l'huile devient plus audacieuse et expressive : la texture de la peinture, la trace du mouvement du pinceau ou de celle du doigt animent la surface du tableau et augmentent sa charge émotionnelle. L'aile Ouest permet de suivre l'évolution de Titien, de ses premières œuvres à *La Mort d'Actéon* – qui pourrait être un tableau inachevé, mais où veines, petites touches et taches s'unissent miraculeusement pour former une image dès que l'observateur prend du recul.

L'influence de Titien traversera les siècles et s'étendra, comme celle de Léonard de Vinci, à toute l'Europe.

La gamme des sujets traités par Titien renvoie à d'autres évolutions qui ont eu lieu dans l'art au XVIe siècle. Les commandes d'œuvres religieuses pour les églises ou à usage personnel se poursuivaient certes. Les grands tableaux religieux exécutés au XVIe siècle dans toute l'Europe témoignent, du reste, de la vitalité de cette tradition. Mais avec l'affermissement du pouvoir temporel de l'État et l'avènement de monarchies centralisées, le portrait prit de l'importance en tant qu'instrument politique et diplomatique. La dimension du portrait dépendait du train de vie du modèle, et allait du simple buste au portrait en pied. C'est ainsi que l'aile Ouest comporte de célèbres portraits, tant officiels que privés, dus à Titien, Raphaël et à d'autres grands artistes italiens, mais aussi aux Allemands Cranach et Holbein, et aux portraitistes du nord de l'Italie que furent Moretto et Moroni. Mais *Bacchus et Ariane* et *Vénus et Adonis* de Titien ainsi que *L'Éducation de l'Amour* du Corrège témoignent de l'intérêt également porté à cette époque aux sujets mythologiques. Autrefois relégués au domaine du mobilier, ils prenaient maintenant d'assaut les murs des appartements princiers. L'art des cours européennes s'imprégnait alors d'une nouvelle sensualité. Même lorsqu'un message moralisateur faisait contrepoids au contenu de l'image, comme dans la spectaculaire *Allégorie avec Vénus et Cupidon* de Bronzino ou la petite *Plainte de Cupidon à Vénus* de Cranach, la nudité antique servait de prétexte à une scène érotique et permettait d'éprouver le talent et les facultés poétiques de l'artiste.

Lorsqu'on se mit à collectionner des tableaux pour son propre plaisir, qu'il fut d'ordre esthétique ou sensuel, ou pour afficher ses goûts culturels, la demande s'étendit encore à d'autres genres. Une génération auparavant, les images pieuses et les portraits étaient les seuls tableaux de chevalet à trouver place dans les foyers, et « collectionner » signifiait accumuler des objets précieux. À partir du XVIe siècle, les talents spécifiques des peintres commençaient cependant à être appréciés pour eux-mêmes. Influencés par les écrits sur l'art de Pline, auteur romain du Ier siècle, les collectionneurs cultivés, sensibles aux paysages naturalistes que les peintres du Nord introduisaient en toile de fond dans leurs tableaux religieux, encourageaient ces derniers à développer le paysage comme un thème à part entière. L'aile Ouest comprend des œuvres attribuées au paysagiste néerlandais Patinir, ainsi qu'un paysage exécuté par l'artiste allemand Altdorfer, dont il existe peu d'œuvres.

Les magnifiques petits tableaux sur cuivre d'Elsheimer, véritable pionnier de l'art du XVIIe siècle bien que vivant au XVIe siècle, témoignent d'une évolution similaire. Parfait exemple du courant international entre le Nord et le Sud, dont témoigne toute la National Gallery, Elsheimer se forma en Allemagne, où il fut influencé par un paysagiste; il passa ensuite deux années à Venise à assimiler le colorisme de Titien, et mourut à Rome à 32 ans, en 1610. Mêlant dans son œuvre figures et paysages, sujets bibliques et mythologiques, il développa un nouveau thème, qui pourrait être formulé ainsi: la nostalgie du Sud chez l'homme du Nord et l'aspiration de l'homme moderne à un Âge d'or. Nous découvrirons les héritiers de la vision d'Elsheimer dans l'aile Nord, consacrée à la peinture de 1600 à 1700.

Albrecht Altdorfer   vers 1480-1538

Les Adieux du Christ à sa Mère

Vers 1520 ? Huile sur tilleul, 141 x 111 cm

Peintre et graveur, Altdorfer se rattache à un petit groupe d'artistes allemands (dont Cranach, *cf. p. 111*, et Huber, *cf. p. 334*), ayant accordé une grande importance au paysage, que celui-ci soit un élément contribuant à donner une tonalité émotionnelle à une scène narrative, comme ici, ou un sujet à part entière, comme dans le petit *Paysage avec pont*, également à la National Gallery. Les peintures d'Altdorfer sont rares, et la Grande-Bretagne en compte peu dans ses collections.

   Les adieux du Christ à sa Mère est un sujet qu'on rencontre probablement plus fréquemment en gravure qu'en peinture. C'est par ailleurs un thème qui est davantage traité dans les ouvrages de dévotion de la fin du Moyen Âge et dans le théâtre religieux – les « miracles », qui étaient for populaires à l'époque – que dans les Évangiles. Le Christ fait ses adieux à sa Mère dans le village de Béthanie avant de retourner à Jérusalem pour y être crucifié. La Vierge, Marie-Madeleine (la jeune femme vêtue de bleu pâle) et les disciples l'implorent de rester. Mais le Christ ordonne à Pierre (le vieil homme en noir et blanc) et à Jean (le jeune homme en rouge) de préparer le repas pascal, qui deviendra la Cène. Sur la colonne qui se dresse au-dessus de la tête de Marie-Madeleine, Altdorfer a inséré, comme sculptée dans la pierre, une minuscule scène représentant la Flagellation, qui semble annoncer les futures souffrances du Christ. La Vierge défaillante est soutenue par une autre Marie. La longueur invraisemblable des pieds des deux femmes, pointés de manière incongrue sous leurs robes, accentue le pathos de la scène.

Altdorfer tire parti du pouvoir expressif de la distorsion d'autres manières encore : les figures saintes sont démesurément allongées par rapport à la grosseur de leur tête, et leur taille diminue brusquement dès qu'elles s'éloignent du premier plan. Dans le coin inférieur droit, l'artiste a donné à une famille de donateurs – un homme, son épouse et leurs cinq enfants – la taille de poupées. Toutes les mains ont reçu une gestuelle liée à la parole : bénédiction, injonction, imploration, apaisement, réconfort, prière. Mais ce sont surtout les violents contrastes des couleurs, acides, et l'aspect sauvage du paysage qui donnent à l'œuvre son extraordinaire pouvoir émotionnel. Sous la voûte, des nuages embrasés font écho au rouge sang des vêtements, et des branches noires évoquent la mort. C'est l'azurite, un minerai de cuivre extrait principalement en Allemagne, qui a donné ces bleus singulièrement teintés de vert. Les couches de peinture les plus épaisses et les plus travaillées ont été réservées aux feuillages des arbres, minutieusement observés et différenciés les uns des autres de manière réaliste. Ils se dressent vigoureusement derrière le Christ et ses disciples comme sous l'effet d'un nouveau souffle de vie, dépassant les bords du panneau.

Jacopo Bassano   actif 1535-†1592

La Montée au Calvaire

Vers 1540. Huile sur toile, 145 x 133 cm

Jacopo fut le plus connu des peintres de la famille da Ponte, installée à Bassano, une petite ville de province de la Vénétie. De 1545 à 1560, il devint en Vénétie l'un des artistes les plus influents après Titien (*cf. p. 158*). Au cours de ses dernières années, son atelier, dans lequel travaillaient ses quatre fils, se spécialisa dans les scènes bucoliques et les nocturnes. La gravure a joué un rôle important dans l'élaboration de son style. *La Montée au Calvaire* s'inspire peut-être, du reste, d'une gravure exécutée en 1519 d'après une peinture de Raphaël, elle-même inspirée d'un bois gravé de Dürer. La composition, encombrée de figures (un effet renforcé par le fait que la toile a probablement été coupée à gauche) établit un contraste entre la puissante musculature des bourreaux – caractéristique de la peinture du centre de l'Italie – et le pathos à la Dürer du Christ, de saint Jean et des Saintes Femmes.

L'impact de la composition provient en grande partie de son organisation dynamique autour des principales diagonales. Nous faisons irruption dans la scène par le coin inférieur droit, où sainte Véronique tente de s'approcher du Christ afin de lui essuyer le visage, couvert de sang et de sueur. Viennent ensuite le montant en bois de la Croix, le corps du Christ effondré sous le poids de celle-ci, les coups brutaux de persécuteur, qui nous mènent jusqu'au coin supérieur gauche, où le bourreau tire sur la corde passée autour de la taille de Jésus, l'entraînant vers le Golgotha, perceptible au loin. Le manteau de celui-ci, dans lequel s'engouffre le vent, fait écho au rouge de la robe dont est vêtue Véronique. Il est aussi possible d'observer le tableau à partir du coin supérieur droit, où des officiers à cheval discutent de la scène qui se déroule sous leurs yeux, l'un d'entre eux la montrant même du doigt ; la hampe en bois de la lance conduit le regard à l'endroit où le manteau vert de Jean, saisi par un soldat, semble envelopper les coiffes et les épaules des deux Marie, avant de rejoindre le voile que Véronique projette en avant. La Vierge

La Montée au Calvaire

porte un manteau foncé qui l'isole du reste de la scène : comme hors d'atteinte de la foule qui se bouscule, elle essuie les larmes qui ruissellent de ses yeux.

Quel que soit le sens de lecture adopté, nous sommes inexorablement attirés vers le Christ, couronné d'épines. Bien qu'il ait le regard tourné vers Véronique, il est la seule figure représentée quasiment de face. C'est l'Homme de douleur de l'imagerie pieuse.

Bronzino 1503-1572

Allégorie avec Vénus et Cupidon

Vers 1540-1550. Huile sur bois, 146 × 116 cm

L'*Allégorie avec Vénus et Cupidon* fascine et trouble les visiteurs de la National Gallery depuis son acquisition en 1860. Bien que ce soit l'œuvre la plus franchement érotique de toute la collection, elle refroidit tout autant qu'elle séduit. L'équivalent moderne de son registre émotionnel est peut-être à chercher dans les pages glacées de nos magazines de mode, où « être cool » équivaut à « avoir du style », et où le naturel participe de l'artifice.

Agnolo di Cosimo, dit Bronzino, a travaillé à la cour du premier souverain absolu qu'ait connu Florence, le duc Cosme de Médicis. Et c'est en tant que portraitiste officiel

du duc et de la duchesse, de leurs enfants et des membres de la cour, qu'est devenu célèbre cet élève et assistant bien-aimé de Pontormo – lequel a du reste inséré son portrait dans le panneau de *Joseph en Égypte avec Jacob (cf. p. 144)*. Bronzino a aussi exécuté des retables et des œuvres narratives religieuses. On retrouve toutefois dans celles-ci la réserve aristocratique et la beauté formelle caractéristiques des portraits d'adultes dus à l'artiste.

Tout comme aujourd'hui le monde de la mode, la cour d'un souverain despotique était plus sensible à l'artifice qu'au naturel. Le style revêtait une importance démesurée, car il permettait de masquer les rudes réalités du pouvoir et de la dépendance. Toute spontanéité était étouffée et le protocole gouvernait les comportements au quotidien. Les études intellectuelles n'étaient pas valorisées, mais, au sein de l'élite, il était de bon ton d'avoir un vernis de connaissances. Pour combattre l'ennui, les courtisans devaient apprendre à passer le temps à des frivolités empreintes de sérieux. C'est pourquoi cette œuvre, probablement créée à la cour de Toscane et destinée au roi de France, a été conçue comme une énigme, et comporte des symboles et des emblèmes provenant du monde de la mythologie et de celui de l'héraldique.

L'œuvre aurait constitué un présent idéal pour le roi de France : il était connu pour ses appétits, avait un faible pour la magnificence et la culture italianisantes, et aimait en outre l'héraldique et les emblèmes énigmatiques. Déchiffrer le symbolisme de l'œuvre aurait ainsi servi de prétexte à une longue contemplation des corps de Vénus et Cupidon et des détails lubriques de leur étreinte. La déesse de l'Amour et de la Beauté, identifiable à la pomme que Pâris lui avait donnée et à ses colombes, a retiré sa flèche à Cupidon. À ses pieds, des masques, symbolisant peut-être la sensualité de la nymphe et du satyre, semblent lever les yeux vers les amants. L'enfant riant qui, un anneau de clochettes à la cheville, jette sur eux des pétales de roses, sans se soucier de l'épine qui lui transperce le pied droit, incarne le Plaisir. Derrière lui, la figure au visage franc mais au corps monstrueux qui présente d'une main un rayon de miel et cache de l'autre le dard de sa queue, incarne, quant à elle, la Tromperie. De l'autre côté des amants se tient une figure sombre, autrefois considérée comme une personnification de la Jalousie mais récemment identifiée comme celle de la Syphilis, maladie du Nouveau Monde qui avait probablement fait son entrée en Europe et pris des proportions endémiques au XVIe siècle.

Le sujet de la scène centrale se révèle donc être – avec toutes ses conséquences cuisantes – l'amour non chaste, auquel préside Plaisir et que Tromperie encourage. Dans le coin supérieur gauche, Oubli, dans l'impossibilité physique de se souvenir, tente de tendre un voile sur l'ensemble de la scène, mais il en est empêché par le Temps – ce qui est peut-être une allusion aux effets à retardement de la syphilis. Aussi froids que le marbre ou l'émail, les nus se déploient sur un somptueux bleu outremer ; l'ensemble de la composition, plaquée à la surface du tableau, rappelle les motifs créés par Bronzino à la même époque pour la nouvelle manufacture de tapisseries du duc. Mais l'analogie avec un objet de luxe qui a rendu les cours d'Italie tristement célèbres s'impose encore davantage : telle ces fabuleuses bagues à poison des Borgia qui attiraient les regards mais dont l'ouverture était une menace de mort, l'image voile et dévoile son amère morale.

Pieter Bruegel, dit l'Ancien   actif 1550/51-†1569

L'Adoration des Mages

1564. Huile sur chêne, 111 × 83 cm

Pieter Bruegel fut l'un des premiers peintres paysagistes, et sa focalisation, ici, sur l'Adoration, à l'exclusion du paysage et du cortège des Rois mages, est inhabituelle. Le panneau a peut-être été rogné sur les côtés et en sa partie supérieure, mais il est peu probable que ceci ait radicalement changé la composition. Les magnifiques chevaux et les cavaliers d'une grande élégance traditionnellement représentés ont ici cédé la place à des fantassins et à trois citadins – l'un d'eux semble conspirer à l'oreille de Joseph – rassemblés autour de la Sainte Famille. Bruegel a été très influencé par Jérôme Bosch (cf. p. 25), et tant le format de cette œuvre que les cruelles caricatures qu'elle comporte trouvent probablement leur origine chez celui-ci.

Bien que spécialiste des scènes de genre paysannes, qui lui valurent d'être appelé le « paysan Bruegel », l'artiste n'était pas un paysan, mais un homme de bonne éducation qui se rendit en Italie pour y saisir des vues de villes et des paysages. Il a commencé par dessiner, pour un éditeur, des estampes satiriques et populaires, inspirées d'œuvres de Bosch. Lorsque vers 1560 il se mit à peindre, il trouva des commanditaires parmi les grands intellectuels et les riches banquiers d'Anvers. Un grand nombre de ses tableaux sont le reflet des farces, des pièces allégoriques et des processions que montaient les sociétés littéraires de ces commanditaires et qui s'inscrivaient au cœur de la vie intellectuelle et festive des villes néerlandaises. Il est difficile d'admettre qu'un thème comme celui de l'Adoration puisse être traité de manière satirique ; pourtant l'élément caricatural pourrait être ici très sérieusement porteur d'une morale. Tandis que les rois offrent ou attendent de pouvoir offrir à l'Enfant Jésus l'or, l'encens et la myrrhe, la foule n'a d'yeux que pour la richesse des présents. Bouche bée, le citadin à lunettes représenté à droite semble saisi d'envie à la vue du magnifique encensoir que tient le roi maure Balthasar (nef en or construite autour d'une coquille de nautile précieux et surmontée d'un globe en cristal, cet encensoir constitue à vrai dire un magnifique exemple de l'orfèvrerie de l'époque). Le soldat à hauteur d'épaule de la Vierge fixe les yeux écar-

quillés le récipient contenant la myrrhe. Et l'Enfant Jésus sourit, mais a un mouvement de recul face à l'or que lui tend le plus âgé des Rois mages.

Nous savons par la Bible et une certaine tradition picturale que le Christ au moment de la Passion fut persécuté par les soldats, injurié par le peuple et conduit à l'exécution. Bruegel y ferait-il allusion dans cette scène consacrée à l'Adoration ? Ces hommes qui entourent la Vierge et l'Enfant Jésus en n'ayant d'yeux que pour les richesses de ce bas-monde, et non pour le roi céleste, sont-ils ceux qui plus tard se moqueront de lui et le tue-ront ? L'âne de la prophétie d'Isaïe (Is I, 3) se sert dans la mangeoire à l'arrière-plan car il « connaît [...] la mangeoire chez son maître, Israël ne connaît pas, mon peuple ne com-prend pas ». Jérémie et Ézéchiel (Ez XII, 2) font écho à Isaïe : « Fils d'homme, tu habites au milieu d'une engeance de rebelles ; ils ont des yeux pour voir et ne voient pas [...]. »

Le Corrège   vers 1494-1534

Vénus, Mercure et Cupidon (L'Éducation de l'Amour)

Vers 1525. Huile sur toile, 155 × 92 cm

Né à Corrège, une petite ville du nord de l'Italie, à mi-distance entre Mantoue et Parme, à laquelle il doit son nom, Antonio Allegri est peut-être aujourd'hui, parmi les grands peintres de la Renaissance italienne, celui qui reste le moins connu. Ses œuvres les plus importantes – de nombreux retables, mais aussi des coupoles et des voûtes peintes à fresque de manière novatrice – se situent à Parme, ville natale du Parmesan *(cf. p. 141)*, qui s'est formé à son contact. Seul un nombre relativement faible d'œuvres religieuses, deux tableaux allégoriques et ses six peintures érotiques à thème mythologique – dont *L'Éducation de l'Amour* – exécutées pour Frédéric II Gonzague, seigneur de Mantoue, sont entrés dans les collections de grands musées européens. Si un peintre aussi accompli et influent que le Corrège avait été lié à un centre artistique plus conscient de sa valeur et faisant davantage parler de lui, comme Florence ou Rome, son nom aurait figuré, de son vivant, dans davantage de documents. Et si Parme faisait actuellement partie des circuits touristiques, comme c'était le cas au siècle du Grand Tour *(cf. pp. 262 et 293)*, il serait peut-être mieux connu aujourd'hui. Les millions de visiteurs qu'accueille Rome sont peu nombreux, par exemple, à se rendre compte que, sur les coupoles et les voûtes des églises de la ville, les grandes peintures baroques inondées d'une lumière céleste qui mettent en scène une foule étourdissante de saints et d'anges, s'inspirent indirectement – c'est-à-dire à travers l'œuvre de Lanfranco, autre peintre de Parme – des fresques exécutées par le Corrège un siècle plus tôt. De la même manière, la sensualité badine du rococo au XVIIIe siècle *(cf. par ex. Fragonard, p. 280)* doit beaucoup aux tableaux de chevalet du Corrège entrés dans les collections royales françaises.

La formation artistique du Corrège fut cependant intimement liée à ses origines géographiques. Ayant travaillé à l'intérieur du triangle formé par Venise, Milan et Rome, il s'est inspiré des traditions picturales fondamentalement différentes de ces trois villes, mais aussi des œuvres exécutées par Mantegna à Mantoue *(cf. p. 62)* et des estampes venues du nord des Alpes. Les contours flous, les transitions voilées entre l'ombre rosée et les rehauts or et blanc, ou encore entre la chair et les plumes, ainsi que l'atmosphère insaisissable de *L'Éducation de l'Amour*, font songer à Giorgione *(cf. p. 115)*. En revanche, la chevelure délicieusement soyeuse, les sourires rêveurs et la pose complexe de Vénus rappellent Léonard de Vinci *(cf. p. 54)*. Le Corrège a en outre adopté la méthode vénitienne, qui consiste à travailler directement sur la toile *(cf. p. 100)*, comme l'ont démontré les importants repentirs révélés par un examen aux rayons X (Mercure et Vénus ont peut-être même échangé leur place). Le Corrège parvient cependant à harmoniser ces diverses sources d'inspiration d'une manière qui lui est totalement personnelle, et ce notamment grâce à son mode de composition. Celui-ci a été analysé avec perspicacité par Mengs, artiste allemand du XVIIIe siècle : « En ce qui concerne les directions variées et contrastées des membres [les bras et les jambes des figures], on constate [...] qu'il [leur] appliquait un léger raccourci et disposait rarement les surfaces de manière parallèle [...]. »

Le mouvement ainsi insufflé aux figures individuelles et à l'ensemble du tableau apparaît clairement dans *L'Éducation de l'Amour*, qui ne se réfère à aucun mythe connu mais est peut-être fondé sur une tradition astrologique établie de longue date. Le tableau qui faisait probablement pendant à celui-ci et qui est actuellement au Louvre montre un satyre lubrique découvrant Vénus en train de dormir à même le sol, dans un abandon sensuel. Il s'agit de la Vénus terrestre, celle de l'amour charnel. Dans la toile de la National Gallery (plus petite car elle a été rognée sur les quatre côtés), Mercure et une Vénus ailée assurent ensemble l'instruction de Cupidon, comme un couple marié éduque ses enfants ou comme les planètes bienveillantes incarnées par ces divinités influencent les enfants nés sous le signe zodiacal correspondant. Cette Vénus céleste n'apparaît cependant pas moins désirable que sa sœur terrestre conservée à Paris. Le Corrège a modifié la position de sa tête de sorte qu'au lieu de baisser les yeux vers Cupidon avec toute la sollicitude d'une mère, elle nous invite à la regarder avec admiration tout en se dérobant à notre regard.

Le Corrège   vers 1494-1534

Madone au panier

Vers 1524. Huile sur bois, 33 × 25 cm

Si les scènes mythologiques du Corrège semblent anticiper sur les décors des boudoirs du XVIIIe siècle, ce ravissant petit panneau, l'une des peintures les mieux conservées de la National Gallery, préfigure l'évolution du sentiment religieux et de l'imagerie correspondante au cours du XVIIe siècle. À vrai dire, il pourrait bien avoir directement affecté l'un et l'autre au travers des copies qui en ont été faites sous forme de dessins ou de gravures – honneur rare pour une œuvre intimiste de cette dimension.

La littérature de dévotion de la fin du Moyen Âge décrivait par le menu la vie modeste que menait la Sainte Famille, mais ce, essentiellement pour souligner l'humi-

Madone au panier

lité du Christ et de la Vierge ainsi que leurs souffrances par trop humaines. Le Corrège a adopté un ton bien différent : il a transformé le sujet en une idylle faite d'innocence, d'amour maternel et filial. Assise dehors sous un arbre, la Vierge, sa corbeille à ouvrage à côté d'elle, essaie à l'Enfant Jésus la veste qu'elle vient de confectionner. Marie est vêtue d'une robe vieux rose et non de la couleur royale outremer, et la peinture a pour dominante une douce harmonie de roses et de bleus teintés de gris. À l'arrière-plan, Joseph est occupé à raboter du bois. La bicoque de Joseph et Marie s'adosse à des ruines grandioses – vieille métaphore de la nouvelle foi qui émerge des décombres de l'Antiquité païenne. L'œuvre comprend d'autres éléments symboliques : le geste de l'Enfant rappelle celui de la bénédiction, et la veste pourrait être la tunique sans couture qui, selon la légende, suivait sa croissance et que les soldats tirèrent au sort au pied de la Croix (Jn XIX, 23-24). Ces références ne nous sont pas davantage imposées que les difficultés formelles : la pose complexe de la Vierge et l'extrême raccourci de la jambe et de l'aine de l'Enfant Jésus semblent avoir été représentés sans effort. La célèbre « douceur » du Corrège, les transitions graduelles entre les zones d'ombre et de lumière apprises au contact des œuvres milanaises de Léonard, mais présentées à travers un prisme doré de coloration vénitienne, jettent sur les figures un voile de séduction. Bien que les dimensions de l'œuvre invitent à la scruter de près, le flou et le miroitement des touches de pinceau nous empêchent de les voir nettement.

Lucas Cranach l'Ancien   1472-1553

La Plainte de Cupidon à Vénus

Début des années 1530. Huile sur bois, 81 × 55 cm

Peintre et graveur, Cranach fut le principal artiste de la Réforme. En 1505, il fut en effet nommé peintre à la cour de Frédéric le Sage, Électeur de Saxe et protecteur de Luther. Cranach finit du reste par bien connaître Luther : il fit plusieurs portraits de lui et lui demanda d'être le parrain de l'un de ses enfants. Cranach demeurera au service des Électeurs de Saxe jusqu'à la fin de ses jours. Bien qu'il ait adopté un style naturaliste dans quelques portraits d'humanistes, il mit au point pour ses œuvres de cour une manière calligraphique ornementale. Cette formule plaisait à ses commanditaires, et elle lui permettait en outre de produire et reproduire des peintures de grande qualité en associant tout son atelier, dont ses deux fils, Cranach le Jeune et Hans. Le besoin qu'avait Cranach d'adopter une méthode rationnelle apparaît clairement avec la commande, en 1533, d'une soixantaine de paires de petits portraits des deux frères (tous deux alors décédés), Frédéric le Sage et de Jean le Constant, auquel succédait à cette date comme Électeur son fils Jean-Frédéric *(cf. p. 112)*.

En dehors des portraits et des tableaux religieux destinés à une clientèle luthérienne ou catholique, Cranach développa pour la cour de nouveaux sujets, notamment la scène de chasse et la peinture de nus, dont cette œuvre est un exemple. Le charme de ce type d'œuvre, qu'elle mette en scène des héroïnes de l'Ancien Testament ou des déesses païennes, qu'elle illustre des récits mythologiques ou qu'elle soit de nature allégorique, réside dans leur sensualité sophistiquée et leur délicieuse fantaisie. Avec beaucoup d'esprit, Cranach a paré sa Vénus, svelte et aristocratique, d'un chapeau et de bijoux à la mode, comme s'il s'agissait d'une beauté de la cour qui se serait déshabillée pour poser. La chasse étant l'occupation favorite des commanditaires de l'aristocratie – après la religion, la politique, les femmes et l'acquisition d'un vernis de culture classique – l'artiste a introduit dans la sombre forêt germanique, derrière les figures, un cerf et une biche. Une inscription figurant à droite dans le ciel tient lieu de légende au tableau. Traduction approximative d'un texte emprunté à Théocrite, poète bucolique de l'Antiquité grecque, cette inscription signifie :

> Une abeille piqua au doigt Cupidon occupé à voler du miel dans le creux d'un arbre. C'est ainsi que le plaisir bref et passager que nous recherchons nous vaut tristesse et douleur.

Le poète relate ensuite comment Vénus s'est moquée de son fils Cupidon, lui faisant comprendre que les peines d'amour qu'il avait infligées aux autres étaient beaucoup plus douloureuses. La morale de ce tableau s'apparente à celle qu'on trouve dans *Allégorie avec Vénus et Cupidon* de Bronzino *(cf. p. 105)*, également peinte pour une cour princière. L'érotisme et la moralité apparaissent cependant moins intenses dans le panneau de Cranach, impression que renforce encore la différence de dimension entre les deux œuvres lorsqu'on est en présence des originaux. Mais ce n'est pas un hasard si Vénus, qui regarde le spectateur tout en saisissant la branche d'un pommier, ressemble à Ève la tentatrice.

Lucas Cranach l'Ancien   1472-1553

Portraits de Jean le Constant et de Jean-Frédéric le Magnanime

1509. Huile sur bois, panneau gauche 41 × 31 cm ; panneau droit 42 × 31 cm

Les portraits couplés représentant un homme et son épouse relevaient d'une tradition bien établie *(cf. p. 31)* lorsqu'en 1509 Cranach peignit ce double portrait consacré à un père et son fils. Si Jean le Constant est ici représenté avec Jean-Frédéric, héritier de l'électorat de Saxe, c'est probablement parce que la mère de l'enfant, Sophia de Mecklembourg, était morte en 1503 en lui donnant la vie. Cette commande fournit à Cranach l'occasion de peindre l'un des premiers portraits d'enfant de l'art européen et l'un des plus sensibles. Représenté de face, le garçon glisse un regard oblique et timide, du milieu des fantastiques plumes d'autruche qui ornent son chapeau et des bijoux rendus avec une extrême délicatesse. Même la facture de l'œuvre – volutes tridimensionnelles pour les plumes, fermeté du trait pour les « crevés » ornant le vêtement en révélant sa doublure rouge, ainsi que pour la démarcation entre le chapeau et les cheveux ou le chapeau et le visage – semble souligner la fragilité de l'enfant, comme si son costume avait plus d'allant et de substance que lui. Le fait que sa tête ait été placée plus haut que celle de son père renvoie à sa taille : on a affaire à un petit garçon perché sur un grand tabouret pour être à la hauteur du regard de l'adulte. Le portrait est si spontané que nous avons l'impression qu'il a été spécifiquement exécuté pour ce tableau. Peut-être était-ce la première fois que l'enfant posait. Le contraste entre ce portrait et ceux que Cranach a exécutés de Jean-Frédéric à l'âge adulte – dans lesquels il a donné à ses yeux en amande un regard distant et insondable, et a habillé le corpulent modèle d'un magnifique costume – pourrait difficilement être plus grand.

Le portrait de Jean le Constant est plus terne, et ressemble au portrait de lui glissé par Cranach dans un retable contemporain. Ces deux représentations de l'Électeur

pourraient s'inspirer d'un dessin que Cranach avait exécuté sur le motif et qu'il conservait dans son atelier afin de l'utiliser le cas échéant pour ses commandes. De sa main subsistent de nombreux dessins de ce genre représentant l'aristocratie allemande. Bien que différents, le portrait de Jean et celui de son fils ont été soigneusement mis en relation l'un avec l'autre. Dans le portrait du père, le fond vert fait écho au manteau de la même couleur de l'enfant, tandis que le fond noir sur lequel ce dernier est représenté renvoie de la même manière au manteau noir du père. Ces tableaux semblent avoir conservé leur cadre d'origine, pourvu de charnières de manière à pouvoir être refermé comme un livre. Nous ne savons pas s'il avait été à l'origine prévu de faire de ces deux portraits un diptyque, mais il est vraisemblable qu'ils ont été montés ensemble par Cranach lui-même. Au dos du portrait du jeune Jean-Frédéric figurent les armes de ses parents, à savoir celles des maisons de Saxe et de Mecklembourg.

Adam Elsheimer   1578-1610

Saint Paul sur l'île de Malte (Le Naufrage de saint Paul)

Vers 1600. Huile sur cuivre, 17×21 cm

Dans le milieu des mécènes italiens cultivés de la Renaissance, la commande de peintures de paysages fut encouragée par la lecture de textes consacrés à l'art antique de Pline l'Ancien, auteur latin du premier siècle de notre ère. Dans son ouvrage intitulé *Histoire naturelle*, Pline l'Ancien analyse l'œuvre des divers peintres de l'Antiquité gréco-romaine sous l'angle de leur spécialisation dans tel ou tel genre. Influencés par cette analyse, les collectionneurs italiens ne tardèrent pas à percevoir les peintres allemands et néerlandais – qui avaient l'art d'exécuter en toile de fond de leurs œuvres religieuses de magnifiques paysages *(cf. p. 76, par ex.)* – comme d'éventuels fournisseurs de tableaux « pastoraux » ou « bucoliques » capables de rivaliser dans cette veine légère, comme leurs antiques prédécesseurs, avec les œuvres poétiques ou musicales. Flattés

Saint Paul sur l'île de Malte

par cette théorie de l'art italienne, les peintres du Nord s'y conformèrent *(cf. p. 143),* jusqu'à ce que Rubens *(cf. p. 235)* revendiquât la possibilité, pour un Flamand, de travailler à grande échelle comme un peintre d'histoire italianisant, ce qui ne l'empêcha cependant pas d'admirer ni de collectionner les rares tableaux d'Adam Elsheimer, un confrère du Nord qui passa les dix dernières années de sa vie à Rome.

Les précieux petits tableaux sur cuivre d'Elsheimer ont contribué à transformer le paysage – qui n'avait été jusqu'alors qu'un ajout décoratif – en un genre artistique majeur *(cf. aussi Giorgione p. 115 et Annibal Carrache p. 181).* Elsheimer, qui s'était formé en Allemagne et à Venise et excellait tant dans l'art de peindre des personnages que dans celui du paysage, a donné une forme visuelle à deux sentiments nouveaux : la crainte révérencieuse des forêts et des eaux nordiques d'une part, la nostalgie de l'Antiquité d'autre part. Ce tableau se rattache à la première catégorie, bien qu'il fasse référence à deux épisodes des Actes des Apôtres (XXVII, 41-44 ; XXVIII, 1-6) : le naufrage de saint Paul à l'île de Malte et le miracle de la vipère. Dans ce tableau à peine plus grand qu'une main, l'illumination créée par les multiples sources de lumière vient révéler un drame lié à la puissance de la nature, à la vulnérabilité de l'homme et à l'intervention divine. Les éclairs étincellent à la surface des vagues qui viennent se fracasser contre la côte ; un feu de brûle au sommet de la falaise en guise de phare, tandis qu'un second foyer permet aux survivants rassemblés au premier plan de sécher leurs vêtements avec l'aide des autochtones. La lumière incandescente du feu transmet la sensation de chaleur que doivent éprouver les corps nus – italianisants – et la vieille femme ridée – de type nordique. Le dégradé de rouge, perceptible de droite à gauche, conduit le regard vers saint Paul :

> Paul avait ramassé une brassée de bois mort et la jetait dans le feu, lorsque la chaleur en fit sortir une vipère qui s'accrocha à sa main. À la vue de cet animal qui pendait à sa main, les autochtones se disaient les uns aux autres : « Cet homme est certainement un assassin ; il a bien échappé à la mer, mais la justice divine ne lui permet pas de vivre. »
> Paul, en réalité, a secoué la bête dans le feu, sans ressentir le moindre mal [… Constatant] qu'il ne lui arrivait rien d'anormal, ils répétaient : « C'est un Dieu ! »

Giorgione

actif 1506-†1510

Il Tramonto (Le Coucher du soleil)

1506-1510. Huile sur toile, 73 × 91 cm

On ne sait que peu de chose de Giorgione : rares sont les témoignages sur sa vie et ses œuvres, et seuls six ou sept tableaux sont considérés comme « presque certainement » de sa main. Cependant, il est universellement tenu pour l'un des artistes occidentaux ayant eu le plus d'influence. Giorgione, qui fut probablement un élève de Giovanni Bellini *(cf. p. 22)*, est à l'origine d'une peinture poétique attachée au rendu de l'atmosphère, fondée sur la modulation des couleurs, de la lumière, mais aussi sur une nouvelle vision du paysage ; on la qualifie aujourd'hui encore de giorgionesque. Bien que nous lui attribuions un retable conservé à Castelfranco, sa ville natale, un nu en très mauvais état peint à fresque – détaché d'un édifice vénitien qu'il décora avec Titien *(cf. p. 158)* – et deux portraits du XVIe siècle portant son nom, Giorgione semble s'être spécialisé, pour des collectionneurs privés, dans des tableaux de petite dimension à sujets énigmatiques, comme celui-ci. Que ce tableau, redécouvert en très mauvais état en 1933 dans une villa du XVIe siècle à Ponte Casale, au sud de Venise, soit ou non de la main de Giorgione importe peu pour le spectateur. Il est en tout cas giorgionesque.

Le titre italien, *Il Tramonto*, rend mieux compte que la traduction française du caractère particulier de l'œuvre, car le soleil se couche ici « derrière la montagne », comme le suggère l'expression italienne. Au cœur d'un paysage d'une grande profondeur, qui rejoint l'horizon à travers une étonnante bande bleue, deux voyageurs se reposent au bord d'une mare aux eaux troubles, d'où émerge un petit monstre à bec. Un ermite habite la grotte sombre représentée à l'extrême droite. Le saint Georges à cheval figurant au plan intermédiare est un repeint réalisé en 1934 sur une zone écaillée, décidé au vu de ce qui apparaissait, sur une photographie de l'époque, comme les restes d'une queue de dragon. Le grand monstre représenté dans l'eau fait également partie des repeints du tableau. Mais ces reconstitutions modernes ne permettent d'avancer aucune interprétation certaine du sens initial du tableau. *Si* saint George était effectivement présent à l'origine, l'ermite *pourrait* alors être saint Antoine abbé, protecteur des épidémies. Ce saint était couvert de plaies car, disait-on, des démons ayant pris la forme de monstres étaient venus à la tombée de la nuit lui « déchiqueter le corps de leurs dents, de leurs cornes et de leurs griffes ». Les deux hommes du premier plan *pourraient* être saint Roch – un pèlerin français du Moyen Âge qui contracta la peste en soignant des malades – et son compagnon saint Gothard, occupé à panser un bubon à la jambe du saint. Le corps de saint Roch, l'un des principaux patrons des malades de la peste, est l'une des grandes reliques que possède Venise.

La comparaison d'*Il Tramonto* avec, par exemple, le paysage peint par Patinir quelques années plus tard (*cf. p. 143*) permet de saisir l'impact de l'œuvre de Giorgione. Bien que très artificiel, ce paysage nous invite à nous y glisser en imagination : sa construction par alternance de plans triangulaires clairs et foncés souligne la continuité existant entre le premier plan et l'horizon bleu, reliés par un espace intermédiaire bien défini. La falaise, l'arbre frêle représenté au centre et son feuillage servent à repousser l'arrière-plan. Les fins dégradés entre les zones d'ombre et de lumière, le flou des contours et des reflets vus comme à travers une brume, les figures isolées et mystérieuses, les monstres à peine visibles et peut-être imaginaires, la ville alpine au loin, contribuent à donner l'impression d'une émotion profonde et pourtant indéfinissable dans cette scène où « la clarté du jour choit de l'air ». Ce vers pénétrant de Thomas Nashe (écrivain anglais de la Renaissance) est peut-être plus qu'une évocation visuelle : le poème dont il est extrait s'intitule « En temps de peste ».

Jan Gossaert, dit Mabuse   actif 1503-†1532

Vieux Époux

Vers 1510-1528. Huile sur vélin (?) monté sur bois, 46 × 67 cm

Mabuse s'est probablement formé à Bruges avant de devenir maître à Anvers en 1503. Entré au service de Philippe de Bourgogne, futur évêque d'Utrecht et fils illégitime de Philippe le Bon, il le suivit probablement dans sa mission au Vatican en 1508, afin d'étudier les monuments antiques – démarche inédite chez un artiste flamand. Ce voyage eut un impact considérable, non seulement sur son œuvre mais sur l'art néerlandais en général. Sous l'influence de Mabuse et d'autres romanistes de même sensibilité, la tradition picturale néerlandaise issue de van Eyck (*cf. p. 44*) et de van der Weyden (*cf. p. 95*) fut rejetée au profit d'un style inspiré d'une Renaissance italianisante, et fondé en dernier ressort sur la sculpture antique, l'étude de l'anatomie et une perspective mathématique.

L'Adoration des Mages, panneau extraordinaire datant de la période pré-romaniste de Mabuse, est analysé page suivante. Cette œuvre-ci, composée à parts égales d'éléments italianisants et de naturalisme néerlandais, correspond à la période de maturité de son style. C'est le seul double portrait connu de l'artiste. Contrairement à de nombreux modèles de Mabuse, ces époux assez âgés semblent davantage appartenir à la bourgeoisie aisée qu'à la noblesse. Représenté à hauteur du buste sur un fond vert foncé, le couple est fortement éclairé par une source lumineuse provenant du coin supérieur gauche du tableau. La lumière unit les deux modèles dans l'espace pictural en révélant une structure sous-jacente, mais elle accentue aussi la différence de teinte de leur chair et le relâchement de leur peau fatiguée.

Deux figures nues sont représentées avec une corne d'abondance sur le médaillon que porte le chapeau de l'homme : peut-être est-ce une allusion ironique à l'état actuel des modèles. Mabuse a représenté ce couple à un âge où les rides et les mâchoires édentées étaient des sujets de raillerie, mais il l'a doté d'une dignité imposante, empreinte de stoïcisme. L'homme, plus vif, a saisi son col de fourrure et le pommeau métallique de sa canne ; son regard sombre se perd au loin. Placée derrière lui, les mains cachées et les yeux baissés, la femme ne manque pas davantage de fermeté. Sa coiffe blanche se reflète sur son menton et l'une de ses joues et découpe sur son front une ombre translucide, allégeant les contrastes d'ombre et de lumière sur le visage de l'époux tout en conférant à la femme une part égale de cette imposante autorité.

Jan Gossaert, dit Mabuse   actif 1503-†1532

L'Adoration des Mages

1500-1515. Huile sur bois, 177 × 161 cm

Cette *Adoration* est l'une des plus somptueuses jamais peintes. On pense qu'il s'agit d'un retable commandé par Joannes de Broeder, devenu abbé en 1506, pour la chapelle de la Vierge de l'église Saint-Adrien à Grammont. L'œuvre a probablement été commencée peu après 1506 et a peut-être été achevée avant le départ de Mabuse pour l'Italie. Chaque centimètre carré de ce gigantesque panneau a été élaboré avec un souci saisissant du détail sans que la clarté de l'ensemble en soit compromise et sans que le thème central se dissolve dans le reste de l'œuvre.

Dans un édifice en ruine, les rois de la terre et leur suite, les bergers – saisis d'un respect mêlé de crainte – et les anges des neuf ordres célestes sont venus vénérer le Nouveau-Né, assis sur les genoux de sa mère comme sur un trône. Gaspard vient d'offrir un calice en or contenant des pièces d'or ; son nom est gravé dans le couvercle gisant au sol aux pieds de la Vierge, près de son chapeau et de son sceptre en or. Balthasar, qui s'avance sur la gauche, est identifiable à l'inscription qui orne sa couronne, et sous laquelle figure la signature de l'artiste. Le bord de l'étoffe sur laquelle Balthasar, tel un prêtre devant l'autel, présente sa précieuse offrande, porte brodés les premiers mots de l'hymne à la Vierge intitulé *Salve Regina* : « Salve Regina, mater misericordiae, Vita, dulcedo, [...] » L'artiste a

L'Adoration des Mages

introduit une seconde signature dans le collier que porte l'homme noir faisant partie de la suite de Balthasar. Le troisième roi, Melchior, attend sur la droite. Sur le versant de la colline qui s'élève derrière sa suite, un ange annonce la naissance du Christ aux bergers. Joseph, vêtu de rouge et muni d'une canne, se tient à quelque distance de l'Enfant, les yeux levés vers le ciel. Bien qu'il suive dans l'ensemble la tradition néerlandaise, Mabuse montre ici qu'il connaît l'art moderne, et même l'art étranger : le chien représenté à droite au premier plan a été directement emprunté à une célèbre gravure de Dürer ayant pour sujet la miraculeuse conversion de saint Eustache datée de 1500-1501.

La colombe de l'Esprit Saint, qui émane de l'étoile symbolisant Dieu le Père (de sorte que les trois personnes de la Trinité sont ici représentées) ne fait pas habituellement partie de l'iconographie de l'Adoration. Il est de même inhabituel de voir la Vierge tenir le calice offert par Gaspard. L'Enfant reçoit des Rois mages venus d'Orient trois présents (Mt II, 11) : de la myrrhe, utilisée par la suite pour embaumer le corps du Christ, qui symbolise traditionnellement son sacrifice ; de l'encens, réservé, selon l'Ancien Testament, au tabernacle du Seigneur ; et de l'or, tribut que les rois payèrent au Roi, suivant en cela l'exemple de Salomon. Ici, l'Enfant semble rendre l'une des pièces d'or. Ce geste a peut-être une valeur symbolique : c'est avec son sang – le vin de l'Eucharistie – que le Sauveur, dans son infinie miséricorde, restituera le tribut royal.

Le tableau de Gossaert invite à une lecture rapprochée de l'œuvre, bien que le message global demeure clair. Il s'agit peut-être du dernier grand exemple de cet art laborieux auquel nous ont habitués les peintres néerlandais : l'artiste n'a pas hésité à placer aux pieds de la Vierge et de son Fils une minutieuse description des plus précieuses pièces d'artisanat – orfèvrerie, étoffes, fourrures, broderies, chapeaux, bottes, etc., – qu'il a déployées sur l'ensemble du panneau en faisant preuve d'une ingénieuse maîtrise. L'artiste s'est peut-être lui-même représenté, pour rappeler sa propre contribution artistique ou témoigner de sa dévotion, en prêtant ses traits au personnage qui observe la scène, situé derrière le bœuf dans le mince interstice visible de l'encadrement d'une porte, au-dessus de l'épaule droite de Marie.

El Greco   1541-1614

Le Christ chassant les marchands du temple

Vers 1600. Huile sur toile, 106 × 130 cm

Lorsque, vers 1558, Domenikos Theotokopoulos quitte la Crète pour se rendre à Venise, il renonce définitivement à son nom et à sa terre natale : désormais, il sera en tout lieu considéré comme un étranger. Le nom sous lequel il est connu, « El Greco », résulte de la fusion de deux surnoms : *il Greco*, signifiant en italien « le Grec », et son équivalent espagnol *el Griego*, surnom qui est attribué à Tolède, où sa présence est attestée dès 1577. Formé à la peinture d'icônes de style byzantin, El Greco devient l'élève de Titien *(cf. p. 158)* à Venise, mais il est aussi influencé par le Tintoret et Bassano *(cf. pp. 155 et 103)*. Après un voyage à Parme en vue d'étudier l'œuvre du Corrège et du Parmesan *(cf. pp. 108, 141)*, El Greco passe quelques années à Rome, où malgré son admiration pour Michel-Ange (cf. p. 133), il propose de repeindre *Le Jugement dernier* pour en élimi-ner les nus « indécents ».

En Espagne, sa peinture ne parvenant pas à séduire le roi Philippe II, El Greco tra-vaille essentiellement pour des églises et des couvents. L'artiste a exécuté plusieurs ver-sions de la plupart de ses compositions (y compris celle-ci), et ses assistants plus encore. Le sujet de ce tableau, appelé aussi « La Purification du Temple », s'inspire d'un passage de l'Évangile selon saint Matthieu (XXI, 12-14). À Jérusalem, Jésus entre dans le temple, et en chasse les changeurs et les marchands de colombes sacrificielles, en disant : « Ma maison sera appelée maison de prière ; mais vous en faites une caverne de bandits ! » Sur le relief situé à la droite du Christ, entre deux colonnes, El Greco a représenté Adam et Ève chassés du Paradis, et sur le relief à sa gauche, le sacrifice d'Isaac au moment où l'ange retient la main d'Abraham s'apprêtant à tuer son fils bien-aimé. L'expulsion du Paradis semble faire écho au geste violent du Christ, qui, agitant le fouet d'une main, sème le désordre parmi les marchands situés à sa droite. Sa main gauche, tendue en un geste d'apaisement, pourrait être le signe d'un pardon accordé aux figures représentées du même côté, dont les poses suggèrent la réflexion, la soumission et le repentir. Étant donné que le sacrifice d'Isaac est un épisode de l'Ancien Testament préfigurant, pour les chrétiens, le sacrifice du Christ sur la Croix, ces figures pourraient représenter les pécheurs repentants sauvés par la Passion du Christ.

El Greco a emprunté certains détails, tout en les transposant, à des gravures s'inspi-rant de maîtres de la Renaissance italienne. La composition de la scène doit en outre beaucoup à des dessins de Michel-Ange. L'œuvre demeure cependant extrêmement per-sonnelle. Le Christ, au canon étiré en longueur, a été placé au centre de la composition, vêtu d'une robe cramoisie (seul endroit du tableau où apparaît cette couleur), envi-ronné d'ombres plus intenses et de rehauts particulièrement lumineux sur sa robe, afin de l'isoler des autres figures. Le mouvement giratoire des figures qui entourent Jésus, comme animées par le balancement de son bras et de la bande bleue de son manteau, fait songer à l'ellipse d'une roue vue du dessus dont il serait le moyeu. Des bleus et des jaunes audacieux et agités se mêlent et s'entremêlent en différents motifs et mixtures sur une dominante de gris qui s'infiltre partout et, comme l'a fait remarquer le peintre Bridget Riley, gagne aussi bien les chairs que les pierres de l'architecture.

Le traitement solennel de ce sujet, dépourvu des ornements traditionnels que constituent les colombes et les pièces de monnaie éparpillées, pourrait signifier qu'El Greco et ses commanditaires considéraient l'œuvre comme symbolique du mouvement contemporain de la Contre-Réforme visant à purifier l'Église et à la purger du protes-tantisme et de l'hérésie.

Maarten van Heemskerck   1498-1574

La Vierge et saint Jean l'Évangéliste, le donateur et sainte Marie-Madeleine

Vers 1540. Huile sur chêne, chaque panneau 123 × 46 cm

Né dans le village néerlandais d'Heemskerck, auquel il doit son nom, l'artiste travailla à Haarlem avant d'effectuer un séjour prolongé à Rome de 1532 à 1536, où l'étude de l'art antique et de la Renaissance italienne ont modifié son style de manière significa-tive. L'artiste aurait dit de sa première période : « À cette époque, je ne savais pas ce que je faisais. »

Le nettoyage de ces deux volets (le panneau central du retable a disparu), effectué au moment de leur acquisition par la National Gallery, soit en 1986, a permis de confir-mer qu'ils avaient été peints après le séjour de l'artiste en Italie. C'est ce que suggèrent en effet le profil des deux saints, mais aussi la robe, les bijoux, la coiffure et le vase à parfums de Marie-Madeleine, ainsi que les draperies inspirées de Michel-Ange, qui épousent le corps pour mieux en révéler les formes. Représenté d'une manière beau-

coup plus réaliste, le donateur est en revanche plus proche de la tradition néerlandaise, bien que là aussi les techniques italiennes aient influencé l'artiste. Au lieu de peindre laborieusement chaque poil de l'étole de fourrure du prêtre, Heemskerck a travaillé dans le frais avec un pinceau sec ou un ustensile en forme de peigne de manière à créer une texture évoquant de manière convaincante celle de la fourrure.

En d'autres endroits, l'artiste a, occasionnellement, modelé les volumes à la manière néerlandaise, construisant les ombres sombres à partir de diverses couches de peinture translucide. Pour passer du sombre au lumineux, il a en revanche essentiellement eu recours à la méthode italienne consistant à ajouter du blanc à la couleur de base et à utiliser du blanc de plomb pur pour les rehauts. D'où, par exemple, la transparence des ombres sur la robe de la Vierge, la grande variation tonale entre les ombres et les rehauts, et les transitions nettes entre les tons, qui, au même titre que la gamme chromatique de l'artiste, composée de roses et de rouges chauds opposés à des bleus turquoise lumineux, contribuent à faire de cette œuvre une œuvre non naturaliste.

Les cadres, qui sont anciens sans être d'origine, présentent des indentations correspondant à l'emplacement des charnières qui les rattachaient au panneau central. Le visage angoissé de la Vierge, soutenue par saint Jean, pourrait faire croire que ce panneau central avait pour thème la Crucifixion : mais les nuages visibles derrière les saints permettent d'affirmer que le panneau disparu représentait le Christ en Ecce Homo, un sujet que Heemskerck a peint plusieurs fois. Très endommagé, le revers des volets, qui était visible lorsque le retable était fermé, présente sous des armoiries « sculptées », deux saints évêques non identifiés, peints en grisaille telles des statues de pierre.

Hans Holbein le Jeune   1497/98-1543

Dame à l'écureuil et à l'étourneau

Vers 1526-1528. Huile sur chêne, 56 × 39 cm

Holbein, le plus jeune des grands peintres, dessinateurs et graveurs allemands du
XVIe siècle, est le plus connu de toute une dynastie d'artistes originaire d'Augsbourg et
composée de son père Hans Holbein l'Ancien, de son oncle Sigmund et de son frère
Ambrosius. Après avoir reçu une solide formation de base auprès de son père, qui lui a
appris les techniques et les styles du Nord, Holbein fait de brillants débuts à Bâle, en soli-
taire, en 1515-1516. Dans les années 1520, il est influencé par les œuvres milanaises de

Léonard de Vinci (cf. p. 54). En 1524, il se rend en France, où il apprend sa fameuse technique « des trois crayons », consistant à exécuter les portraits à l'encre noire, à la sanguine et à la craie blanche. Recommandé par Érasme à sir Thomas More, il passe les années 1526 à 1528 en Angleterre. Le fond bleu orné de rameaux de vigne, sur lequel se détache ici le modèle (non identifié), qui tient un écureuil apprivoisé, figure dans d'autres portraits peints par Holbein à la même époque. Laissant son épouse et ses deux enfants à Bâle, Holbein retourne en Angleterre en 1532. En 1536, il est peintre à la cour d'Henry VIII.

Il peut sembler dommage que cet artiste universel ait été amené, en vertu d'un iconoclasme typiquement protestant, à se limiter presque exclusivement au genre du portrait. Il suffit cependant d'avoir vu les trois grands tableaux exposés à la National Gallery pour comprendre pourquoi de si nombreuses personnalités lui commandèrent leurs effigies. Mêlant la subtilité italienne à la sobre candeur néerlandaise, il savait exprimer à la fois, quoiqu'avec retenue, la dimension intérieure de ses modèles et leur apparence extérieure. C'est du moins l'impression que laissent ses portraits, et c'est la raison pour laquelle celui d'Henry VIII par Holbein est l'image que la postérité a conservée du roi.

La *Dame à l'écureuil*, représentée avec un étourneau à poitrail tacheté – peut-être est-ce une allusion déguisée à son nom ou à des armoiries ayant ici revêtu une forme vivante –, constitue un merveilleux exemple de l'art d'Holbein dans ce qu'il a eu de plus évocateur. Le tableau faisait peut-être partie d'un double portrait représentant un homme et son épouse. Dans sa chaude coiffe de fourrure, cette femme semble impassible ; ses yeux se dérobent au regard du spectateur. Holbein différencie méticuleusement les diverses textures : celle de la fourrure blanche, celle du châle blanc et celle de la batiste boutonnée autour du cou, qui réapparaît au niveau du poignet sous la forme d'une manchette. L'écureuil a été peint ultérieurement sur les vêtements du modèle. Les mains de cette femme, dont la position a été modifiée pour qu'elles soutiennent l'animal, constituent une note discordante : elles semblent masculines, peut-être ont-elles été exécutées d'après celles d'un assistant de l'atelier. Pourtant, l'animal aux yeux vifs est essentiel à la lecture de ce portrait. Sa queue touffue, positionnée de manière suggestive entre les deux seins légèrement bombés du modèle, laisse à penser que sous le costume anglais monochrome et effacé se cache une nature sensuelle.

Hans Holbein le Jeune 1497/98-1543

Portrait de Jean de Dinteville et Georges de Selve (Les Ambassadeurs)

1533. Huile sur chêne, 207 × 210 cm

Ce gigantesque panneau est l'un des premiers tableaux ayant réuni deux portraits en pied grandeur nature. C'est en outre l'une des œuvres les plus fascinantes de la National Gallery. Un examen plus attentif de cet hommage à deux diplomates érudits et à la virtuosité de l'artiste laisse à penser que l'œuvre est aussi censée nous rappeler la brièveté de la vie et la vanité des réalisations humaines. Alors que la vie est brève, Holbein semble vouloir nous dire que l'art dure longtemps, mais que seule l'éternité est sans fin.

Sur la gauche se tient Jean de Dinteville, un noble français, ambassadeur à Londres. Sur le globe de l'étagère du bas on distingue le site de Polisy où il possède un château ; le fourreau ornementé du poignard qu'il tient dans la main droite indique son âge : vingt-neuf ans. À sa gauche figure son ami et compatriote Georges de Selve, dont le tableau commémore le passage à Londres en 1533. Brillant humaniste, il avait été nommé quelques années auparavant évêque de Lavaur. Il s'appuie du coude sur un livre où est inscrit son âge, vingt-cinq ans. Par leurs habits, leur pose et leur maintien, les deux amis illustrent respectivement la vie active et la vie contemplative, complémentaires l'une de l'autre.

Sur le meuble qui les sépare, Holbein a représenté l'éventail de leurs centres d'intérêts, sorte de condensé de la culture de l'époque. Sur l'étagère du haut recouverte d'un tapis « turc », minutieusement rendu, est posé un globe céleste et tout une série d'instruments

Portrait de Jean de Dinteville et Georges de Selve (Les Ambassadeurs)

de navigation et d'astronomie. Sur l'étagère du bas figure un livre d'*Arithmétique pour Marchands*; un luth et une boîte de flûtes témoignent des intérêts musicaux des modèles, mais aussi de la maîtrise qu'Holbein avait du raccourci. Le luth a cependant une corde cassée, symbole traditionnel de fragilité. Un crucifix est perceptible dans le coin supérieur gauche, le long de la magnifique tenture. Le livre de cantiques situé devant le luth est ouvert à la page du cantique de Martin Luther « Viens Esprit Saint inspirer nos âmes ». La foi chrétienne offre l'espoir d'une vie éternelle, lorsque la poussière redevient poussière.

En travers du sol marqueté, une forme curieuse s'étend entre les deux amis. C'est un crâne, habilement déformé de manière à ce que sa forme réelle ne soit perceptible qu'à partir de l'angle de vue prévu, c'est-à-dire à partir des bords du panneau. Il se peut qu'il ait été prévu d'accrocher le panneau au-dessus d'un escalier, de manière qu'on le découvre en montant ou en descendant. Ce crâne, qui fait peut-être référence à l'un des emblèmes personnels de Jean de Dinteville (son béret est orné d'un médaillon portant un crâne) est aussi un *memento mori* par excellence, rappelant au spectateur que l'homme est mortel. Dans ce tableau où Holbein a méticuleusement cherché à donner aux choses l'apparence du réel, la distorsion sert aussi à signaler que la réalité, telle qu'elle est perçue par nos sens, ne se révèle dans la totalité de sa signification que si elle est vue « correctement ». Un léger salut à l'apparence des choses ne suffit pas.

Hans Holbein le Jeune   1497/98-1543

Portrait de Christine de Danemark

1538. Huile sur chêne, 179 × 83 cm

Ce tableau représentant Christine de Danemark à l'âge de seize ans, veuve du duc de Milan, est le seul portrait de femme en pied qui nous soit parvenu d'Holbein. Nous savons précisément pourquoi et quand ce tableau fut exécuté, chose exceptionnelle pour une œuvre de cette période. Fille cadette du roi Christian II du Danemark – lequel, ayant été l'un des premiers sympathisants de la doctrine luthérienne, perdit son trône en 1523 –, Christine avait été élevée aux Pays-Bas à la cour de sa grand-tante, Marguerite d'Autriche, gouvernante des Pays-Bas jusqu'à sa mort en 1530, puis à la cour de sa tante, Marie de Hongrie, qui était la sœur de l'empereur Charles V et avait succédé à Marguerite. Après le décès de son époux, survenu en 1535, Christine retourna à Bruxelles. Henry VIII d'Angleterre tenta de l'épouser en quatrième noce, après la mort de Jane Seymour, mais en vain. Le 12 mars 1538, elle accepta de poser pendant trois heures pour Holbein, et l'envoyé anglais jugea le ou les dessins exécutés d'après le modèle « absolument parfaits ». Holbein doit avoir achevé ce portrait après son retour à Londres. On dit que le roi était « amoureux » de Christine, bien qu'il ne l'ait jamais vue qu'à travers le regard d'Holbein. La pose de face, caractéristique des autres portraits commandés par Henry VIII à Holbein en vue d'éventuelles épousailles, pourrait avoir été imposée à l'artiste. Le roi pensait peut-être que tout autre angle permettrait de lui cacher d'éventuelles imperfections.

Représentée seule, la figure se détache sur un fond uni, de couleur vive, uniquement nuancé par des ombres : celle de Christine, mais aussi celle d'un encadrement de fenêtre ici invisible. Étant donné que la robe de deuil en soie ne portait aucun ornement, Holbein en a souligné le modelé, créant à partir des reflets de la lumière sur les plis des motifs qui l'égayent. Les mains de Christine, qui n'est pas connue pour avoir été par ailleurs d'une grande beauté, étaient l'objet d'une grande admiration pour leur élégance. C'est précisément ces mains qu'Holbein a cherché à mettre en valeur, tirant parti de la texture du lin, du velours, de la fourrure, du cuir, de l'or et de la pierre précieuse pour faire ressortir la finesse de la peau. Christine esquisse un sourire qui, bien que timide, semble s'adresser à un intime. Des générations de spectateurs ont partagé l'engouement d'Henry VIII pour ce portrait attachant.

Lorenzo Lotto   vers 1480-1556/57

Le Médecin Giovanni Agostino della Torre et son fils, Niccolò

1515. Huile sur toile, 84 × 68 cm

Peintre excentrique et sous-estimé de son vivant, Lotto demeure un cas pour l'historien d'art. Né à Venise, il fut influencé par Giovanni Bellini *(cf. p. 22)*. Il n'exerça cependant pas son métier à Venise, mais dans diverses villes de la Vénétie et des Marches : peut-être ne pouvait-il pas ou ne voulait-il pas faire concurrence au peintre mondain qu'était Titien *(cf. p. 158)*. C'est ainsi qu'il passa les années 1513 à 1525 à Bergame, et les dernières années de sa vie comme oblat à la Santa Casa de Lorette. Lors d'un séjour à Rome, il fut selon les registres payé pour un travail effectué en 1508-1509 au Vatican, dans les pièces que Raphaël *(cf. pp. 86, 146)* était alors occupé à décorer. Ce qu'il y peignit demeure un mystère, mais les échanges d'influence entre Raphaël et lui n'ont jamais été mis en doute.

L'attachement de Lotto à la Réforme a peut-être été exagéré dans les textes qui lui ont été récemment consacrés, mais il ressort de manière flagrante de ses œuvres, de sa correspondance ainsi que de son livre de comptes et journal, que Lotto était un chrétien convaincu, même s'il s'interrogeait. Il était ouvert aussi bien à la piété populaire qu'aux courants mystiques plus ésotériques qui agitaient l'Italie du Nord. Peintre intellectuel, d'un tempérament inquiet, il développa un style personnel, qui le distingue de ses contemporains vénitiens sans pour autant le rattacher à l'art lombard. Ses portraits, qui figurent parmi les plus vivants de la Renaissance, dépeignant avec une intensité peu commune le caractère du modèle, ont influencé les peintres de Bergame. Ses retables – pourtant beaux, audacieux et fervents – sont peu connus du grand public, car ils sortent des sentiers battus. L'influence de l'un d'entre eux est pourtant perceptible dans le premier retable monumental exécuté par Rubens à Mantoue. Ses œuvres religieuses et de nombreux portraits sont dispersés dans les musées et galeries du monde entier.

Comme dans de nombreux autres portraits de Lotto, ce sont ici les inscriptions et les objets entourant les modèles qui permettent d'identifier ces derniers : un médecin de soixante et un ans, Della Torre, et son fils. Sur le rouleau qu'il tient, le père est désigné sous le nom d'« Esculape », le dieu gréco-romain de la médecine. Le tome qu'il porte sur son bras gauche est une édition du « Galien », du nom d'un médecin et anatomiste grec du IIᵉ siècle, dont les théories firent autorité jusqu'à la Renaissance. Placé ostensiblement devant – et non derrière – la table, le médecin, les bras repliés de manière symétrique, se présente franchement à notre regard ; seule une légère inclinaison de la tête le fait échapper à une stricte verticalité. Rasé de près et le teint terreux, il porte une blouse grise fortement resserrée à la taille par une ceinture en cuir. La reliure brun orangé du livre et le gros anneau en or qu'il porte au doigt et qui accroche l'œil sont les seules notes de couleur dans le portrait du médecin. Nous percevons de la part du modèle une certaine réticence à laquelle se mêle cependant l'autorité attachée à sa profession. Un portrait est rarement aussi peu empreint de flatterie : l'artiste s'est contenté de faire un diagnostic.

Le portrait du fils a dû être peint ultérieurement, car il déséquilibre la structure spatiale et chromatique du tableau. Une lettre posée sur la table permet de savoir qu'il s'agit d'un « noble de Bergame » et d'un « ami exceptionnel ». Doté de couleurs plus vives et d'une personnalité plus vivante, ce personnage, dans l'ensemble plus substantiel et plus chevelu, reçoit une lumière d'une intensité différente : des reflets provoquent dans ses yeux un miroitement absent des yeux de son père. Comme il s'avance vers la surface de la toile, la dissonance n'était peut-être pas entièrement involontaire : peut-être sert-elle à suggérer les relations entre père et fils, et l'irréversible passage du temps.

Lorenzo Lotto — vers 1480-1556/57

Femme tenant un dessin de Lucrèce (Lucrèce)

Vers 1530-33. Huile sur toile, probablement transférée d'un panneau sur la toile, 96 x 110 cm

En 1530, Lotto était de retour à Venise, et c'est probablement là qu'il exécuta ce portrait plus éclatant que celui du médecin de Bergame *(cf. page précédente)*. Le nom de la femme représentée était vraisemblablement Lucrèce : elle montre du doigt un dessin où figure la vertueuse matrone du même nom qui fut violée par Sextus Tarquin, fils du roi et parent de son époux. Incapable de supporter cet affront, Lucrèce se poignarda. Son histoire inspira de nombreux poètes – dont Shakespeare – et des artistes de la Renaissance. Le sexe et la violence furent en l'occurrence intimement liés à la moralité et à la politique, car le suicide de Lucrèce et sa cause conduisirent directement à la fondation de la République romaine. Au cas où la référence faite à cet épisode par le biais du dessin (une fine imitation, à l'huile, de l'effet de l'encre et du lavis) nous aurait échappé, un extrait de l'*Histoire de Rome* de Tite-Live (I, 58), inscrit sur une feuille, nous y renvoie : « Aucune femme non chaste ne vivra au travers de l'exemple de Lucrèce. »

Il ne faut pas prendre cette inscription trop au sérieux : c'est Lotto qui étale son savoir plus qu'une protestation sincère du modèle. La fleur de giroflée posée sur la table fait allusion aux récits mythologiques de viol, mais la Lucrèce moderne porte une alliance, et le portrait a peut-être été commandé à l'occasion d'un mariage.

Son format inhabituel, plus large que haut, semble avoir été inventé par Lotto et Savoldo *(cf. p. 149)* : il permet au portrait d'être aussi riche en incidents que les autres types de peintures. Lotto introduit parfois un paysage derrière ou à côté de son modèle. Ici l'ombre projetée sur le mur indique que la fenêtre doit se situer de notre côté, devant la toile et à droite de celle-ci. Par l'ampleur de son geste, la figure de Lucrèce remplit tout l'espace qui lui a été alloué. Sa tête se situe au centre de la composition, près du bord supérieur du tableau, mais son geste entraîne son corps dans une position asymétrique – asymétrie accentuée par la disposition de ses gigantesques manches bouffantes. Rien, ni l'éclat de sa robe vert et orange, peut-être démodée et provinciale en 1530, ni le turban de fausses boucles dont elle est coiffée, ni le magnifique pendentif en or, rubis et perle, dont les nombreuses chaînes ont été introduites dans le décolleté de la robe, ne parvient à capter autant notre attention que la chair ferme et admirablement éclairée de ce décolleté qu'un léger châle de gaze craint de voiler. Tout Tarquin prêt à tenter sa chance devait avoir intérêt à se méfier lorsque *cette* Lucrèce proclamait sa fidélité.

Marinus van Reymerswaele   actif 1509?-†1567

Deux Collecteurs d'impôts

Probablement vers 1540. Huile sur chêne, 92 x 74 cm

Reymerswaele était une petite ville des Pays-Bas, située en Zélande. De Marinus van Reymerswaele sont connues des compositions en buste reprises plusieurs fois par l'artiste, qui leur apportait chaque fois des variantes. Ces tableaux ont souvent été imités. Deux ou trois – notamment *Deux Collecteurs d'impôts*, dont la National Gallery possède la meilleure variante – qui se voulaient peut-être satiriques, s'inspirent par l'intermédiaire de Quinten Massys *(cf. ci-dessous)* des grotesques de Léonard de Vinci *(cf. p. 54)*. Peut-être doivent-ils tous leur intensité, mais aussi la force et l'âpreté obstinée du trait, aux gravures de Dürer.

Les écritures qu'il est possible de lire sur le grand livre dans lequel l'homme de gauche est en train d'écrire, laissent à penser que celui-ci est le trésorier d'une circonscription ou d'une ville, occupé à calculer le montant des taxes prélevées sur le vin, la bière, le poisson, etc. L'existence d'un *visbrugge*, c'est-à-dire d'un marché au poisson, est mentionné, et Reymerswaele était l'une des rares villes à en avoir un. « Cornelis Danielsz. Schepenen in Rey[...]]e » est inscrit sur le document figurant au-dessus du second personnage. Étant donné que des documents attestent l'existence d'une personne de ce nom à Reymerswaele en 1524, cette indication confirme que l'artiste a volontairement glissé dans cette œuvre une référence à la vie locale.

Quelques-unes des pièces posées sur la table ont été identifiées, notamment des écus français en or datant de François Ier et deux thalers, une monnaie frappée pour la première fois en 1519 (le tableau ne peut donc avoir été exécuté avant cette date). Il est cependant peu probable que van Reymerswaele ait représenté une scène réelle. Les illogismes abondent : le pot contenant le sable utilisé pour sécher l'encre est, par exemple, représenté sur l'étagère et non sur la table. Cruellement caricaturées et vêtues de costumes d'un archaïsme fantasque, les figures ne peuvent en outre être le portrait de véritables collecteurs de taxes. L'intention du peintre était probablement de dénoncer l'avidité de ces derniers, ou peut-être leur activité, assimilée à une extorsion de fonds (car la perception qu'on avait à l'époque de la profession n'était guère éloignée de celle que nous en avons aujourd'hui).

Attribué à Quinten Massys   1465-1530

Vieille Femme grotesque

Vers 1525. Huile sur bois, 64 × 46 cm

Ceux qui s'intéressent à l'art pour le seul plaisir des yeux sont choqués par ce panneau. Comment un artiste a-t-il pu être amené à peindre un tableau aussi laid ? Et comment a-t-on pu envisager de l'accrocher à un mur ? Peut-être ne le saurons-nous jamais vraiment, mais le seul élément de réponse dont nous disposons surprend tout autant que le tableau lui-même : ce portrait fait écho à l'œuvre d'un grand maître italien, Léonard de Vinci *(cf. p. 54)*. Il est cependant attribué à Quinten Massys.

Massys, peintre le plus célèbre d'Anvers en 1510, a tout d'abord été séduit par l'art primitif néerlandais, notamment par l'œuvre de Jan van Eyck, Robert Campin et Rogier van der Weyden *(cf. pp. 44, 31, 95)*. Peut-être est-ce au cours d'un séjour dans le nord de l'Italie qu'il a découvert les œuvres de Léonard de Vinci, dont il s'est approprié la manière de peindre. Mais bien que Léonard ait dessiné de nombreux visages grotesques, aucun de ses tableaux ne repose entièrement sur une telle figure. L'amitié qui à Anvers liait Massys à Érasme – le plus grand érudit de toute l'Europe du Nord à l'époque –, explique peut-être pourquoi le peintre a procédé ainsi.

La *Vieille Femme grotesque* semble en effet appartenir au monde de *L'Éloge de la folie*, œuvre satirique d'Érasme. C'est en tout cas l'un des nombreux tableaux de Massys – ou inspirés de ses œuvres – où un comique fort cruel est utilisé à des fins moralisatrices. Ce

genre sera assidûment pratiqué par les disciples de Massys au cours de la génération suivante, surtout par Marinus van Reymerswaele *(cf. p. 129)*. La vieille femme toute dessé-
chée est malencontreusement vêtue d'une robe à l'italienne au décolleté échancré. Elle
porte une coiffe du sud de l'Allemagne. Comme les vieux fous dont se moque Érasme,
elle semble encore vouloir minauder. Le tableau est à rapprocher d'un dessin inspiré de
Léonard de Vinci et conservé au château de Windsor, bien que certains détails du costume diffèrent. Nous ignorons si l'œuvre originale de Léonard représentait une personne ayant réellement existé ou était le fruit de son imagination.

À une époque où les artistes cherchaient à s'associer aux écrivains et aux prédicateurs, les images humoristiques, tout comme les écrits satiriques, devaient sembler un
bon moyen d'amener les gens à la sagesse. Mais les effets d'un tableau sont plus ambigus que ceux d'un sermon, et le rire est davantage lié à la culture que le chagrin ou
l'effroi. La *Vieille Femme grotesque* apparaît aujourd'hui plus repoussante que drôle ou
persuasive. Un artiste moderne a cependant replacé ce portrait dans un contexte permettant de retrouver quelque peu l'esprit d'origine de l'œuvre. Il s'agit de l'illustrateur
Tenniel, qui a prêté les traits de cette femme à la Reine de Cœur d'*Alice au pays des Merveilles,* œuvre parue pour la première fois en 1865.

Le maître de Delft

actif début du XVIᵉ siècle

Scènes de la Passion

Vers 1500-1510. Huile sur chêne, panneau central 98 × 105 cm ; volets 102 × 50 cm

On pense que le peintre de ce triptyque, inconnu à ce jour, a travaillé à Delft ; la tour visible à l'arrière-plan, dans le coin supérieur gauche du panneau central, est reconnaissable : il s'agit de celle de la Nouvelle Église de Delft, telle qu'elle se présentait après son achèvement en 1496 et avant les modifications apportées en 1536. Le retable retrace toute l'histoire de la Passion du Christ. Empruntés aux quatre Évangiles et à la littérature de dévotion, les épisodes représentés ont été mis en scène comme s'ils se déroulaient sous les yeux d'un public contemporain venu assister à un « miracle » *(cf. p. 102)* joué par une troupe de théâtre itinérante. Comme dans les pièces de théâtre de ce genre, la plupart des costumes sont modernes, tandis que d'autres, tels ceux des deux enfants figurant au premier plan dans le panneau central, semblent librement inspirés de modèles gréco-romains. La femme en pleurs au tout premier plan du volet gauche a une coiffe médiévale bourguignonne. Le portrait d'un moine contemporain, portant tonsure et vêtu d'une robe blanche, a été inclus dans le panneau central à la droite de la Vierge en train de défaillir : c'est le donateur, et peut-être même le commanditaire du retable. Agenouillé et en prière, il ne regarde pas les épisodes représentés dans le tableau, mais médite à leur sujet.

L'artiste a adroitement mis en place une structure narrative : les mêmes figures réapparaissent dans divers épisodes, qui se déroulent dans un paysage spacieux, apparemment cohérent. L'artiste a en outre associé au récit l'image statique du Christ crucifié, rappelant la fonction sacramentelle de la table d'autel derrière laquelle le triptyque se dressait à l'origine. Le Christ figure très précisément au milieu du panneau central : il se détache du ciel, et est le seul des trois crucifiés représenté de face.

La présentation du Christ au peuple constitue le thème principal du volet gauche. À l'extrême gauche, la figure au sceptre en roseau est probablement Pilate. Au fond, les deux voleurs sont conduits hors de la ville en direction du Golgotha. La procession, cette fois avec le Christ portant la Croix, réapparaît à l'arrière-plan du panneau central. Au-dessus de la procession on voit Judas pendu à un arbre déséché (la peinture étant devenue translucide, l'escarpement transparaît derrière). À sa droite, la Vierge est de nouveau visible au premier plan, soutenue par saint Jean et trois Saintes Femmes. Plus loin, toujours à l'arrière-plan vers la droite, le Christ en proie à l'angoisse s'agenouille dans le jardin des Oliviers; les soldats venus le capturer marchent vers lui. Au plan intermédiaire, au pied de la Croix, Longin tient la lance avec laquelle il transpercera le côté du Christ, tandis que Marie-Madeleine pleure. Pilate, ici à cheval, assiste à la Crucifixion.

Le volet droit a pour thème central la Déposition. Le Christ a été détaché de la Croix afin d'être enterré. Là encore, il est représenté de face, et une fois de plus nous sommes invités à partager la douleur de la Vierge, représentée au premier plan. Cette invitation répétée et directe souligne le désir de plus en plus fréquent, tout au long du XVe siècle, aussi bien au nord qu'au sud des Alpes, de provoquer chez le croyant une réaction émotionnelle.

Michel-Ange   1475-1564

La Mise au tombeau

Vers 1500-1501. Huile sur peuplier, 162 × 150 cm

Sculpteur, architecte, peintre et poète, Michelangelo Buonarroti a toujours été considéré comme le plus grand génie de l'art italien du XVIe siècle. Bien que les œuvres de Michel-Ange ayant eu le plus grand retentissement aient été celles exécutées pour la papauté à Rome, c'est un artiste qui a porté à son apogée la tradition florentine, une tradition axée sur le dessin (*disegno*) et essentiellement attachée à la figure humaine. Le *disegno* en tant que principe fondamental de l'art toscan – et de la pratique académique depuis l'époque de Michel-Ange – signifie bien plus que notre terme « dessin ». Il correspond à tout le processus de création, perçu comme une continuité, de la première impulsion née de l'imagination à la composition finale, en passant par d'innombrables études supposant un bon jugement mais aussi de la dextérité. Porté à la perfection par Michel-Ange, le *disegno* devient une méthode sublime de poser et résoudre les problèmes, tandis que l'œuvre d'art devient une solution idéale, réconciliant les exigences souvent contradictoires de la fonction à remplir, du lieu auquel elle est destinée, des matériaux et du sujet, mais réconciliant aussi vraisemblance, expressivité et beauté formelle, unité et variété, liberté et contrainte, inventivité et respect de la tradition. Vasari a écrit de la voûte de la Sixtine peinte par Michel-Ange : « […] les figures […] nues ou vêtues [sont] d'une perfection inégalable […]. Les peintres n'ont plus en vérité à se préoccuper de nouveauté, d'invention, de poses, de vêtements jetés sur les figures, de nouvelles nuances d'expression et de l'effet saisissant des divers objets représentés, car tout ce que cet art peut produire d'accompli se trouve réalisé ici. »

Les peintures sur panneau sont extrêmement rares dans l'œuvre de Michel-Ange. Nous ne possédons de documentation que sur le *Tondo Doni* (actuellement à Florence, aux Offices), un tableau circulaire au fini méticuleux représentant la Sainte Famille. Toutefois, la plupart des spécialistes pensent actuellement que la saisissante *Mise au tombeau* de la National Gallery est le retable que Michel-Ange commença en septembre 1500 pour une chapelle funéraire de l'église Sant'Agostino de Rome et laissa inachevé lorsqu'il partit pour Florence au printemps 1501. À cette date, le jeune artiste n'avait encore jamais peint d'œuvres de cette dimension, et il releva le défi en faisant preuve d'une originalité émouvante. Au thème du corps du Christ redressé avant d'être porté au tombeau se mêle celui du Christ mort présenté au spectateur à des fins méditatives.

La Mise au tombeau

La composition a été entièrement arrêtée avant que l'application de la peinture n'ait commencé. Le paysage a été organisé autour de l'ébauche des figures. L'artiste a cependant souligné le contour de la silhouette blanche formée par le tombeau et de petites figures représentées autour en grattant ou repoussant la peinture brune encore fraîche des rochers – technique d'un sculpteur habitué à enlever de la matière plutôt qu'à en ajouter. La teinte verdâtre du corps du Christ était celle traditionnellement adoptée pour les cadavres, mais elle a été obtenue ici sans aucun pigment vert. Cette partie du tableau a été presque achevée. Mais même à ce stade avancé d'achèvement, les blessures aux mains, aux pieds et au côté du Christ n'ont pas été représentées.

Le Christ est soutenu à gauche par saint Jean l'Évangéliste, vêtu de sa tunique rouge *(cf. par ex. p. 76)*. La femme qui porte Jésus n'a pu être identifiée. Sa robe, qui devait être vert foncé, a viré au brun avec les effets du temps et de l'air sur les glacis à base de résinate de cuivre. Un dessin du nu ayant servi de modèle pour la figure agenouillée devant saint Jean (actuellement au Louvre), probablement l'une des trois Marie, montre cette figure en train de méditer sur la couronne d'épines et les clous de la Crucifixion. C'est la Vierge Marie pleurant son Fils qui devait prendre la place de la figure manquante sur la droite. Cet espace est resté totalement nu parce que le manteau bleu de Marie nécessitait de l'outremer, un pigment rare et cher fabriqué à partir de lapis-lazuli qui devait être importé. Michel-Ange en attendait peut-être une livraison quand il fut appelé à Florence.

Michel-Ange   1475-1564

La Vierge avec l'Enfant, saint Jean-Baptiste et quatre anges
(La Vierge de Manchester)

Milieu des années 1490. Tempera et huile sur peuplier, 105 × 76 cm

Il est quasiment certain que ce panneau, mentionné dans les sources seulement à partir de 1700, est une peinture de dévotion inachevée, exécutée par Michel-Ange à ses débuts. Cette œuvre ayant fait partie de l'exposition mémorable intitulée *Art Treasures* organisée à Manchester en 1857, elle est depuis lors connue sous le titre de *Vierge de Manchester*. Contrairement à *La Mise au tombeau* exécutée légèrement plus tard, cette œuvre a été peinte essentiellement *a tempera*. Michel-Ange a exécuté au pinceau de minuscules hachures de manière à recréer l'aspect lisse de l'albâtre, comme en témoignent le corps du Christ et celui de saint Jean-Baptiste. Le manteau de la Vierge n'a jamais reçu la couche de bleu qui devait être appliquée sur le modelé noir. En outre, la chair des anges inachevés se tenant à la droite de la Vierge a seulement reçu une sous-couche à base de terre verte, ce qui nous permet d'apprécier la maîtrise inouïe que Michel-Ange avait de la ligne : c'est uniquement le contour qui donne à ces figures leur volume et leur poids. Elles contemplent le livre tenu par la Vierge, tandis que les autres anges aux corps adolescents étudient un rouleau qui leur a peut-être été donné par saint Jean. L'Enfant Jésus, qui a fini de téter, s'est laissé glisser des genoux de la Vierge, sans doute pour mieux voir son livre. Marie lit peut-être dans l'Ancien Testament la prophétie du rôle qu'elle allait elle-même jouer dans l'histoire du Salut : « Voici : une Vierge est enceinte et va enfanter un fils [...] » (Is VII, 14) ; le rouleau de saint Jean-Baptiste annonce normalement le futur sacrifice du Christ : « Voici l'Agneau de Dieu qui ôte le péché du monde » (Jn I, 29).

Il est inhabituel de voir Marie représentée le sein nu sur une peinture aussi tardive. Dans l'œuvre la plus ancienne que nous connaissons de Michel-Ange, le relief en marbre de la *Madone de l'Échelle* (Casa Buonarroti, Florence), l'artiste avait repris le thème médiéval de la Vierge allaitant l'Enfant Jésus. On ne connaît pas, en revanche, de véritable précédent à cette scène-ci. À une époque où les femmes fortunées engageaient des nourrices, on attachait une grande importance au fait que la Vierge ait elle-même nourri Jésus, et son lait était symboliquement perçu comme l'aliment de l'âme chrétienne. Assimilée à sainte Sophie, la Sagesse divine, la Vierge était représentée en Orient en train d'allaiter les apôtres Pierre et Paul. Les seins nus de la Vierge ont en outre fini par symboliser son intercession en faveur de l'humanité, par analogie avec le geste théâtral d'Hécube dans l'*Iliade* d'Homère, lorsqu'elle implore son infortuné fils Hector de ne pas combattre Achille. Ainsi, Marie est parfois peinte en train de découvrir ses seins au moment du Jugement Dernier. Les légendes accordant un pouvoir curatif à son lait sont innombrables. Ici, étant donné que la Vierge, un sein encore découvert, regarde d'un air songeur son fils, toutes ces interprétations semblent possibles. Sur son piédestal rocheux, Marie est tout à la fois Reine des Anges, Mère de Dieu, Trône de Sagesse, nourrice, intercesseur et guérisseuse.

Par la solennité des rythmes – les anges vus de profil encadrant la Vierge et les anges représentés de face, les enfants semblant n'être qu'une seule figure tournant sur son axe grâce à l'alternance des jambes et des draperies, des têtes et du vide –, cette œuvre s'apparente davantage à un relief qu'à une peinture, et annonce de manière saisissante une longue série d'œuvres en pierre que Michel-Ange laissera inachevées.

Le Moretto   vers 1498-1554

Portrait d'un gentilhomme

1526. Huile sur toile, 201 × 92 cm

Gouvernée depuis 1426 par la république de Venise, après avoir fait partie du duché de Milan, Brescia, ville antique située à la pointe sud des contreforts des Alpes, fut occupée par les Français en 1509. Elle se rebella en 1512, mais fut reprise et mise à sac. Ce n'est qu'en 1516 qu'elle revint de nouveau à Venise. Né à Brescia, Alessandro Bonvicino, dit le Moretto, a dû connaître ces événements sanglants, tout comme le gentilhomme de ce portrait, dont l'identité demeure inconnue. Le Moretto figura – avec Savoldo *(cf. p 149)*, Romanino (également représenté à la National Gallery mais ne figurant pas ici) et, pendant un certain temps, Moroni, son propre élève *(cf. p. 138)* – parmi les peintres de renom de cette ville. Le Moretto était surtout connu pour ses œuvres religieuses. Exécutées pour des commanditaires essentiellement associés à la Contre-Réforme, elles sont remarquables en raison de la clarté de leur contenu doctrinal, mais aussi du pouvoir hypnotique de leur réalisme, qui s'exprime souvent au travers de décors quotidiens, de modèles de basse extraction et d'un rendu minutieux des textures. Certaines de ses images religieuses sont déchirantes par la description des effets physiques et émotionnels des supplices du Christ : il s'agit d'une version lombarde de cet implacable réalisme allemand dont l'intention est de susciter chez le spectateur un maximum d'empathie.

Cette œuvre est d'un genre très différent : c'est un des rares portraits d'aristocrate que comporte l'œuvre de Moretto. Bien que l'adoption du format en pied grandeur

nature, popularisé par Cranach *(cf. p. 111)* et adopté aussi par Holbein *(cf. p. 125)* tra-hisse une influence de la peinture allemande, ce tableau doit plus à la peinture véni-tienne. Le Moretto, dont on dit qu'il s'est formé auprès de Titien *(cf. p. 158)*, doit avoir aussi eu connaissance des œuvres poétiques de Giorgione *(cf. p. 115)*. Il connaissait en outre certainement l'œuvre de Lotto *(cf. p. 126)*, qui travailla quelque temps dans la ville voisine de Bergame. Le tableau a une dette envers tous ces peintres, notamment l'expression mélancolique du modèle qui, l'air absorbé, regarde au loin, par-delà cette loggia en marbre de villa Renaissance. Le modèle pourrait avoir appartenu à la famille Avogadro de Brescia, car le portrait provient du palais de leurs descendants directs. Une recherche généalogique laisse à penser qu'il s'agit de Gerolamo II Avogadro, père du « Chevalier au pied blessé » de Moroni *(cf. p. 140)*.

Bien qu'alliée de Venise, l'aristocratie de Brescia était attachée aux idéaux de ses enne-mis politiques, et en particulier au rêve d'une chrétienté unie sous l'autorité d'un Saint Empereur romain germanique. Avec ses cheveux courts, sa barbe et le bonnet qu'il porte sous son béret rouge en laine de Brescia – dont le port était obligatoire afin de protéger la fabrication locale –, le modèle a une apparence qui rappelle le style des mercenaires impé-riaux suisses et des soldats allemands. Comme d'autres figures importantes de l'Europe du XVIe siècle sous domination espagnole, il porte une culotte bouffante et un pourpoint à fentes. Sa cape courte s'étend au-delà des bords du tableau : elle élargit ainsi sa silhouette et lui donne du volume. L'extrémité de ses chaussures est relativement large ; lorsque quelque trente ans plus tard Moroni peindra le « Chevalier au pied blessé », la mode sera aux silhouettes fines et allongées. Le modèle s'appuie contre une colonne qui, pour la première fois dans un portrait de laïc, remplit sa fonction traditionnelle, symbolisant la force d'âme. L'effet produit est beau, curieux et même vaguement comique : on a affaire à un gentilhomme à mi-chemin entre le spadassin et le poète.

Giovanni Battista Moroni   1520/24-1578

Portrait d'un homme (Le Tailleur)

Vers 1570. Huile sur toile, 98 × 75 cm

Artiste particulièrement admiré des collectionneurs anglais et superbement représenté à la National Gallery, Moroni est originaire des contreforts des Alpes, très précisément d'Albino. Les villes voisines de Brescia, où résidait Moretto *(cf. p. 136)*, son professeur, et de Bergame, où Moroni travailla à partir de 1554, faisaient partie d'une région reliant Milan à Venise, et le centre de l'Italie au sud de l'Allemagne. Nous rencontrons tout d'abord Moroni en 1546 à Trente, où il peint des retables, tandis que se déroule la première session du concile convoqué dans cette ville, dont l'objectif est de guérir et réformer l'Église. Lorsqu'en 1563 le concile prend fin, il n'a cependant réussi qu'à officialiser le schisme entre catholiques et protestants. Moretto, très sensible aux injonctions du concile, respectera ses exigences d'orthodoxie, de clarté et de réalisme dans l'art religieux. Toute sa vie, Moroni prendra exemple sur Moretto pour ce qui est de la peinture religieuse. Mais c'est dans un autre genre qu'il révélera son véritable talent. C'est en effet en tant que portraitiste qu'il est aujourd'hui apprécié.

Tout comme ceux de Moretto – des portraits d'aristocrates de Brescia proches du Saint Empereur – et de Titien, représentant l'empereur et d'autres personnages importants, les portraits peints par Moroni pour la noblesse ont d'abord été des portraits en pied, grandeur nature. Dans les années 1570, la mode du portrait s'était étendue de l'aristocratie aux classes laborieuses. Cette représentation sobre et bienveillante d'un tailleur à son travail demeure cependant unique en son genre. Il est possible, comme certains l'ont suggéré, que Moroni ait exécuté ce tableau en échange de services rendus – peut-être contre un costume réalisé dans le tissu noir que présente le tailleur, un tissu espagnol alors à la mode. Cela est tout à fait plausible. Le tailleur porte un costume taillé dans un tissu rouge et chamois moins à la mode, rehaussé toutefois d'une fraise à l'espagnole.

Le réalisme de ce tableau, où les objets, les détails du costume, la physionomie et l'expression du modèle sont représentés de manière impartiale, ne doit pas nous empêcher de voir l'ingénieuse structure géométrique qui les sous-tend. La présence de la table justifie le format du portrait, limité aux trois-quarts du modèle. Au lieu de jouer le rôle de la barrière qui sépare habituellement le modèle du spectateur, elle établit un lien entre eux grâce à l'angle qu'elle forme avec le bord du tableau, mais aussi parce qu'elle permet au tailleur de poser avec le plus grand naturel, comme s'il s'adressait au spectateur avant de couper son tissu. Il suffirait de tracer une ligne verticale au milieu du tableau pour se rendre compte qu'elle coïncide avec celle qui partage le corps du modèle en deux, mise en évidence par le costume. Cette ligne imaginaire passera sous peu par le coin extérieur de l'œil droit du tailleur qui est en train de relever la tête pour nous regarder droit dans les yeux. Vivement éclairé par une lumière qui contribue aussi à attirer l'attention sur lui, cet œil constitue le point où se focalise l'expression du tableau. Moroni a eu recours à une subtile mise en page géométrique de manière à forcer la sympathie envers – en l'occurrence – un humble tailleur. Pour reprendre les termes d'un admirateur du xviie siècle, nous pouvons dire que l'artiste a réussi à le faire « parler avec plus d'éloquence que s'il avait été avocat ».

Giovanni Battista Moroni 1520/24-1578

Portrait d'un gentilhomme (Il Cavaliere dal Piede Ferito)

Fin des années 1550. Huile sur toile, 202 × 106 cm

Le modèle de ce portrait obsédant était probablement le fils du gentilhomme de Brescia peint par Moretto en 1526 (*cf. p. 137*). Les pièces d'armure qui brillent à ses pieds et sa tenue vestimentaire – le pourpoint en cuir, la cotte de mailles, le sous-pourpoint de satin noir et le col en lin blanc – indiquent qu'il était soldat. (La longue épée est moins un accessoire militaire qu'une marque de noblesse.) Un appareil orthopédique compense la faiblesse musculaire de sa cheville gauche, due à une maladie ou une blessure. C'est à ce handicap qu'il doit son surnom italien, signifiant « Chevalier au pied blessé ». Fermement campé, il s'appuie légèrement sur un magnifique casque de joute orné d'une crête en plumes d'autruche, elle-même surmontée d'un disque rouge – sur lequel a été sculptée la face du soleil, et d'une plume, rare et coûteuse, du rapace appelé balbuzard. Sur sa casquette de velours noir, il porte, moins extravagantes cette fois, des plumes d'autruche.

Comme de nombreux modèles de Moroni, le *cavaliere* a été placé dans un décor peu profond : il se détache sur un parapet en marbre clair et un mur en partie en ruine. Sur la pierre pousse du lierre, symbole de fidélité. L'arrière-plan remplit de nombreuses fonc-

Portrait d'un gentilhomme (Il Cavaliere dal Piede Ferito)

tions. Il justifie le semblant de lumière extérieure perceptible, nous empêche de partir à la dérive dans un paysage lointain et met en valeur la sveltesse du modèle au contour complexe. Son ton neutre fait écho aux couleurs plus dures du costume et du casque ; sa surface mate met en valeur toutes les textures des vêtements du modèle, mais aussi son armure, sa chair et ses cheveux. Cet arrière-plan fournit en outre une grille géométrique dans laquelle la figure est fermement ancrée ; il procure aussi un support au casque et au bras gauche, permettant la position négligemment élégante de la main. Enfin, l'architecture érodée suggère l'idée d'endurance, laquelle renvoie à celle du chevalier.

La minutie avec laquelle Moroni a dépeint le pied handicapé a été mise en relation avec les préceptes du concile de Trente, qui avait exhorté au réalisme dans l'art religieux. Cependant, les idéaux du concile s'incarnent plutôt dans l'imagerie néo-féodale, teintée de nostalgie, de ce portrait. Le culte de la chevalerie auquel il fait allusion était largement répandu, tant à Brescia et Bergame qu'ailleurs, parmi les partisans du Saint Empereur, Charles Quint, dont la vision d'une chrétienté unie avait conduit à la convocation d'un concile œcuménique. La mélancolie hautaine du chevalier au pied blessé fait aussi écho – tout comme le tissu noir coupé par le tailleur de Moroni *(cf. p. 138)* – aux manières austères qui devenaient à la mode en Europe sous l'influence de l'Espagne.

Le Parmesan   1503-1540

Vierge à l'Enfant entourée de saint Jean-Baptiste et saint Jérôme

1526-1527. Huile sur peuplier, 343 × 149 cm

Le Parmesan, tout comme le peintre qui exerça la plus grande influence sur lui à ses débuts, à savoir le Corrège *(cf. p. 108)*, doit le nom sous lequel il est connu à son lieu de naissance, la ville de Parme, située dans le nord de l'Italie. Son vrai nom était Girolamo Francesco Maria Mazzola.

Artiste précoce et brillant, le Parmesan, qui avait été élevé par deux oncles peintres après la mort prématurée de son père, décida assez rapidement de se rendre à Rome. Parmi les œuvres qu'il présenta en 1524 au pape Clément VIII figurait un autoportrait étonnant (Kunsthistorisches Museum, Vienne), représentant son reflet dans un miroir de barbier convexe. À Rome, nous dit Vasari, il étudia « les œuvres antiques et modernes [...] mais sa préférence alla aux œuvres de Michel-Ange et de Raphaël, qui lui inspirèrent une immense vénération » *(cf. pp. 86, 133 et 146).* « Du reste, poursuit Vasari, on disait que l'esprit de Raphaël [décédé en 1520] était passé dans le corps de Francesco [...]. »

Le triple héritage artistique du Parmesan apparaît clairement dans ce retable, la plus grande œuvre exécutée par l'artiste à Rome. Commandé par Maria Bufolina, il était peut-être toujours destiné à son église paroissiale de Città di Castello, où il fut par la suite transféré. Le sac de Rome par les troupes impériales empêcha le pape d'employer le jeune prodige. Selon Vasari, le Parmesan travaillait avec acharnement à ce retable lorsque des soldats allemands firent bruyamment irruption chez lui : « Quand ils le virent, ils restèrent cloués sur place devant son œuvre et [...] le laissèrent continuer. » L'impression d'acharnement au travail laissée par le Parmesan s'explique par le nombre incalculable de dessins effectués par l'artiste tant pour étudier l'ensemble de la composition que les différentes figures. Dans le lieu initialement prévu, l'impact du retable aurait été encore plus grand. Le Parmesan devait en effet avoir reçu des instructions précises concernant non seulement le format de l'œuvre – extraordinairement allongé – mais aussi la source lumineuse, censée provenir d'une fenêtre haute située à droite au-dessus de l'autel. Conformément à la tradition italienne, le Parmesan en suggère les effets dans le tableau, de sorte que dans une église sombre, le bras droit de saint Jean-Baptiste semblerait certes se courber vers le haut en direction de l'Enfant Jésus, mais aussi vers l'avant, à l'extérieur du panneau, « s'emparant de la lumière » ; son pied gauche donnerait en outre l'impression de sortir du panneau. La position choisie pour l'Enfant Jésus est encore plus audacieuse : à peine descendu des genoux de sa mère, il surgit, au-dessus et derrière saint Jean-Baptiste, vers la surface du panneau et, d'un air espiègle, donne un coup de pied dans notre espace.

Une seconde lumière, miraculeuse, enveloppe en outre la Vierge : celle-ci semble « vêtue du soleil » comme la Femme de l'Apocalypse (XII, 1). Cette même lumière éclaire la croix en roseau de saint Jean-Baptiste, son épaule et son pied gauches, mais aussi saint Jérôme, épuisé par ses veillées, que le peintre a représenté dans ce paysage sauvage à l'aide d'un puissant raccourci. Le titre donné à ce panneau au XIXe siècle, *La Vision de saint Jérôme,* s'explique par la position dans laquelle ce dernier est représenté. Mais le retable n'illustre pas cet épisode. Face au problème de composition que posait le fait de loger deux saints de part et d'autre de la Vierge à l'Enfant dans un panneau haut mais très étroit, Le Parmesan, après de nombreux essais, est allé chercher chez le Corrège une solution dynamique : les figures sont disposées à l'oblique dans une grande profondeur de champ. La *Madone de Foligno* de Raphaël, qui ornait à l'époque le maître-autel de Santa Maria in Aracoeli à Rome (maintenant au Vatican) doit avoir suggéré à l'artiste la division du panneau en deux dans le sens de la hauteur, le geste de saint Jean-Baptiste et l'ouverture du ciel. Le type et la pose de la Vierge à l'Enfant, tempérés par une grâce raphaélesque, trouvent leur origine chez Michel-Ange. Mais la fougueuse théâtralité de l'ensemble est bel et bien une création du Parmesan.

Attribué à Joachim Patinir   actif 1515-1524 env.

Saint Jérôme dans un paysage rocheux

1515-1524 ? Huile sur chêne, 36 x 34 cm

Originaire de la vallée de la Meuse, Patinir partit exercer son métier de peintre à Anvers, où des documents mentionnent son appartenance à la guilde des peintres en

1515. Dürer, qui assista au second mariage de Patinir au cours d'un voyage aux Pays-Bas, a loué ses paysages.

Au cours de sa brève carrière, Patinir est devenu le premier paysagiste de l'ère moderne. Depuis la chute de l'Empire romain, aucun peintre ne s'était exclusivement consacré au paysage, et les paysagistes de l'Antiquité n'avaient, quant à eux, jamais livré de vues aériennes semblables à celles de Patinir. L'introduction de l'échelle humaine par le biais de petites figures – des ermites, la Sainte Famille fuyant en Égypte ou le Christ se faisant baptiser – donne l'illusion de vastes paysages.

Il existe peu de tableaux, y compris celui-ci, dont on peut affirmer avec certitude qu'ils sont de la main de Patinir, mais ses imitateurs et ses disciples ont été légion. À une époque où la navigation et la cartographie, qui lui est liée, ouvraient le globe à l'exploration, Patinir ouvrait la voie à un nouvel imaginaire.

Saint Jérôme est assis sous le toit d'une cabane construite près d'une voûte naturelle : il extrait l'épine de la patte de son lion. De là, notre regard voyage : il se pose tout d'abord sur la ville – ou plus précisément sur les bâtiments d'un monastère – située sur la colline, puis sur des vallées, des forêts, des montagnes, des forteresses, des fermes et des champs, avant de découvrir la mer, la ligne d'horizon et enfin le ciel. Les espaces clairs et les espaces sombres se succèdent rapidement, s'interpénétrant parfois. Comme dans de nombreux tableaux de Patinir, les volumes compacts formés par les rochers abrupts sont flanqués de corridors menant dans le lointain (le panneau a été tronqué sur la droite, ce qui limite la vue de la plaine). Un schéma de couleurs, que Rubens lui-même adoptera dans ses vues panoramiques *(cf. p. 237)*, accentue l'impression de profondeur : le brun prédominant au premier plan se transforme au plan intermédiaire en un vert qui vire lui-même au bleu à l'arrière-plan. Mais Patinir a bien trop de talent pour se contenter de diviser le panneau en quelques bandes de couleur, même fort discrètes : c'est ainsi que la tunique de Jérôme, par exemple, amène le bleu de la mer au premier plan.

Sur le plateau situé derrière saint Jérôme se déroule l'histoire de son lion, telle qu'elle figure dans *La Légende dorée*, un recueil d'histoires miraculeuses publié au XIIIe siècle. Le lion, qui était chargé de veiller sur l'âne du monastère, s'endormit. L'âne fut volé par des marchands qui passaient par là, et le lion fut accusé de l'avoir mangé. Lorsque les marchands revinrent, le lion reconnut l'âne et le ramena avec toute la caravane au monastère. Là, les voleurs s'agenouillèrent pour demander pardon au père supérieur. Le fait de découvrir que les rochers servant de cadre à cette histoire doivent probablement leur grandeur épique à l'étude de pierres rapportées à l'atelier ajoute au plaisir de notre voyage par le regard : comme si le Créateur du monde s'avérait n'être qu'un enfant jouant avec un jardin miniature.

Jacopo Pontormo   1494-1557

Joseph en Égypte avec Jacob

1518 ? Huile sur bois, 96 × 109 cm

L'« étrange et timide » Jacopo Carrucci, de Pontorme, près de Florence, n'était pas un artiste aussi peu conformiste que ce panneau pourrait le faire croire. Son style, somme logique de toute la tradition florentine, intègre les dernières évolutions de Michel-Ange *(cf. p. 133)* et dénote le même intérêt qu'Andrea del Sarto *(cf. p. 147)* pour les gravures d'Europe du Nord. (L'ouverture en arc du pignon situé à l'arrière-plan est un emprunt à l'une de ces œuvres étrangères : une gravure de Lucas de Leyde, datée de 1510.) Ce panneau n'est pas « anti-naturaliste » mais « non-naturaliste » : il appartient à la tradition des décors de mobilier, qui ne constituent pas une fenêtre ouverte sur le monde comme les tableaux d'histoire de grand format, mais de brillants ornements illustrant un récit en continu, comme une bande dessinée. Il faisait à l'origine partie d'un célèbre décor de chambre à coucher. Ce décor qui ornait les murs, le lit nuptial, les chaises et les coffres de la chambre, représentait l'histoire de Joseph telle qu'elle figure dans la Genèse, le premier livre de l'Ancien Testament.

Quatre artistes florentins, Andrea del Sarto, Granacci, Pontormo et le Bachiacca, ont travaillé ensemble à ce projet. La National Gallery possède deux des panneaux du Bachiacca et les quatre panneaux de Pontormo ; des musées de Florence, Rome et Berlin possèdent d'autres pièces de ce décor. L'ensemble avait été commandé en 1515 par Salvi Borgherini à l'occasion du mariage de son fils Pierfrancesco (probablement le donateur de la *Vierge à l'Enfant* de Sebastiano del Piombo, *cf. p. 152)* avec Margherita Acciaiuoli.

L'histoire de Joseph était à l'époque un sujet souvent choisi pour les décors de mobilier, mais elle convenait particulièrement bien à celui qui était destiné à Pierfrancesco Borgherini, un banquier qui faisait des allers et retours entre Florence et Rome. Étant donné sa réussite commerciale en terre étrangère, sa générosité, son indulgence et son sens de la famille, Joseph était un exemple tout indiqué. Vu en outre que Joseph interprétait les songes et qu'à travers son histoire sont évoqués des sujets plus sérieux comme l'adultère, la chasteté et la fécondité du mariage, le récit de sa vie convenait parfaitement à un décor de chambre à coucher. Même le thème de la tunique princière se prête au décor d'une chambre dans laquelle les vêtements sont stockés dans des

coffres peints. Enfin, Joseph était une figure de l'Ancien Testament perçue comme le prédécesseur du Christ, le Sauveur du Monde, qui dominait du reste la pièce dans un panneau circulaire de Granacci représentant la Trinité.

Tous les panneaux de Pontormo sont d'une beauté pénétrante, résultant autant de la composition que du choix des couleurs ; mais celui-ci, plus grand que les autres, exécuté en dernier et peut-être commandé après réflexion, a toujours été tout particulièrement apprécié. Joseph, vêtu d'une tunique brun doré, d'un manteau bleu lavande et d'un bonnet écarlate, y apparaît quatre fois. Gouverneur d'Égypte au premier plan à droite, il écoute, assis sur le « deuxième chariot » du Pharaon, la pétition lue par le porte-parole des victimes de la famine représentées à l'arrière-plan *(cf. détail p. 98)*. À gauche, il présente son vieux père Jacob au Pharaon ; quant à la vieille femme, il s'agit peut-être de la première épouse de Jacob, Leah, toujours en vie, dont la Bible ne mentionne pourtant pas la présence. Joseph réapparaît sur l'escalier tournant en compagnie de l'un de ses fils, tandis que l'autre est accueilli par une femme en haut de l'escalier. Dans la chambre à coucher circulaire, Joseph présente ses enfants à Jacob mourant afin qu'il les bénisse – une scène à laquelle fait contrepoids en diagonale celle de la présentation des parents de Joseph au Pharaon. Vasari nous dit que le garçon habillé de vêtements modernes, assis au premier plan avec un sac de courses à la main, « figure pleine de vie et belle à merveille » est Bronzino *(cf. p. 104)*, élève de Pontormo. Vasari ajoute : « Si cette composition [...] était à sa juste échelle, peinte sur un grand panneau ou sur un mur, j'oserais dire qu'on ne pourrait trouver une peinture faite avec autant de grâce, de perfection et de mérite que celle-ci. »

Raphaël   1483-1520

Portrait de Jules II

1511-1512. Huile sur bois, 108 × 81 cm

Trente ans après la mort de Raphaël, Vasari écrira de ce portrait de Jules II : « [… l'artiste l'avait peint] de façon si vraie qu'il inspirait le respect comme s'il était vivant. » Tout spectateur en présence de ce portrait devait en effet avoir immédiatement conscience d'être devant un homme de haut rang, assis sur un fauteuil portant son emblème personnel : le gland fait référence au nom de famille de Jules II, della Rovere, qui signifie en italien le « chêne ». Ce panneau a eu une telle influence, sa composition a été si souvent copiée, qu'aujourd'hui son aspect novateur peut nous échapper. Des sceaux aux pièces de monnaie jusqu'aux tableaux de la Vierge ou du Christ en majesté, la représentation de face d'un monarque sur son trône tenait lieu depuis longtemps de marque de souveraineté. Mais Raphaël ne nous propose pas l'image figée d'un pape assis, portant la triple couronne; il nous offre une vue rapprochée et de biais d'un vieux prélat pensif, coiffé d'un bonnet bordé de fourrure, nous le montrant tel qu'aurait pu le voir un intime se tenant non *devant* lui, mais à ses côtés. Pourtant il reste quelque chose du schéma formel, car la tête du pape se situe au centre du panneau (dans le sens de la largeur), même si elle n'est pas centrée par rapport aux bras du fauteuil, et cette ligne centrale est soulignée par le mouchoir que le pape tient à la main. C'est cette fusion entre solennité et intimité – associée à la capacité qu'avait Raphaël de définir tant la texture externe que la structure interne des choses – qui est si saisissante. Un peintre hollandais aurait peut-être aussi saisi sur le gland doré le reflet de la fenêtre et du bonnet cramoisi, ou différencié le blanc de la barbe de celui de la fourrure et de l'habit, mais peu, s'il en est un, auraient réussi le passage de la lumière à l'ombre du front vers la tempe, ou le raccourci de la main gauche, agrippée au bras du fauteuil.

La facture de Raphaël est aussi moins graphique que celle des artistes du Nord: tout comme l'harmonie de rouge et de vert, ou d'or et de blanc, elle rappelle la peinture vénitienne. La tiare et les clés constituant le motif du rideau vert avaient été initialement peintes en or de manière à simuler un décor brodé. Le repentir découvert lors de l'analyse scientifique effectuée en 1969 avant le nettoyage de ce panneau est l'un des éléments qui permettent de le considérer comme la première des diverses versions de l'œuvre.

La barbe de Jules II permet de dater le panneau: il l'avait en effet laissé pousser en 1511 après avoir perdu la ville de Bologne, et l'avait rasée en mars 1512. Il était mort l'année suivante à l'âge de soixante-dix ans. Homme irascible et actif, qui fut vivement critiqué au cours de son pontificat pour avoir lui-même mené ses troupes au cours de campagnes militaires exténuantes, il apparaît ici telle une figure puissante *(cf. sa main gauche)* et aristocratique *(cf. sa main droite),* absorbée par ses pensées. Le portrait est en tout point digne d'un commanditaire qui n'eut pas son pareil dans toute l'histoire de l'art, un pape assez méritant et chanceux pour avoir été servi par trois des plus grands artistes de la seconde Renaissance: Michel-Ange, Raphaël et l'architecte Bramante.

Andrea del Sarto   1486-1530

Portrait d'un jeune homme

Vers 1517. Huile sur toile, 72 × 57 cm

Fils de tailleur (*del Sarto* en italien), Andrea deviendra le plus grand peintre de Florence autour de 1510, après le départ de Léonard de Vinci, de Michel-Ange et de Raphaël *(cf. pp. 54, 133, 86, 146)*. Formé au métier d'orfèvre, puis à celui de peintre auprès de Raffaelino del Garbo et Piero di Cosimo *(cf. p. 79)*, il cherchera à parfaire sa formation en étudiant, comme tous les Florentins, l'œuvre de ses prédécesseurs les plus célèbres. Il « retravaillera » en particulier l'art de Léonard de Vinci: il tentera d'égaler la fluidité de ses poses spiroïdales, et adoptera son célèbre *sfumato* – ses transitions floues et voilées – mais rejettera son modelé monochrome et le remplacera par un fondu lumineux, même dans les zones d'ombre.

De tous les peintres toscans, Andrea del Sarto a été le plus influent et le plus copié; tous les grands peintres florentins de la génération suivante sont en outre passés par son atelier. Encore célèbre aux XVIIIe et XIXe siècles (Robert Browning en fit le sujet d'un monologue, qui avait pour sous-titre *Le Peintre sans défaut*, d'après une expression de Vasari), il a été à notre époque quelque peu délaissé en raison de l'intérêt croissant porté aux maniéristes tel Pontormo, qui fut son élève *(cf. p. 144)*. La restauration des fresques exécutées par Andrea del Sarto à Florence et l'exposition de ses toiles et panneaux, après nettoyage,

Portrait d'un jeune homme

dans cette même ville en 1986, à l'occasion du cinq centième anniversaire de sa mort, ont cependant une fois de plus montré l'inventivité et la force de son dessin, ainsi que la splendeur chromatique et le sentiment élevé, bien que toujours humain, de sa peinture. C'est parce que le coloris d'Andrea del Sarto est si subtil, reposant sur des harmonies de gris pâles, de bruns, d'abricot et de rose, et sur des draperies or et rose ou bleu et mauve, contrastées dans les œuvres plus grandioses ou plus décoratives par des déploiements de vermillon et d'azurite bleu-vert, qu'il est tout particulièrement exposé aux distorsions sous l'effet de la poussière ou du jaunissement des vernis.

Le sujet de ce célèbre portrait, un jeune inconnu levant les yeux de son livre, n'admet, contrairement aux apparitions célestes des retables, que les teintes tempérées de la réalité. Pourtant, même ici, retenue et audace se conjuguent. La lumière du jour semble provenir d'une fenêtre haute et étroite, située sur la gauche. Cette lumière, qu'accrochent les fronces de la chemise et dont les reflets définissent la courbe de la mâchoire et la torsion du cou, jette de profondes ombres sur les orbites et rend ardents ces yeux sombres. Elle donne forme au crâne sous le chapeau triangulaire, confère mobilité et couleur au visage, mais aussi volume à la manche en taffetas, peinte avec beaucoup de liberté ; elle éclaire en outre la surface imprécise de la page, avant de se dissiper dans l'obscurité d'un atelier florentin. La torsion du buste du modèle donne l'impression d'une position passagère bien que stable : impétueux, il ne tardera pas à retourner à sa lecture. Nous demeurons cependant, comme les nombreuses générations qui nous ont précédés, fascinés par cet étranger qui est des plus éloquents : nous sommes suspendus à ses lèvres comme s'il allait se mettre à parler.

Gian Girolamo Savoldo   actif 1508-1548

Sainte Marie-Madeleine s'approchant du Sépulcre

1530-1548 ? Huile sur toile, 86 × 79 cm

Savoldo était originaire de Brescia *(cf. p. 136)*, mais il n'est fait état de son existence qu'en 1508 à Florence. À partir de 1520 environ, il résidera essentiellement à Venise, à l'exception d'un séjour à Milan en 1532-1534. Nous ne savons que peu de chose de sa formation, mais il a dû s'intéresser de près à la peinture néerlandaise ainsi qu'à l'œuvre de Léonard de Vinci *(cf. p. 54)* et de Giorgione *(cf. p. 115)*. Ses quelques tableaux représentent le plus souvent des figures seules qui, coupées à mi-corps ou aux trois-quarts du corps, se détachent sur un arrière-plan lointain. Il existe quatre variantes de cette composition.

    La magie de cette œuvre – à mi-chemin entre l'image de dévotion et la pièce de collection – vient du contraste entre la figure démesurément massive, aux contours bien marqués, et les effets de lumière minutieusement rendus. Il est ici fait référence à l'épisode relaté dans l'Évangile selon saint Jean (XX, 1) : Marie-Madeleine, arrivée sur la tombe où le corps du Christ est censé reposer, vient de découvrir que la pierre qui l'obstruait a été retirée. Le « vase à parfums » qui permet de l'identifier est posé sur le bord de la tombe, derrière elle. Mais dans cette œuvre, le Sépulcre du Christ a été transféré de la Terre Sainte à Venise, qu'on aperçoit au-delà de la lagune : peut-être sommes-nous sur la mélancolique île-cimetière de San Michele. En 1620, ce tableau fut décrit comme étant la représentation d'« une belle Marie-Madeleine drapée de blanc ». Tandis que le soleil invisible embrase les nuages, la couleur de la nuit reflétée sur le satin blanc se traduit par un scintillement argenté. Le regard direct et mystérieux de Marie-Madeleine, le froissement de son manteau, qui nous est presque perceptible, évoquent des idées qui dépassent le texte de saint Jean. Marie-Madeleine est assimilée, dans la légende, si ce n'est dans les Évangiles, à la courtisane qui a inondé de parfums les pieds de Jésus avant de les essuyer avec ses cheveux, pécheresse dont les « péchés si nombreux ont été pardonnés [...] parce qu'elle a montré beaucoup d'amour » (Lc VII, 47), mais aussi à la « femme prise en flagrant délit d'adultère » que Jésus a sauvée de la lapidation (Jn VIII, 3-11). Marie-Madeleine est celle qui a pleuré au pied de la Croix, et oint le corps du Christ avant qu'il ne fût enseveli. C'est à elle qu'il apparaîtra en premier sous l'apparence d'un jardinier *(cf. p. 160)* et c'est elle qui finira ses jours dans le désert, vêtue seulement de sa longue chevelure. Elle jeûnera constamment, mais la nourriture céleste des anges la rafraîchira. Ici, les cheveux couverts, ses bijoux retirés, la grande pénitente, emblème de l'amour humain et de la miséricorde divine, semble nous faire signe de la suivre, entre l'obscurité de la tombe et la lumière naissante.

Sebastiano del Piombo   vers 1485-1547

La Résurrection de Lazare

Vers 1517-1519. Huile sur bois, transposée sur toile,
remontée sur panneau synthétique, 381 × 289 cm

En 1510, le jeune Sebastiano Luciani est le plus grand peintre de Venise : son maître Giorgione *(cf. p. 115)* est mort, et Titien *(cf. p. 158)* travaille à Padoue. Sa carrière prend un tournant décisif en 1511 lorsque le banquier du pape, Agostino Chigi, le persuade de participer à la décoration de sa villa, l'actuelle Farnésine, située dans les faubourgs de Rome. Le Florentin Michel-Ange *(cf. p. 133)* se prend alors d'amitié pour le jeune Vénitien, *il Veneziano*, et lui fournit des études de composition. Sebastiano devient ainsi, dans la rivalité entre Michel-Ange et Raphaël *(cf. pp. 86, 146)*, celui qui tire les marrons du feu.

En 1515, le pape Léon X nomme son cousin, le cardinal Jules de Médicis, archevêque de Narbonne. Comme il est fort peu probable qu'il se rende un jour dans sa cathédrale, le nouvel archevêque décide de doter celle-ci d'un grand retable, et en 1516 il commande à Raphaël la *Transfiguration*. Un peu plus tard dans l'année, il commande à Sebastiano, peut-être sur l'intervention de Michel-Ange, une œuvre devant faire pendant à celle de Raphaël. Dans les cycles picturaux qui illustrent les épisodes de la vie du Christ correspondant aux fêtes de l'Église, *La Résurrection de Lazare* vient après *La Transfiguration*. L'affirmation de la mission du Christ y est encore plus claire : « Je suis la Résurrection et la Vie : celui qui croit en moi, même s'il meurt, vivra » (Jn XI, 25). Ce sujet convenait parfaitement à une œuvre destinée à Narbonne, puisque des reliques de Lazare y étaient conservée ; il devait aussi plaire à un Médicis, car ce nom signifie « docteur » et le Christ fait figure, dans cet épisode, de guérisseur, de médecin divin.

Il subsiste trois dessins de Michel-Ange relatifs au groupe constitué par Lazare et les hommes qui l'aident à se débarrasser de ses bandelettes. Michel-Ange a probablement aussi participé à l'exécution de la figure du Christ, qui intime à Lazare de sortir du tombeau. La composition générale est cependant très vraisemblablement l'œuvre de Sebastiano, tout comme les superbes figures représentant les sœurs de Lazare : Marie qui, à la vue du Christ, se jette à ses pieds, et Marthe, qui a un mouvement de recul tout comme les femmes situées derrière elle, car Lazare sent déjà : c'est le quatrième jour de sa mort.

En dépit d'un souci de magnificence romaine, Sebastiano a choisi d'envelopper cette gigantesque scène d'une atmosphère vénitienne, plaçant les figures dans un vaste paysage qui s'étend jusqu'à la ligne d'horizon. À l'écart de la foule des témoins, les Pharisiens complotent la mort de Jésus. Les coiffes des femmes, les bâtiments en ruine et le pont sont d'inspiration romaine, tandis que le temps changeant et la palette audacieuse, composée de pigments rares rappelant ceux utilisés par Titien dans *Bacchus et Ariane (cf. p. 159)*, évoquent la cité de la lagune. Malheureusement, les couleurs ont mal vieilli et ont souffert de la transposition sur toile effectuée en 1771. La robe rouge du Christ a viré

au rose, et certains verts au brun foncé. Les pigments stables, tels que les blancs de plomb et les jaunes à base d'étain et de plomb, paraissent donc plus vifs qu'à l'origine.

En mai 1519, le retable de Sebastiano fut montré au public ; tous ceux qui eurent l'occasion de le voir, écrivit à Michel-Ange un ami commun, « demeurèrent stupéfaits ». L'œuvre n'avait cependant pas encore été confrontée à celle de Raphaël. En avril 1520, Raphaël mourut laissant peut-être *La Transfiguration* inachevée. Une semaine plus tard, les deux panneaux furent exposés ensemble. Jules de Médicis choisit de garder le dernier chef-d'œuvre de Raphaël, et d'expédier *La Résurrection de Lazare* à Narbonne. Mais une fois Raphaël mort et Michel-Ange parti pour Florence, l'histoire se répéta : Sebastiano Veneziano devint le plus illustre peintre de Rome. En 1513, il obtint la charge des sceaux pontificaux, et fut dès lors connu sous le nom de Sebastiano del Piombo (*piombo* signifie en italien plomb, et le plomb était le matériau sur lequel on appliquait les sceaux).

Sebastiano del Piombo   vers 1485-1547

Vierge à l'Enfant entourée de saint Joseph, de saint Jean-Baptiste et d'un donateur

Vers 1519-1520. Huile sur bois, 98 × 107 cm

Le donateur – l'homme agenouillé sous le bras protecteur de la Vierge qui adresse ses prières à l'Enfant Jésus – pourrait être Pierfrancesco Borgherini, banquier florentin et ami de Michel-Ange dont la chambre nuptiale avait été décorée d'épisodes de la vie de Joseph *(cf. p. 144)*, dus entre autres à Pontormo. Pierfrancesco Borgherini possédait une chapelle dans l'église San Pietro in Montorio de Rome, dont Sebastiano effectuait alors le décor d'après des petits dessins de figures fournis par Michel-Ange.

Contrairement aux peintures de la chapelle, ce panneau n'est mentionné dans aucun document ; il s'agit probablement d'une œuvre de dévotion privée. Si Sebastiano avait eu du mal à faire fusionner les éléments romains et vénitiens dans l'immense *Résurrection de Lazare*, aucune hésitation de ce genre n'apparaît dans cette scène moins théâtrale mais, à sa manière, d'une intensité tout aussi grande. À l'intérieur du format adopté par les peintres vénitiens pour représenter la Sainte Famille ou la Vierge entourée de saints, Sebastiano a disposé des figures inspirées de Michel-Ange : l'Enfant Jésus ressemble au *putto* tenant le livre du prophète Daniel sur la voûte de la chapelle Sixtine, et le bras de la Vierge fait écho (en sens inverse), au geste ample de Daniel. Les dimensions, plus réduites, de ce panneau et la vue « rapprochée » transposent cependant la rhétorique publique de Michel-Ange dans un registre différent.

Sebastiano connaissait-il la célèbre *Vierge à la chaise* de Raphaël *(cf. fig. 4)* ? Son œuvre fait en effet curieusement songer à ce panneau circulaire de la collection

Médicis : la composition ramassée de Raphaël semble s'être déployée dans l'œuvre – plus grande – de Sebastiano, lequel a en outre introduit dans son œuvre le spectateur, invisible chez Raphaël, mais pouvant être imaginé à genoux devant le panneau. La Vierge de Raphaël porte sur la tête un foulard de Romaine, celle de Sebastiano, la coiffe d'une paysanne de la campagne romaine. La Madone à l'Enfant de Raphaël est accompagnée de saint Jean-Baptiste encore enfant ; ici Jean-Baptiste est représenté à l'âge adulte, avec sa croix en roseau, désignant l'Enfant Jésus. Si le tableau de Sebastiano est moins flamboyant que la voûte de la Sixtine, il est aussi moins intimiste que le *tondo* de la *Vierge à la chaise.* Le sommeil de Joseph est traditionnellement associé à ses songes prophétiques, mais aussi au chagrin que lui causait l'idée de la future Passion du Christ. Il ne fait aucun doute que l'arrière-plan sombre d'où émergent les figures secondaires crée une atmosphère tragique, tout comme leur profil angoissé et la main relâchée de Joseph. Le jeu des mains est lui-même, dans tout ce panneau, extraordinaire : brûlées par le soleil, les mains de Jean-Baptiste et de Joseph apparaissent de chaque côté du panneau ; Marie a tendrement posé la sienne sur l'épaule de son Enfant, qui à son tour tend sa main potelée vers le sein de la Vierge ; cette dernière a saisi d'une main ferme l'épaule de l'homme agenouillé, qui lui-même croise les mains en signe de prière. Toutes ces mains liées les unes aux autres, sont l'expression des diverses émotions.

Selon Vasari, c'est dans le portrait que s'exprimait le mieux le talent de Sebastiano. Ici, le donateur semble avoir été dessiné d'après nature. Ses vêtements noirs et sobres font pendant à l'arrière-plan sombre, et mettent en valeur les harmonies vénitiennes – composées d'orange, de rouge, de bleu, de fauve et de vert émeraude – qui comptent parmi les splendeurs de cette œuvre remarquable.

Bartholomaeus Spranger   1546-1611

L'Adoration des Mages

Vers 1595. Huile sur toile, 200 × 144 cm

Spranger, né à Anvers, a été l'un des plus éminents représentants d'un style international qui s'est développé au XVIᵉ siècle et a reçu le nom de « maniérisme ». Le terme, forgé en 1792, vient du mot italien, *maniera*, qui signifie « manière » ou « style » ; il peut désigner, selon les différentes acceptions modernes du terme, le style personnel d'un artiste, celui

L'Adoration des Mages

d'une période artistique, l'élégance des formes ou la prédominance de la forme sur le contenu. Tel qu'il est employé par les historiens d'art, le maniérisme désigne surtout un art sophistiqué, pratiqué par des artistes n'ignorant nullement les techniques de représentation naturaliste, mais plus soucieux d'artifice que de fidélité à la nature. Comme Bronzino *(cf. p. 104)*, Spranger travaillait à la cour, un milieu qui fait grand cas de l'artifice. De 1565 à 1575 il séjourna en Italie, où il fut tout particulièrement sensible aux œuvres du Corrège *(cf. p. 108)* et du Parmesan *(cf. p. 141)*. Il fut ensuite nommé peintre à la cour de l'empereur Rodolphe II à Vienne, qu'il suivit en 1581 lorsqu'elle se transporta à Prague. Conseiller artistique de Rodolphe II, Spranger fut chargé d'exposer la collection impériale – composée d'objets décoratifs, de sculptures et de gravures qui allaient influencer les artistes de toute l'Europe du Nord et de la péninsule Ibérique. Mais Spranger fut surtout l'auteur d'une imagerie érotique au goût de Rodolphe, une sorte de titillation couchée sur fond de soie et accommodée à la mode mythologique ou allégorique.

Ce retable, peut-être commandé par Rodolphe pour la chapelle privée d'un prince-évêque de Bamberg, renvoie à un aspect de l'œuvre de Spranger qui nous est moins familier. Le sujet permet à l'artiste – capable d'emprunter des éléments à un horizon international – de montrer l'éventail de son talent : des bergers rustiques d'inspiration flamande se détachent tout juste de l'obscurité de l'étable ; au premier plan, un chien est occupé à déguster un morceau savoureux ; les pièces d'orfèvrerie offertes par les Rois mages sont presque aussi élaborées et aussi minutieusement représentées que dans les œuvres de Bruegel l'Ancien ou de Mabuse *(cf. pp. 106 et 117)*. Ces touches de réalisme bien nordique jouent cependant un rôle périphérique par rapport à la grandiloquence quasi oppressante de la scène principale, plus italianisante que n'importe quelle œuvre italienne. Tandis que le plus âgé des Rois se penche pour embrasser le pied de l'Enfant Jésus, les deux autres se tiennent debout, adoptant chacun une pose de danseur de ballet qui est l'exact reflet l'une de l'autre. Tous trois sont somptueux dans leurs soieries à reflets changeants dont les rehauts jaunes sur fond rouge et les ombres bleues sur fond rose composent d'éclatantes harmonies. On dit que le roi roux, représenté à droite, est un autoportrait de l'artiste, dont les traits auraient cependant été idéalisés. À son port royal fait écho sa signature, élaborée, apposée aux pieds du roi noir. Elle indique que Spranger est né à Anvers et qu'il est le peintre de Sa Sainte Majesté l'Empereur.

Les petits pages chargés de la traîne des Rois constituent une scène annexe humoristique. Deux d'entre eux imitent la grandeur de leurs maîtres adultes ; mais l'enfant représenté à l'extrême droite a succombé à une tentation bien naturelle : sans que personne dans le tableau ne l'ait remarqué, il s'est lui-même enveloppé dans le grand pan vert de tissu, d'où son petit visage tout rouge émerge avec un regard furtif dirigé vers le spectateur du panneau. La Sainte Famille est moins haute en couleur. Seul Joseph, attentif à l'Enfant et représenté dans une pose également complexe mais moins contorsionnée que celle des autres figures, est porteur de la dimension spirituelle du sujet.

Tintoret   1518-1594

Saint Georges et le Dragon

1560-1580 ? Huile sur toile, 158 × 100 cm

Jacopo Robusti doit son surnom, Tintoret, à la profession de son père, qui était teinturier *(tintore)*. Homme d'une grande piété, il reçut en commande de nombreux retables et récits religieux destinés aux églises et confréries de sa Venise natale, mais il exécuta aussi un grand nombre de portraits. Comme en témoignent les deux toiles présentées ici, il modifiait son style et sa technique en fonction de la commande. Parfois, il imitait délibérément le style d'autres peintres, mais on disait qu'il avait pour idéal « le dessin de Michel-Ange [dont il connaissait les moulages ou modèles de certaines sculptures] et le coloris de Titien » *(cf. pp. 133 et 158)*. Il possède cependant un sens dramatique très personnel, qui frise souvent le mélodrame. Il l'exprime par des mouvements violents et des changements d'échelle vertigineux – lorsque ses figures se précipitent vers nous ou s'éloignent brusquement – mais aussi par des contrastes explosifs de couleurs ou de tons.

Saint Georges et le Dragon est une toile toute petite parmi les œuvres de Tintoret, riche en détails et extrêmement finie. Il doit s'agir d'un retable destiné à un usage privé. En soi conventionnel, le format vertical cintré n'avait jamais été utilisé auparavant pour obtenir un effet si dynamique et si déstabilisant, et il ne le sera que rarement par la suite. L'iconographie est elle aussi inhabituelle. C'est grâce à *La Légende dorée* – compilation d'hagiographies de la fin du XIIIe siècle – que saint Georges de Cappadoce, officier romain et martyr chrétien, était devenu populaire en Europe occidentale. L'ouvrage raconte qu'un monstre terrorisait toute une population, lui réclamant chaque jour le sacrifice de deux jeunes gens tirés au sort ; lorsque le sort tomba sur la fille du roi, saint Georges, qui passait par là à cheval, s'attaqua au dragon « avec l'aide du Christ » et le terrassa. Prenant des libertés avec la tradition, Tintoret a montré la précédente victime, dont le cadavre est représenté tel le Christ crucifié. Tintoret a en outre inclus Dieu le Père : du haut des cieux, celui-ci bénit le triomphe du Bien sur le Mal. Fuyant devant le dragon qui sort de la mer, la princesse, terrifiée, trébuche, éveillant le

Saint Georges et le Dragon

sentiment qu'elle va tomber en dehors du tableau. Saint Georges est arrivé par la droite, d'où rayonne une source lumineuse invisible qui éclaire les troncs des arbres, la croupe du cheval, l'armure du chevalier ainsi que la peau et les vêtements de la jeune fille.

Tintoret a été l'un des premiers à utiliser des fonds sombres. Il a pourtant peint ce tableau sur un gypse blanc et lisse, et y a en outre appliqué directement un glacis outre-mer translucide afin d'obtenir le bleu éclatant de la robe de la princesse, ainsi que des glacis rouges, ici et là, sur son manteau. Sur ces mêmes draperies, des rehauts au blanc de plomb étincellent tels des éclairs. De fébriles contrastes entre lumière et obscurité zigzaguent du premier à l'arrière-plan, où une imposante forteresse vénitienne émerge des nuages agités. Les verts crus du paysage ont été en grande partie obtenus grâce à l'utilisation de malachite naturelle, une pierre semi-précieuse rarement utilisée comme pigment dans l'art européen mais qui constitue une couleur de base dans la palette de Tintoret.

Tintoret   1518-1594

Le Christ lavant les pieds de ses disciples

Vers 1556. Huile sur toile, 201 × 408 cm

Cette toile, qui ornait le mur latéral droit de la chapelle du Saint Sacrement de l'église San Trovaso (saint Gervais et saint Protais) de Venise, fut remplacée en 1720 par une copie. Elle faisait pendant à une *Cène* accrochée sur le mur gauche. Saint Jean est le seul à ne pas avoir mentionné dans son Évangile l'Eucharistie instituée par Jésus au moment du repas pascal, repas que Jésus prit avec ses disciples peu avant sa Crucifixion. Jean est aussi le seul à avoir inclus en revanche l'épisode représenté ici (Jn XIII). Le texte mêle et oppose deux thèmes, essentiellement évoqués par le biais d'un dialogue entre Jésus et Pierre. Le premier thème traité est l'humilité exemplaire du Christ et son amour qui le conduit jusqu'au sacrifice. Il fait du reste allusion à la force de cet amour dans un nouveau commandement « Comme je vous ai aimés, aimez-vous les uns les autres ». Le second thème abordé est celui de la trahison : Jésus accepte la trahison de Judas (« Ce que tu as à faire, fais-le vite ») et prédit celle de Pierre (« Trois fois tu m'auras renié avant qu'un coq ne se mette à chanter »).

Tout comme dans le texte des Évangiles, Pierre s'oppose à Jésus (il proteste lorsque le Seigneur veut lui laver les pieds, puis proclame qu'il est prêt à le suivre jusque dans la mort). Tintoret nous montre ici leur face-à-face au centre du premier plan. Jésus, ceint du linge qu'il utilise pour essuyer les pieds des apôtres, est représenté à genoux, près du bassin dans lequel il a versé l'eau. Il nous montre un profil jeune, entouré d'un halo de lumière. Il lève les yeux vers le vieil homme horrifié qui se penche pour le regarder dans les yeux ; la jambe nue du disciple et le bras gauche du Sauveur forment deux lignes parallèles qui renvoient à la réaction de Pierre dans l'Évangile. La lumière divine perce l'obscurité entre les deux sources lumineuses que sont le feu de l'âtre représenté à l'arrière-plan et la torche tenue par la gigantesque figure de gauche – peut-être est-ce Judas Iscariote, qui, « ayant pris la bouchée, sortit immédiatement : il faisait nuit ».

Le tableau est exceptionnellement sombre, même pour une scène vespérale. Bien que l'œuvre se soit assombrie sous l'effet du temps (les glacis sont devenus plus transparents), cette obscurité a été initialement voulue par le peintre : Tintoret a recouvert le gypse blanc, directement appliqué sur la toile, d'une épaisse couche d'impression noire, sur laquelle il a tantôt dessiné au blanc de plomb, tantôt appliqué un glacis translucide.

Ni la figure de Judas sur la gauche, ni son pendant se séchant les pieds sur la droite n'ont jamais été plus qu'esquissés. Selon Ridolfi, biographe de Tintoret, le peintre avait tant de commandes qu'il travaillait rapidement et remettait parfois des œuvres inachevées. Peut-être l'artiste a-t-il pensé que ces deux figures, qui allaient se trouver dans un coin de chapelle assez sombre, ne seraient de toute façon visibles qu'en partie. Mais il peut aussi avoir cherché à imiter en peinture le célèbre *non finito* de Michel-Ange, consistant à laisser à l'état brut certaines surfaces, qui contrastent ainsi avec le doux poli des figures principales. Associées aux changements vertigineux d'échelle, aux poses agitées, à la perspective plongeante (et inexacte) du sol carrelé, aux contrastes variés que forment le blanc, le cramoisi, le vert malachite, le jaune et le jaune orangé avec le noir, ces variations de fini donnent à la peinture un extraordinaire caractère d'urgence à mettre en parallèle avec celui de la Passion qui, ayant débuté au cours de cet épisode, évoluera inéluctablement vers son paroxysme, la Crucifixion. Dans la chapelle à laquelle cette toile était destinée, la croix de l'autel renvoyait en l'occurrence à cette crucifixion.

Titien   actif 1506 env.-1576

Bacchus et Ariane

1522-1523. Huile sur toile, 175 × 190 cm

Dans les autoportraits de Tiziano Vecellio que nous connaissons, le peintre s'est représenté en vieil homme : visage fin et barbe blanche, il est vêtu de noir et porte une chaîne en or. Au cours des quelque soixante-cinq années qu'a duré sa carrière, Titien, qui est peut-être le peintre ayant eu le plus de succès, a eu pour commanditaires tout une palette d'aristocrates italiens, mais aussi le gouvernement de Venise, un pape, trois empereurs du Saint Empire romain germanique, ainsi que la cour de France et la cour d'Espagne. À l'exception de quelques brefs voyages, il a cependant séjourné toute sa vie à Venise dont il n'a cessé de chanter les louanges, à en croire l'ambassadeur espagnol. Étant donné qu'il peignait sur toile, ses œuvres, grandes ou petites, étaient facilement transportables. N'ayant nul besoin d'aller travailler sur place, Titien pouvait demeurer chez lui, et c'était une liberté à laquelle il était attaché. Ami du peintre, le critique d'art Arétin rendait compte des nombreuses soirées vénitiennes que Titien passait en compagnie de jolies femmes. Mais c'est la maîtrise qu'avait Titien de la technique à l'huile qui amena l'Arétin à s'exclamer en découvrant la vue que lui offrait sa fenêtre : « Oh ! Avec quelles touches magnifiques le pinceau de Dame Nature repousse l'air, le faisant s'éloigner des palais comme Titien lorsqu'il peint un paysage ! » Bien que Titien n'ait pas inventé le colorisme vénitien *(cf. p. 100)*, la fluidité de sa touche, obtenue, en pleine maturité, au pinceau, au doigt ou au pouce, lui valut d'en être nommé le « père ». Ainsi éclipsait-il en quelque sorte ses maîtres, Bellini *(cf. p. 22)* et Giorgione *(cf. p. 115)*.

Bacchus et Ariane n'est pas une œuvre des dernières années légendaires de Titien, qui n'avait qu'une quarantaine d'années lorsqu'il l'a peinte. Elle faisait partie d'une série de toiles destinées au château de Ferrare, très précisément au *studiolo (cf. p. 93)* d'Alphonse d'Este. Celui-ci désirait créer une galerie de tableaux semblable aux galeries antiques décrites dans un texte grec de la fin de l'Antiquité. Il espérait obtenir des meilleurs artistes de l'Italie des tableaux dignes de tenir compagnie au *Festin des dieux* de Giovanni Bellini (1514). Le Florentin Fra Bartolomeo et Raphaël *(cf. p. 86)* n'ayant pas eu le temps avant leur décès de dépasser le stade du dessin, Alphonse d'Este s'était adressé à Titien. Les toiles exécutées pour sa galerie sont actuellement conservées à Madrid, au Prado.

L'histoire de Bacchus et d'Ariane, jusqu'alors peu représentée, avait inspiré les poètes latins Ovide et Catulle. Le commanditaire a probablement fait parvenir à Titien, en même temps que les toiles et les cadres, des extraits traduits de leurs œuvres. Jamais texte ni mythe païen n'ont été mis en scène de manière aussi tapageuse, ni avec un tel déploiement de pigments rares et précieux – qui n'étaient du reste disponibles qu'à Venise. Après avoir aidé Thésée à vaincre le Minotaure, Ariane quitte la Crête avec lui. À Naxos, Thésée l'abandonne cependant sur le rivage. On voit ici son navire s'éloigner sur la gauche. « Sur tout le rivage, retentirent ensuite à un rythme endiablé cymbales et tambours » : ils annonçaient l'arrivée, dans un char tiré par des guépards, de Bacchus et de sa suite déchaînée composée de ménades, de satyres – dont l'un, « ceint de serpents contorsionnés », et de Silène ivre, accroché à son âne. Voix, couleur, et Thésée, tout avait quitté Ariane, terrorisée au moment où le dieu saute de son chariot pour l'emporter et en faire son épouse. Elle deviendra la constellation représentée ici au-dessus d'elle. Bacchus et Ariane, qui se détachent sur un fond outremer, sont animés d'un même élan, auquel fait écho le mouvement des cymbales tenues par la ménade à la tunique orange, qui semble être le pendant d'Ariane. Le petit chien de Titien aboie : il est excité par la présence du faune qui, du jasmin dans les cheveux, se pavane tout en tirant une tête de veau auprès d'une fleur de câpre symbolisant l'amour.

Titien   actif 1506 env.-1576

Noli me tangere

1510–1515 ? Huile sur toile, 109 x 91 cm

Le titre latin (littéralement « Ne me touche pas ») fait référence à la première apparition
miraculeuse du Christ après sa mort, lorsque celui-ci révèle son identité à Marie-
Madeleine. Trouvant le tombeau vide, celle-ci le prend tout d'abord pour un jardinier et
l'implore de lui dire où il a transféré le corps du Christ. Dès qu'il l'appelle par son nom,
elle le reconnaît. Penchée sur son vase à parfums, la main tendue vers lui, elle lui dit
alors : « Maître ». Mais, reculant, il répond : « Ne me touche pas ! car je ne suis pas encore
monté vers mon Père » (Jn XX, 17). Ce thème était rarement représenté dans l'art
vénitien de l'époque ; mais le Titien a transformé en un épisode narratif une image de
dévotion consacrée à une sainte pénitente très populaire *(cf. p. 149)*. La cohérence
inhabituelle du groupe constitué par deux figures unies par un mouvement continu

dénote peut-être une influence florentine. Un artiste toscan aurait cependant mis au point la composition entière en exécutant des dessins préparatoires tandis que le Titien, suivant en cela l'exemple de Giorgione *(cf. p. 115)*, a travaillé directement sur la toile, comme l'indique l'observation aux rayons X *(fig. 5)* – et même à l'œil nu, car la peinture est devenue translucide en surface. À l'origine, l'arrière-plan comportait au centre un arbre beaucoup plus petit, incliné en sens inverse, dont le feuillage a été modifié pour former une partie du nuage central ; la corniche et les bâtiments se situaient quant à eux sur la gauche. L'arbre définit, dans sa position actuelle, un espace intermédiaire entre le premier et le lointain arrière-plan : il sert, pour reprendre la merveilleuse formule de l'Arétin *(cf. p. 158)* à « repousser l'air ». Mais il prolonge en outre le profil de Marie-Madeleine – que Titien a aussi modifié – et s'oppose à la courbure exagérée du dos du Christ. Cette courbure trouve, quant à elle, un prolongement dans le corps de ferme représenté à droite.

À la même date, aucun peintre florentin n'aurait été capable d'intégrer ainsi deux grandes figures dans un paysage. Celui-ci devient en conséquence bien plus qu'un simple arrière-plan. L'ombre bleue, sur le suaire du Christ, fait descendre le ciel sur terre, et l'herbe qu'il foule de ses pieds transpercés fait écho au feuillage vert délimitant les champs et les prairies (l'effet s'est atténué avec le temps, car les résinates de cuivre ont viré au brun par oxydation). La même lumière brille sur les cheveux de Marie-Madeleine, réchauffe les troupeaux représentés au loin et décolore les toits de chaume ; la même brise vient jouer avec la manche de Marie-Madeleine et les nuages. Notre regard est conduit au loin, non par des lignes de fuite, mais par des bandes, des triangles et des losanges de couleur, alternativement clairs et sombres, qui, disposés de haut en bas sur toute la toile, suggèrent l'éloignement ; seul le rouge cramoisi de la robe vénitienne – couleur qui n'apparaît nulle part ailleurs dans le tableau – isole Marie-Madeleine au premier plan. La technique de Titien, qui consiste à ajuster et réajuster simultanément le trait, la forme et la couleur, a conduit à une fusion constante entre miracle chrétien et poésie pastorale.

Fig. 5 Noli me tangere *de Titien. Radiographie aux rayons X faisant apparaître les changement dans la peinture*

Titien

Portrait d'homme

Vers 1512. Huile sur toile, 81 × 66 cm

Dans *Noli me tangere*, examiné page précédente, Titien avait adopté la technique, les couleurs, l'atmosphère poétique et le type de paysage propres à Giorgione *(cf. p. 115)*, bien qu'il fût un peintre d'un genre très différent, ce qui apparut du reste après la mort de Giorgione, survenue en 1510. Là où celui-ci est évasif et nostalgique, Titien se montre direct. Nous avons déjà fait allusion aux autoportraits actuellement connus de Titien, qui tous montrent un peintre célèbre, au soir de sa vie *(cf. p. 158)*. On a suggéré de manière pertinente que le modèle à l'allure assurée de ce portrait, dont l'identification au poète l'Arioste est erronée, pourrait être le jeune Titien proclamant ses convictions et ses aspirations artistiques.

La réputation internationale de Titien était en grande partie fondée sur son art du portrait. Aucun artiste avant lui n'avait mis en valeur ses modèles de manière aussi subtile : leur noblesse semble native, leur raffinement et leur intelligence innés – sans qu'on puisse relever aucun artifice flagrant. Dans cette œuvre de jeunesse, cependant, tout son art réside dans la manche. Titien a fait fi de la convention vénitienne selon laquelle un parapet devait servir à définir la surface plane d'un tableau et le modèle se tenir derrière : le coude de Titien, et donc sa manche bleue, déborde du parapet en pierre, faisant irruption hors de la toile, vers nous. D'objet passif soumis à notre regard, tel le doge Loredan de Bellini *(cf. p. 22)*, le modèle est devenu un sujet actif. Dans le tableau d'Andrea del Sarto *(cf. p. 148)*, nous avions l'impression d'avoir dérangé en pleine lecture le jeune homme représenté. Ici, le modèle de Titien, qui semble avoir détourné son attention des sujets qui l'absorbaient, nous regarde de haut. Le rendu du satin matelassé fait illusion aussi bien que chez n'importe quel artiste flamand, mais grâce à des moyens différents. Le monogramme de l'artiste, TV, semble gravé dans la pierre du parapet. En levant les yeux, nous découvrons cependant la douceur vénitienne qui enveloppe la barbe et la peau du modèle, même si la silhouette, simple pyramide qui se détache sur le gris vibrant du fond, demeure ferme.

La pose, en dépit de l'interprétation qui vient d'en être faite, est tout à fait compatible avec l'hypothèse d'un autoportrait : on peut imaginer que l'artiste s'est détourné de son chevalet pour se regarder dans un miroir situé à sa droite, la distorsion provoquée par le miroir convexe – le seul type de miroir existant à cette époque – expliquant la position quelque peu hautaine du visage. Il est donc tout à fait compréhensible que, même après que le portrait fut identifié comme étant celui de l'Arioste, plus d'un artiste ait adopté cette formule pour son autoportrait. Ce fut notamment le cas de Rembrandt *(cf. p. 230)* qui avait vu ce tableau ou une copie à Amsterdam, mais peut-être aussi de Van Dyck *(cf. p. 193)*, qui pourrait avoir acheté l'œuvre vue par Rembrandt.

Titien   actif 1506 env.-1576

La Famille Vendramin

1543-1547. Huile sur toile, 206 × 301 cm

Ce gigantesque portrait de groupe réunit les membres de sexe masculin de la famille Vendramin (qui comprenait en outre six filles). Cette œuvre, la plus remarquable que Titien ait exécutée pour des commanditaires vénitiens entre 1545 et 1550, est plus qu'un simple hommage rendu à la dynastie Vendramin. C'est en effet un tableau d'histoire, rappelant un épisode dramatique relatif au culte que la *casa* Vendramin vouait à une sainte relique, à laquelle elle demande ici de lui perpétuer sa protection. En 1369, un fragment de la Vraie Croix, destiné à la Scuola de Saint-Jean l'Évangéliste à Venise, fut remis au supérieur de l'établissement, Andrea Vendramin. Logée dans un reliquaire en or et cristal de roche, en forme de croix – encore conservé à la Scuola et représenté ici sur un autel en plein air –, la relique tomba dans le canal au moment de la remise. Elle demeura cependant miraculeusement suspendue au-dessus de l'eau jusqu'à ce qu'Andrea Vendramin reçût le privilège de sauter dans l'eau pour la récupérer (Gentile Bellini a représenté l'épisode dans un tableau actuellement conservé à l'Accademia del'Arte de Venise).

Vêtu de la robe cramoisie des sénateurs vénitiens, l'homme de la famille Vendramin qui répondait au XVIe siècle au nom d'Andrea, se tient debout sur les marches de l'autel : il vénère la Croix et montre ses sept fils. Son frère Gabriele, éminent collectionneur d'œuvres d'art, est agenouillé près de l'autel. Le barbu représenté à gauche est le fils aîné d'Andrea, Leonardo, de cinq ans plus âgé que son cadet. La tête qui transparaît dans le bleu du ciel, derrière son épaule, montre – tout comme la jambe droite du père,

La Famille Vendramin

qui apparaît sous la robe de velours – que Titien a modifié la composition à même la toile. Photographies infrarouges et radiographies aux rayons X ont permis de déceler d'autres sous-couches de peinture et d'autres repentirs.

Suivant peut-être en cela l'exemple de deux peintres de la génération suivante, Andrea Schiavone et le Tintoret *(cf. p. 155)*, Titien avait à cette date adopté une touche beaucoup plus libre et plus variée : pour le reliquaire et les bougies dont la flamme vacille au vent, il a procédé par larges touches isolées, appliquées avec un pinceau chargé ; il a en outre parsemé de rehauts de blanc les robes de velours. Mais les effets recherchés sont toujours liés à un objectif descriptif précis : ainsi la texture de la fourrure de lynx, des oreilles soyeuses du chien, des chevelures et des barbes sont-elles chacune bien distinguées.

La composition répond brillamment aux multiples objectifs de la commande. Les marches et l'autel fournissent un cadre structuré qui permet cependant une certaine souplesse de composition : agenouillée, assise, debout, ou encore inclinée, chaque figure apparaît dans une attitude différente, comme si chacune réagissait individuellement au même événement. Portant des collants rouges, le plus jeune des fils, qui berce son chien au regard vif, tourne vers son frère un regard d'enfant interrogateur.

Le tableau est resté dans la famille Vendramin au moins jusqu'en 1636. Il a ensuite été acheté par le grand admirateur de Titien, Van Dyck *(cf. p. 193)*, qui a appliqué dans *Le Comte de Pembroke et sa famille* (Wilton House) quelques-unes des nombreuses leçons qu'il en a tirées. En revanche, Van Dyck, en peignant une grande famille britannique du XVIIe siècle, n'a pas omis les femmes, dont l'absence est aussi manifeste dans ce portrait par Titien d'une dynastie vénitienne en acte de dévotion.

Paul Véronèse   1528 ?-1588

La Famille de Darius devant Alexandre

1565-1570. Huile sur toile, 236 × 475 cm

À la mort de Titien, Tintoret *(cf. p. 155)* et Paolo Caliari – surnommé Véronèse, parce qu'originaire de Vérone – sont devenus les deux plus illustres peintres de Venise. Par certains côtés, ces deux artistes sont plus « vénitiens » que Titien, car ils ont fourni davantage d'œuvres aux églises, palais, villas, aux couvents et aux confréries de la ville et de ses possessions sur la terre ferme. Cependant, ce sont surtout les vastes décors de Véronèse, qui, profanes ou religieux, peints sur toile ou à fresque, ont imposé à l'imaginaire européen la personnification de Venise sous les traits d'une magnifique blonde, scintillante de perles et autres ornements précieux, et la vie de la cité des Doges comme d'une succession de spectacles majestueux se déployant sur fond de marbre blanc et de ciel bleu. L'art grisant de Tiepolo *(cf. p. 323)* s'inspire de Véronèse. De manière plus inattendue, celui-ci a aussi influencé des peintres du XIXᵉ siècle, entre autres Delacroix *(cf. p. 275)*, qui cherchait le secret de la luminosité que possèdent les couleurs à la lumière du jour.

Comme nous le voyons dans cette splendide peinture d'histoire, Véronèse juxtapose dans les parties ombrées des teintes saturées – rouges et verts chauds, orange, or, brun, bleu-gris et violet – qu'il dilue pour les rehauts. Inversant les conventions, il utilise même du rouge vif dans une zone ombrée, « derrière » une figure plus sombre (cf. le petit page agenouillé près du centre de la composition). Le col blanc en hermine de la femme et, dans une moindre mesure, les rehauts de sa manche, servent à repousser le costume rouge du page. Ainsi les peintures de Véronèse donnent-elles l'impression, sans que le modelé ou l'éloignement spatial en pâtissent, de refléter, même dans l'ombre, la lumière du soleil.

Les vêtements des protagonistes, dans cet épisode emprunté à l'Antiquité et peint pour un palais de la famille Pisani, sont un mélange d'habits contemporains et de costumes sophistiqués : le col en hermine et la cape dont sont revêtues les épouses des doges vénitiens, l'armure moderne et la tenue de campagne militaire romaine digne d'un opéra sont autant d'anachronismes qui ont fini par être associés à la Venise de

Véronèse, tout comme les cols « Van Dyck » restent une élégance typique de la cour de Charles Ier *(cf. p. 193)*. L'épisode illustre essentiellement la mansuétude d'Alexandre le Grand. Ayant vaincu le roi perse Darius à Issos, Alexandre épargne la mère, l'épouse et les enfants de son adversaire. Il leur fait savoir que Darius est vivant et que leurs royales personnes seront respectées. Le lendemain matin, il leur rend visite en compagnie d'Héphestion, son général et ami le plus cher. Lorsqu'ils font leur entrée dans le pavillon royal, la reine mère se prosterne devant Héphestion, pensant qu'il s'agit d'Alexandre, car il lui semble le plus grand des deux. Héphestion recule, un domestique indique à la reine mère son erreur, mais Alexandre, courtois, tente de mettre fin à son embarras par ces mots : « Ce n'est pas une erreur, lui aussi est un Alexandre. » Les gestes de la reine mère et du courtisan en direction de la belle épouse de Darius font peut-être référence à un thème secondaire, la continence remarquée d'Alexandre, qui s'abstint de réclamer la reine perse comme concubine.

Cette gigantesque toile devait certainement être accrochée en hauteur, car Véronèse a placé les figures – dont certaines sont sans aucun doute des portraits de famille – tout au bord du tableau ; situées sur une terrasse, elles forment trois groupes devant une colonnade peinte en une fine couche de peinture (l'arrière-plan architectural a été modifié en cours d'exécution). La grande éloquence de ce tableau nous fait partager la confusion de la reine mère. Est-ce Alexandre qui, en rouge, indique de la main Héphestion au moment où il rassure la reine ? Ou Véronèse a-t-il substitué la magnificence à la taille, auquel cas Alexandre serait le général lassé par la bataille et vêtu d'une cape en or, qui confirme sa propre identité *(cf. détail p. 13)* ?

Paul Véronèse   1528 ?-1588

Allégorie de l'Amour, II (Le Désenchantement)

Milieu des années 1570. Huile sur toile, 187 × 188 cm

Cette toile fait partie d'une série, composée de quatre œuvres et représentant selon toute évidence divers aspects de l'amour, ou peut-être différentes phases de l'amour, l'apogée étant l'union heureuse. Ces toiles étaient visiblement destinées à orner les compartiments d'un plafond *(cf. aussi p. 323)*, peut-être celui d'une chambre nuptiale. À Venise, Véronèse a aussi utilisé ce type de perspective oblique dans ses décors de plafonds : l'angle adopté pour les raccourcis suppose un point d'observation oblique situé sous la toile, propre à éviter l'extrême distorsion qui serait nécessaire pour peindre des figures placées directement au-dessus de la tête du spectateur. Des documents indiquent qu'en 1637 les quatre allégories, actuellement à la National Gallery, faisaient partie de la collection pragoise de l'empereur Rodolphe II, grand mécène de l'époque *(cf. p. 154)*, qui les avait du reste probablement commandées.

L'aspect des quatre peintures a beaucoup souffert de la décoloration du smalt : utilisé pour peindre le ciel, ce pigment relativement bon marché, obtenu à partir de verre pulvérisé et coloré avec de l'oxyde de cobalt, bleu d'azur à l'origine, a tourné au gris clair. Sous l'effet du temps, quelques-uns des résinates de cuivre verts composant le feuillage ont viré au brun par oxydation. À bien des égards cette toile est cependant la

mieux conservée des quatre, et celle où la main de Véronèse, par opposition à celle des assistants de son atelier, est la plus présente.

Comme il se doit pour une allégorie, le sens de la scène doit être déchiffré. Allongé sur un rebord en ruine – peut-être un autel –, un homme presque nu se tord de douleur aux pieds d'une statue tenant contre sa cuisse une flûte de Pan. Le torse en marbre situé à gauche de la statue a les traits caprins d'un satyre. L'édifice, qui s'écroule, est un temple dédié aux divinités païennes de la sexualité débridée *(cf. aussi pp. 159 et 225)*. Cupidon frappe impitoyablement l'homme de son arc ; il est observé par deux femmes, une beauté aux seins nus vêtue d'une robe à rayures argentées et d'un drapé rose et jaune, accompagnée d'une duègne. Celle-ci tient enveloppée dans son manteau vert une petite bête blanche, une hermine : cet animal, symbole de chasteté, était censé préférer la mort à l'impureté. La signification générale de l'œuvre semble donc claire. L'homme a été saisi de désir pour une femme sensuelle mais chaste, et il en est puni. Mais cette élucidation somme toute banale ne saurait rendre justice à cette scène imaginée avec force et esprit par Véronèse : tandis que, grassouillet et féroce, Cupidon chevauche son infortunée victime, la femme fatale, méprisante, écarte sa jupe.

AILE NORD

La peinture de 1600 à 1700

Le visiteur qui passe de la salle Wohl (salle 9) à l'aile Nord et s'attend tout naturellement à y voir des tableaux du XVIIe siècle, est peut-être surpris de trouver, dans la petite salle octogonale (salle 15), une scène côtière et une vue portuaire de Turner, peintre anglais du XIXe siècle. Cette anomalie s'explique par l'une des clauses dont cet artiste a assorti sa donation à la National Gallery de *Soleil levant dans la brume* et de *La Fondation de Carthage par Didon* : ces œuvres doivent être exposées entre deux tableaux de Claude Lorrain, *La Reine de Saba s'embarquant pour se rendre chez Salomon* et le *Mariage d'Isaac et Rebecca. La Fondation de Cathage* de Turner a été considérée comme l'une de ses imitations les plus ambitieuses de Claude Lorrain. Mais en stipulant que leurs œuvres soient exposées côte à côte, Turner n'a pas seulement reconnu sa dette envers son grand prédécesseur ou cherché à se mesurer à lui : il a fait valoir que la peinture de paysage était née en tant qu'art majeur au XVIIe siècle.

Très appréciée des collectionneurs anglais, la peinture de paysage occupe aujourd'hui une place importante dans l'aile Nord, et donne une bonne idée de la grande variété de ce genre et aussi de son prodigieux développement au nord comme au sud des Alpes. À cette époque, en effet, un paysage peint peut revêtir diverses formes : relevé topographique d'un lieu réel, construction imaginaire, paysage régional ou exotique, paisible ou tourmenté, hivernal ou estival, se suffisant à lui-même ou servant de cadre à un récit. La représentation d'un paysage, quel qu'il soit, pose cependant certains problèmes : comment suggérer la profondeur et rendre les effets de la lumière extérieure ? Tout spectateur s'intéressant à la peinture ou à la photographie de paysages devrait étudier les solutions adoptées par les paysagistes du XVIIe siècle : utilisation de figures humaines pour indiquer l'échelle ; d'édifices élevés ou d'arbres au premier plan dont le déploiement vertical permet de « repousser » l'arrière-plan et le ciel ; variation de la hauteur de la ligne d'horizon et déplacement du point de fuite en fonction du point de vue que l'artiste désire offrir au spectateur.

Tout comme les dimensions et le format des paysages peints, la taille des tableaux narratifs variait selon le contenu, la fonction et la destination finale de l'œuvre. (On ne se rend compte du format d'une œuvre qu'en présence de l'original ; cependant, les dimensions indiquées sous chaque reproduction peuvent aider à s'en faire une idée.) Au XVIIe siècle, la dimension des œuvres prit une signification particulière. Au Moyen Âge et à la Renaissance, les théoriciens de l'art italiens et italianisants privilégiaient les œuvres de grand format (même si leurs différentes composantes – tels les panneaux de prédelles – étaient en soi petites). Les peintures murales, les retables, les portraits grandeur nature, parce que destinés à des édifices publics et à des palais princiers, étaient visibles – au moins en théorie – par l'ensemble de la communauté. Ces œuvres servaient de ce fait à forger ou à propager des valeurs communautaires, ou encore à transmettre les valeurs d'une classe dirigeante. Le peintre d'œuvres de grandes dimensions pouvait donc influencer ses concitoyens autant qu'un législateur, un orateur ou un prédicateur. Le peintre de petits tableaux destinés à des particuliers pouvait en revanche donner l'impression – même s'il s'agissait d'images de dévotion –

de satisfaire, tel un orfèvre ou un ébéniste, le goût de luxe d'un individu. C'était cette destination finale qui différenciait ce que nous pourrions appeler aujourd'hui les beaux-arts des arts décoratifs. La plupart des peintres de la Renaissance italienne travaillaient aussi bien dans la sphère publique que dans la spère privée, mais leur droit au statut d'artiste avait tendance à dépendre de leur capacité à créer ou à exécuter des commandes monumentales. Bien que ces idées se soient développées plus lentement en Europe du Nord, elles exercèrent une influence sur les artistes et les mécènes ayant connaissance de l'art italien et de ses théories artistiques.

La stratification croissante de la société urbaine, l'essor des collections privées, l'importation de petits tableaux nordiques et l'arrivée d'artistes septentrionaux en Italie, contribuèrent à modifier l'attitude du public italien, de même que l'importance grandissante accordée par les catholiques, en cette période de Réforme et Contre-Réforme, à la piété personnelle. À la fin du XVIIᵉ siècle, certains artistes – comme le Florentin Carlo Dolci – étaient très appréciés des cercles aristocratiques pour leurs ravissantes petites œuvres religieuses destinées à la dévotion privée. Cependant, le Flamand Rubens – qui avait travaillé pendant huit ans en Italie – contestait l'étiquette restrictive de « nordique », insistant sur sa capacité à peindre sur une grande échelle. Luca Giordano, qui peignait aussi à fresque des murs et des plafonds, exécuta quant à lui de gigantesques tableaux de chevalet à thèmes mythologiques ou bibliques pour des palais privés. Tout au long du siècle, d'autres artistes italiens et italianisants restèrent attachés à l'échelle imposante associée à l'art public, et ce, même dans des œuvres de format modeste exécutées pour des collectionneurs privés. Ainsi le Caravage, Guido Reni, le Guerchin, Rembrandt, Ter Brugghen et d'autres peignirent des scènes narratives à caractère monumental en adoptant le gros-plan, c'est-à-dire en représentant à mi-corps des personnages grandeur nature. Mais la notion de peinture d'histoire fut amenée à être redéfinie de manière à inclure les tableaux de chevalet des particuliers comportant des figures en pied plus petites que nature, et ce en grande partie grâce aux efforts de Nicolas Poussin – peintre français quasi autodidacte, dont les peintures murales et les retables se heurtaient aux critères italiens. Au cours de sa période de maturité, Poussin travailla essentiellement pour des mécènes résidant en France, où ses œuvres contribuèrent à définir l'art académique. Mais elles marquèrent aussi de leur empreinte quelques peintres italiens, tel Cavallino, dont une des rares œuvres est exposée salle 32.

Les portraits officiels de dirigeants, d'ecclésiastiques ou de nobles – d'imposants « portraits d'État » à caractère international qui prirent une importance grandissante tout au long du siècle –, étaient, comme c'est encore presque toujours le cas, au moins grandeur nature. L'aile Nord en abrite quelques exemples exceptionnels venus de toute l'Europe, dus à Van Dyck, Vélasquez, Rembrandt et bien d'autres. Malgré la fascination qu'ils exercent sur nous, malgré les idéaux et les solutions formelles qu'ils ont en commun, ils nous conduisent paradoxalement à prendre conscience d'un autre phénomène propre au XVIIᵉ siècle : l'émergence, dans la peinture, de nouvelles écoles nationales. Sans minimiser la vitalité constante de l'art italien ni les réalisations des grands peintres flamands ou francophones installés en France et en Italie, on peut honnêtement dire que les écoles espagnoles et flamandes ont été les plus novatrices et les plus marquantes du XVIIᵉ siècle.

La peinture d'avant 1600 en Espagne est presque exclusivement représentée à la National Gallery par les quelques tableaux du Greco exposées dans l'aile Ouest, et le beau saint Michel de Bermejo acquis en 1995 et exposé dans l'aile Sainsbury. Si ces œuvres ne donnent pas une idée exhaustive des richesses artistiques de la péninsule Ibérique à cette époque, elles suggèrent justement que l'essor de la peinture [des artistes d'origine] espagnole commence seulement avec son « âge d'or », soit après 1600. Influencé par les gravures néerlandaises mais aussi par la peinture italienne, en particulier par les œuvres de Titien des collections royales espagnoles, Vélasquez, qui bénéficiait de la protection d'un monarque passionné d'art, est sans doute le peintre le plus original et le plus émouvant de l'époque. De superbes exemples sont exposés ici, illustrant la diversité de son œuvre – y compris *La Toilette de Vénus*, seul nu féminin de lui qui subsiste actuellement. Les peintures de Murillo et de Zurbarán, destinées pour la plupart aux nombreux ordres religieux d'Espagne et de ses possessions du Nouveau Monde, sont presque aussi saisissantes.

Des antagonismes religieux précipitèrent la dislocation de l'empire Espagnol aux Pays-Bas. Catholiques, les Pays-Bas méridionaux demeurèrent sous domination espagnole. Dans le nord des Pays-Bas, la constitution d'un État hollandais – une nation pluraliste d'obédience calviniste – mit quasiment fin au mécénat de l'Église dans l'ensemble de ses provinces et entraîna une totale redistribution de la production artistique. Les genres picturaux traditionnels se spécialisèrent et d'autres firent leur apparition : ainsi pouvait-on voir des marines et des paysages locaux célébrant l'identité nationale et les conquêtes emportées de haute lutte par la nouvelle nation ; des paysages citadins et des vues architecturales d'églises blanchies à la chaux pour les besoins du culte protestant ; des scènes de genre moralisatrices ; des natures mortes associant *satisfecit* et admonestation ; des scènes représentant des soldats hollandais à l'intérieur d'une caserne. Dans cette société, qui se considérait comme le Peuple Élu de Dieu et qui encourageait l'alphabétisation de manière à ce que tout le monde pût lire la parole de Dieu, même les récits les plus obscurs de l'Ancien Testament devinrent populaires, ce qui ne pouvait être le cas dans les États catholiques, où on dissuadait les laïques de lire la Bible. Quant au portrait, il y était aussi important qu'ailleurs, mais remplissait des fonctions différentes, essentiellement familiales ou collectives.

Presque tous ces genres, à l'exception des portraits de groupe de milices et d'autres corps institutionnels, sont représentés dans l'aile Nord, qui comprend aussi des œuvres de peintres hollandais italianisants provenant du bastion catholique d'Utrecht. Surtout, l'aile abrite une vingtaine de peintures de Rembrandt, qui, bien que Hollandais, se fit l'héritier des aspects les plus universels de la tradition européenne. De ce maître, la National Gallery possède en effet un ensemble de scènes de la vie du Christ, de petits tableaux émouvants ; *La Femme se baignant dans un ruisseau*, tendrement érotique ; *Le Festin de Balthazar*, grandiose ; mais aussi des portraits exécutés sur commande ainsi que des autoportraits de l'artiste en jeune fanfaron et en vieil homme plein de désillusions.

Hendrick Avercamp   1585-1634

Scène sur la glace près d'une ville

Vers 1615. Huile sur chêne, 58 × 90 cm

Avercamp, surnommé « le sourd-muet de Kampen » en raison de son handicap, passera presque toute sa vie dans ce petit village de province situé sur le Zuiderzee, où son père s'établit comme apothicaire. Il y exécute de nombreux dessins colorés des habitants s'adonnant à des jeux d'hiver, des pêcheurs et des paysans, dessins qui alimenteront les anecdotes animant ses tableaux. Les scènes hivernales dans lesquelles il finit par se spécialiser sont si vivantes qu'on les croirait exécutées en plein air ; mais comme toutes les œuvres minutieusement achevées de l'époque, elles ont été réalisées en atelier.

Les premiers paysages hivernaux furent peints par des miniaturistes bourguignons du XVᵉ siècle dont la représentation des « travaux des mois » dans les calendriers voulait montrer l'activité humaine en harmonie avec le cycle de la nature. Le thème fut repris par l'artiste flamand Pieter Bruegel *(cf. p. 106)* et ses disciples dans des tableaux de chevalet et des gravures. Les premières œuvres d'Avercamp, telles que le tableau circulaire *Scène hivernale avec patineurs près d'un château*, également à la National Gallery, s'inspirent directement de ces modèles flamands. Dans le panneau ici présenté, plus tardif, l'artiste a abaissé la ligne d'horizon et simplifié la composition. Malgré son réalisme apparent, l'œuvre ne représente probablement pas un lieu réel.

Comme la plupart des paysages hollandais de petite dimension, les œuvres d'Avercamp n'étaient pas peintes sur commande mais destinées à être vendues sur le marché de l'art. Elles devaient avoir aux yeux de leurs premiers acquéreurs – probablement des citadins aux moyens modestes – une signification particulière : les paysages leur rappelaient sans doute le plaisir des sorties à la campagne, mais aussi que les paysages des Pays-Bas appartenaient désormais à leurs habitants d'une nouvelle manière. Sous le drapeau orange, blanc et bleu des Provinces-Unies (confédération réunissant les sept provinces du nord des Pays-Bas s'étant soustraites à l'autorité de l'Espagne, et dont l'indépendance était devenue effective depuis la Trêve de 1609), cet échantillon présente toute la société batave, unie, occupée à ses loisirs. (Le drapeau est visible au loin, juste sous la ligne d'horizon et à gauche de la flèche de l'église.) Le vieil homme isolé, assis sur la droite, fait songer à la personnification de l'hiver dans les tableaux allégoriques consacrés aux saisons, et le crâne de cheval ou de vache représenté au premier plan pourrait signifier la fin des plaisirs terrestres, mais ce ne sont là que des détails accessoires. Savourant paisiblement la liberté conquise et les fruits de leur activité tant sur la terre ferme qu'en mer – les navires de pêche sont immobilisés par la glace –, jeunes et vieux, hommes, femmes et enfants, paysans, nobles et pêcheurs, tous soigneusement différenciés par leur tenue vestimentaire et leur maintien, patinent ou font de la luge. Au loin, plusieurs groupes d'hommes jouent au *kolf*, l'ancêtre hollandais de notre golf. Intentionnellement ou non, Avercamp semble avoir basé sa palette sur les couleurs du drapeau hollandais – n'y ajoutant que du noir –, car il a déployé dans toute l'œuvre diverses intensités de rouge orangé, de blanc et de bleu, qui s'atténuent dans le loin et teintent délicatement le ciel d'hiver.

Nicolaes Berchem   1620-1683

Paysans, quatre bœufs et une chèvre à gué, près d'un aqueduc en ruine

1655-1660 ? Huile sur chêne, 47 × 39 cm

Fils d'un peintre de natures mortes, Berchem appartient à la deuxième génération des paysagistes hollandais dits italianisants. Bien qu'ayant probablement séjourné en Italie, il a surtout été influencé par ses aînés, notamment par Jan Both, également représenté à la National Gallery. De ce fait, il doit indirectement beaucoup à Claude Lorrain *(cf. p. 184)*.

Poétiques et pleines d'imagination, les œuvres des artistes hollandais italianisants ont à l'époque beaucoup de succès, comme ce sera encore le cas auprès des collectionneurs du XVIIIe et du début du XIXe siècle. Elles tomberont ensuite en disgrâce jusque dans les années 1950. Aujourd'hui encore, nombreux sont les visiteurs qui ne leur accordent guère d'attention. Qu'elles représentent un paysage hollandais sous un ciel italien ou, comme c'est le cas ici, un paysage italianisant vu par un Hollandais, elles ont pour thème la nostalgie du Sud chez les Nordiques.

Ce petit panneau de Berchem est un bel exemple du genre. Le format vertical, inhabituel pour un paysage, a de toute évidence été choisi pour souligner la hauteur des ruines antiques, dans lesquelles plantes grimpantes et jeunes arbustes se sont enracinés. La ligne d'horizon – et en conséquence notre point d'observation – se situe relativement bas, si bien que nous sommes amenés à lever les yeux vers la seule arche de l'aqueduc restée debout, et vers le ciel merveilleusement lumineux, qui occupe la majeure partie de l'espace pictural. La scène est éclairée par derrière, à contre-jour, comme dans les paysages de Claude Lorrain. L'espace qu'occupe le spectateur ne comporte aucune source lumineuse qui, susceptible d'éclairer le premier plan, viendrait perturber l'unité de la scène. Pour s'assurer, cependant, que les objets les plus proches de nous ressortent du reste du paysage, Berchem a placé une vache blanche.

Si les personnages qui conduisent le bétail à l'étable sont vêtus comme des paysans contemporains italiens bien plus qu'hollandais, les vaches laitières, qui constituaient une source importante de prospérité et de fierté aux Pays-Bas, flattaient particulièrement le regard des Hollandais.

L'atmosphère a été qualifiée de pastorale, mais nous n'avons pas affaire ici aux bergers et bergères imaginaires de la poésie pastorale ; c'est le rapprochement, sous un ciel méridional, de gardiens de troupeaux modernes et de ruines antiques qui donne à l'œuvre sa résonance poétique.

Gerard Ter Borch   1617-1681

Femme jouant du théorbe à deux hommes

Vers 1667-1668. Huile sur toile, 68 × 58 cm

De nombreux artistes représentés à la National Gallery ont su rendre l'aspect du satin et de la soie *(cf. par ex. p. 149)*, mais aucun n'égale en la matière le peintre hollandais Gerard Ter Borch. Après une formation auprès de son père – Gerard Ter Borch l'Ancien, qui avait passé sa jeunesse en Italie –, ce peintre précoce travailla à Amsterdam et à Haarlem avant de tenter successivement sa chance en Allemagne, en Italie, en Angleterre, en France puis en Espagne. En 1646, il se rendit à Münster, où il assista en 1648 à la ratification du traité par lequel l'Espagne reconnaissait l'indépendance des Provinces-Unies. C'est un événement qu'il immortalisa en exécutant une minuscule peinture sur cuivre, actuellement conservée à la National Gallery, aussi bien que des portraits en miniature des membres de la délégation. En 1654, il se maria et s'installa définitivement à Deventer.

Qu'il s'agisse de portraits miniatures en pied ou de scènes de la vie quotidienne – ou supposées telles –, les tableaux de Ter Borch se distinguent par un grand raffinement, aussi bien dans la technique picturale que dans l'analyse psychologique. C'est pourquoi on s'étonne que cet artiste se soit d'abord spécialisé dans la représentation de corps de garde, quand bien même il a traité avec la même réflexion et pondération ce thème tumultueux, comme en témoigne *Trompette attendant la dépêche que dicte un officier* (National Gallery). Ses tableaux les plus connus représentent cependant d'élégants intérieurs peuplés seulement de quelques figures, parmi lesquelles on note généralement la présence d'une jeune femme vêtue d'un ravissant satin pâle. Ici, elle est habillée d'un corsage couleur vieil ivoire bordé de fourrure, et d'une jupe blanche qui fait ressortir sa chevelure blonde. Un pied posé contre la chaufferette, elle joue du théorbe, une ancienne

Femme jouant du théorbe à deux hommes

forme de luth, accompagnant l'homme qui tient le livre de chants. L'homme au manteau a les yeux posés sur le livre ; l'épagneul semble, quant à lui, écouter. Dans le fond de la pièce on aperçoit un lit à baldaquin. Sous le tapis persan rouge qui recouvre la table, devant laquelle traîne une carte à jouer de mauvaise augure, l'as de pique.

L'homme et la femme qui chantent apparaissent dans d'autres peintures de l'artiste, tout comme la boîte en argent et le chandelier. On est ici en présence d'un naturalisme « sélectif » : cette scène, imaginaire, comporte des éléments exécutés d'après des dessins et des accessoires d'atelier. Dans les tableaux hollandais de ce genre, la musique sert habituellement à évoquer l'amour, les cartes à jouer peuvent signifier l'imprévoyance, et les chiens et chaufferettes, des désirs bas. Il serait cependant imprudent de percevoir ce tableau, tout en finesse et d'une douce tonalité, comme une scène du demi-monde. Nous ne saurons jamais quelles relations entretiennent entre eux ces trois figures ; leurs pensées et leurs sentiments, suggérés avec délicatesse, sont infiniment ambigus. L'intention de l'artiste était certainement d'évoquer des événements imparfaitement compris, troublants par leur caractère transitoire et leur mutabilité.

Hendrick Ter Brugghen 1588 ?-1629

Le Concert

Vers 1626. Huile sur toile, 99 × 117 cm

Dans les premières années du XVII⁽ᵉ⁾ siècle, un certain nombre de peintres originaires de la vieille ville catholique d'Utrecht se rendirent à Rome. Ils y découvrirent les splendeurs de l'Antiquité et de la seconde Renaissance, mais furent bien plus émus par l'œuvre récente du Caravage *(cf. p. 180)* et de ses disciples. Parmi ces artistes-pèlerins hollandais figurent Ter Brugghen et Van Honthorst *(cf. p. 206)* – deux élèves d'Abraham Bloemaert, peintre d'Utrecht spécialisé dans les récits héroïques. Après avoir été le premier à partir pour le Sud, Ter Brugghen sera le premier à retourner dans son pays en 1614. Au cours de sa brève carrière – la première œuvre datée connue à ce jour est de 1616 – il a surtout peint des sujets religieux et des images grandeur nature de musiciens et de buveurs représentés en demi-figures, isolément ou en groupe. Nombre de ces scènes explorent, comme dans le *Concert*, les effets de l'éclairage à la bougie. Ce thème, inspiré du Caravage et de la tradition locale néerlandaise, est devenu caractéristique des peintres d'Utrecht dits caravagesques, et a influencé à travers leur œuvre de nombreux autres artistes hollandais, parmi lesquels le jeune Rembrandt *(cf. p. 227)*. Peu d'entre eux l'ont cependant traité avec la fluidité et la délicatesse de Ter Brugghen.

Les concerts occupaient une grande place dans la vie familiale hollandaise, mais aussi, moins honnêtement, dans les tavernes et les maisons closes. Cette scène ne semble cependant pas représenter, sur un mode réaliste, un vrai concert de l'époque. Les yeux posés sur le livre de chant qu'éclaire la lampe à huile accrochée au mur, un jeune garçon chante et bat la mesure d'une main. La joueuse de luth et le flûtiste se sont détournés de lui vers le spectateur. Tandis que nous les regardons et les écoutons, nous nous sentons enveloppés par la chaude lumière diffusée par la bougie qui se consume. Ces personnages sont vêtus de manière étrange : la femme porte le costume des diseuses de bonne aventure du Caravage ; son compagnon est habillé comme l'un des jeunes fanfarons peints par le même artiste – ces serviteurs des grands de ce monde qui s'adonnent au jeu et à la boisson, courent le jupon et se battent dans les rues et sur les places de Rome. Le béret crénelé, cependant, s'inspire de gravures de soldats et d'élégants du siècle précédent, évoquant ainsi l'ancienne cour bourguignonne et l'âge d'or de la culture néerlandaise. Les deux musiciens jouent des instruments associés, en poésie, au théâtre, comme dans les arts plastiques, à un monde fictif de bergers et de bergères romantiques. Le tableau joue de l'ambiguïté de cette scène à mi-chemin entre réjouissances de taverne et idylle pastorale, baignée dans une lumière crémeuse qui souligne les lourdes rondeurs des vêtements et de la chair, et où, tout en jouant, d'un commun accord les instrumentistes tournent symétriquement la tête de profil.

Le tableau célèbre le pouvoir de la musique et la nuit. Ter Brugghen a utilisé l'étude des effets de la lumière artificielle – très subtilement distribuée entre l'arrière et l'avant-plan, et dont rend compte de manière extrêmement réaliste l'ombre projetée de la flûte sur la joue de l'homme. Ils évoquent un monde nocturne et enchanté qui n'est pas sans rappeler les comédies lyriques de Shakespeare, quasiment contemporaines, dont le peintre ne pouvait cependant avoir eu connaissance. Tandis que sir Tobie Belch et sir André Aguecheek boivent tard dans *La Nuit des rois*, Feste, le bouffon, chante une chanson d'amour dont la dernière ligne, « Jeunesse est un habit qu'on ne met pas longtemps » pourrait servir de légende au tableau.

Jan Van de Cappelle   1626-1679

Yacht hollandais tirant une salve tandis qu'une barge s'éloigne, avec de nombreux petits vaisseaux au mouillage

1650. Huile sur toile, 86 × 114 cm

En 1567, un voyageur italien en visite aux Pays-Bas fit cette observation : « La mer pourrait être considérée comme partie intégrante de ces Basses Contrées, et non comme une simple voisine. » En 1594, Hendrick Vroom, peintre de Haarlem, fut exempté du service militaire « en raison de son talent exceptionnel de peintre de marines ». Son biographe Van Mander explique que « la Hollande étant un pays où la navigation est capitale, les gens commencèrent à s'engouer pour ces tableaux de navires ».

Vroom a servi d'exemple à d'autres peintres, qui ont appris à représenter dans une même composition des voiliers naviguant sous une même brise ; à observer le vent et les conditions météorologiques ; et pour la première fois, à représenter correctement les nuages qui se réfléchissent dans l'eau et occupent toute la « voûte céleste » – une voûte qui se déroule de la ligne d'horizon jusqu'au-dessus de la tête du spectateur. Ainsi, le ciel ne sert pas uniquement de fond : il partage avec les navires et l'eau le premier plan et le plan intermédiaire.

Riche héritier des teintureries de son père à Amsterdam et collectionneur de peintures, de dessins et de gravures (il possédait quelque cinq cents dessins de Rembrandt), Jan Van de Cappelle fut considéré comme le plus grand maître de marines hollandais. Au cours de sa vie, il n'exécuta que deux cents tableaux environ, dont cent cinquante

approximativement étaient des vues d'estuaires ou de fleuves aux eaux invariablement calmes, effleurées tout au plus par une légère brise. La National Gallery possède de lui neuf tableaux. L'artiste était tenu pour autodidacte, mais on sait qu'il a copié des marines peintes par la génération précédente.

Comme tous les peintres de marines hollandais, Van de Cappelle représente minutieusement les navires. Ici, un voilier qui porte les couleurs des Pays-Bas et un blason à sa poupe tire une salve, tandis qu'un homme à bord fait retentir une trompette. On a émis l'hypothèse que l'homme aux cheveux gris debout à l'arrière du canot, au premier plan à droite, pourrait être Frédéric-Henri, prince d'Orange († 1647), et le jeune homme devant lui son fils, le prince Guillaume II de Nassau. Mais ces figures ne sont guère identifiables et il semble peu vraisemblable que Van de Cappelle ait placé le prince Frédéric-Henri, trois ans après sa mort, dans un tableau de ce genre, qui ne semble pas représenter un événement historique spécifique. Au premier plan à gauche figure un bac bondé, au pavillon jaune et blanc. Un cheval blanc se penche par-dessus bord comme pour boire.

Peut-être ce tableau n'a-t-il pour sujet que la fierté patriotique suscitée par la variété de la flotte hollandaise naviguant dans les eaux côtières. Mais la comparaison de cette peinture avec la vue fluviale aux tons frais de Salomon Van Ruysdael *(cf. p. 243)* révèle son véritable thème : la variation tonale à l'intérieur d'une unité chromatique. En effet, l'orange, le blanc et le bleu du drapeau hollandais – prenant comme sous l'effet d'un voile de brume des teintes fauve, blanc-gris et gris-bleu plus douces – s'étendent à toute la scène : aux embarcations, aux voiles et aux figures, aux nuages, au ciel et à l'eau, aux reflets lisses ou hachurés. Dans une brume lumineuse, navires et nuages glissent avec majesté à travers le tableau.

Le Caravage   1571-1610

La Cène à Emmaüs

1601. Huile sur toile, 141 × 196 cm

Aucun nom d'artiste illustre n'apparaît probablement aussi souvent dans les registres de la police que celui de Michelangelo Merisi, peintre originaire de Caravaggio en Lombardie, lequel fit la loi dans les rues de Rome une épée au côté, lança une assiette d'artichauts à la tête d'un serveur, se battit en duel, tua un homme, fuit Rome, insulta un supérieur après avoir rejoint les Chevaliers de Malte, s'évada de prison, fut défiguré par des sicaires, et mourut d'une fièvre maligne à Porto Ercole, tandis que le navire qui le ramenait à Rome pour qu'il reçût le pardon du pape, poursuivait sa route avec ses effets personnels à bord. Certains voyaient dans les tableaux sombres du Caravage le reflet de la vie qu'il menait. D'autres pensaient qu'avec ses saints ressemblant à de vulgaires hommes du peuple, il allait anéantir l'art. Les choses n'ont en réalité certainement pas été aussi simples.

Lorsque, à la recherche d'un emploi, le Caravage arriva pour la première fois à Rome, son style n'était ni aussi sombre, ni aussi brutal qu'il le deviendra. Il se spécialisa dans les natures mortes semblables à celle qui s'apprête ici à tomber sur les genoux du spectateur, mais aussi dans les scènes de tricheurs et les portraits de garçons censés représenter Éros, Bacchus, la Musique ou le Toucher (comme dans le *Jeune garçon mordu par un lézard*, également à la National Gallery). Ses couleurs sont claires et ses peintures religieuses, poétiques. Réussissant à trouver des mécènes parmi les grands princes de l'Église et de l'aristocratie, il eut l'occasion de peindre des retables et des scènes religieuses. S'était-il alors converti, bien qu'aucun document ne l'atteste ? Se tournait-il de nouveau vers l'art de Milan, ville où il s'était formé et où la manière « noire » de Léonard de Vinci *(cf. p. 54)* connaissait depuis peu un regain d'intérêt ? Où, enfin, un climat engendré par la Contre-Réforme et une nouvelle piété rendaient impérative la représentation, dans l'imagerie religieuse, de vêtements simples et d'attitudes empruntées à la vie quotidienne ? À partir de 1600 environ, le Caravage ne peindra en tout cas plus jamais de sujets profanes, à l'exception de quelques portraits. Peu après sa fuite de Rome, même les natures mortes disparaîtront de son œuvre.

Cette toile s'inscrit entre ses œuvres de jeunesse et sa production tardive (comme par exemple *Salomé recevant la tête de saint Jean-Baptiste*, accrochée à côté). Le sujet, le miracle de l'apparition du Christ aux disciples après la Résurrection, s'inspire de l'Évangile selon saint Luc (XXIV 13-31). Un pèlerin inconnu s'est joint à Cléophas et à son compagnon en route vers Emmaüs. Au moment où celui-là bénit et rompt le pain – comme au cours de la Cène – les deux compagnons reconnaissent en lui le Christ. Le Caravage, suivant l'exemple de Titien *(cf. p. 158)* et d'autres peintres vénitiens, montre le geste de la bénédiction. Son Christ est imberbe comme celui de Léonard de Vinci dans une œuvre disparue intitulée *Le Christ parmi les Docteurs (cf. la version de Luini à la National Gallery)* ou celui de Michel-Ange dans *Le Jugement dernier*. Le disciple de droite porte la coquille Saint-Jacques des pèlerins ; Cléophas a une manche déchirée. De la même manière que dans la *Cène* de Léonard, dont cette composition s'inspire, la lumière traverse la carafe et se pose sur la nappe, laquelle se reflète à son tour dans le plat en céramique. Le coude de Cléophas et le bras de l'autre disciple « crèvent » la surface de la toile, et nous nous sentons propulsés dans la scène, dont l'effet d'illusion est si total que nous en oublions l'artifice. Car dans la réalité, l'ombre de l'aubergiste, au lieu de rayonner autour du visage du Christ, le recouvrirait.

Annibal Carrache   1560-1609

Domine, quo vadis ?

1601-1602. Huile sur bois, 77 × 56 cm

En 1672, un biographe de l'artiste écrivit : « À l'époque où la peinture était un art voué à une mort prochaine... il plut à Dieu qu'en la ville de Bologne naquit un grand génie qui [le] fit renaître. Ce génie avait nom Annibal Carrache. » Annibal, le plus jeune élément de l'atelier familial installé à Bologne et comprenant son cousin Ludovic et son frère Augustin, fut une figure majeure de la peinture italienne. Mais sa « réforme » de l'art – tombé dans la répétition maniérée de formules michelangelesques – ne fut possible que grâce à une nouvelle disposition de l'opinion et à la situation de Bologne sur la carte artistique de l'Italie. Après le concile de Trente, les hauts dignitaires de l'Église réclamèrent un retour aux anciens idéaux de bienséance, de clarté et d'expression dans l'art religieux. Bologne, en tant que ville du nord, était à la fois tournée vers la Lombardie – héritière du réalisme et de l'art de Léonard de Vinci *(cf. p. 136 et 54)* –, vers Venise, où Véronèse était encore en activité *(cf. p. 165)*, et au nord, par-delà les Alpes, vers l'Allemagne et les Flandres ; enfin, elle regardait vers le centre de l'Italie. Les églises de la ville voisine de Parme abritaient en outre des fresques et des retables du Corrège *(cf. p. 108)*. Les Carrache, « fous de dessin » au point qu'ils prenaient leurs repas un crayon à la main, cherchèrent à tirer parti de toutes ces sources d'inspiration, et fondèrent une Académie au sein de laquelle on débattait de questions théoriques, mais aussi des mérites respectifs des artistes et des écoles artistiques.

Annibal, appelé à Rome par un puissant mécène, y demeura comme chef d'un atelier fort actif, et champion d'une faction ennemie de l'art du Caravage. L'antagonisme entre les deux peintres a été exagéré par la postérité, mais il est vrai que, contrairement au Caravage, Annibal Carrache tempérait son réalisme en s'inspirant de Raphaël *(cf. pp. 86 et 146)*. À cela s'ajoutait, comme cette œuvre en témoigne de manière saisissante, une réceptivité toute vénitienne au pouvoir expressif du paysage et de la lumière *(cf. aussi Elsheimer, p. 113)*.

Domine, quo vadis ?

Ce petit panneau fut commandé à Rome par le pape Clément VIII ou par son neveu, le cardinal Pietro Aldobrandini, en hommage à saint Pierre dont le prélat portait le nom. Selon la légende, saint Pierre fuit Rome au moment où Néron persécutait les chrétiens. Sur la voie Appienne, il rencontra le Christ portant sa Croix. À sa question « *Domine, quo vadis ?* » (« Seigneur, où vas-tu ? »), le Sauveur répondit que, Pierre ayant abandonné son troupeau, il retournait se faire crucifier. Pierre revint alors sur ses pas et subit son martyre.

Le spectateur est ici en compagnie de Pierre – ou, plus exactement, s'identifie à Pierre rencontrant le Christ. Le pied de la croix semble sortir du panneau ; le Christ pointe l'index au-delà du tableau et son ombre témoigne de sa présence tangible tandis qu'il s'avance vers nous. Si le pied gauche de Pierre n'a pas été modifié, le reste de son corps a été ramené, en cours d'élaboration, plus près du bord droit de l'œuvre, dans une attitude suggérant à la fois l'effroi et l'obéissance. Ce mouvement, plus marqué qu'à l'origine, dégage un espace supplémentaire pour notre supposée présence. Le corps athlétique du Christ, sans doute exécuté d'après nature, est délimité par des contours fermes, mais son modelé, d'un réalisme subtil, ondule sous l'effet de l'activité musculaire et de l'angle d'incidence de la lumière. Le visage que le Christ tourne vers Pierre est, cependant, sous sa couronne d'épines, un masque idéalisé de souffrance. Malgré l'utilisation de deux sources lumineuses – à l'avant et à l'arrière-plan –, un même soleil semble réchauffer le ciel, les arbres et les champs, les temples romains, les draperies, cramoisies, blanches ou bleues, les clés métalliques, la peau – tendue ou burinée – et les cheveux châtains ou grisonnants de ces deux voyageurs à la croisée des chemins, entre le temporel et l'éternel.

Philippe de Champaigne 1602-1674

Le Cardinal de Richelieu

Vers 1637. Huile sur toile, 260 × 178 cm

En 1621, Philippe de Champaigne, né à Bruxelles, partit s'installer à Paris, où il devint l'un des artistes les plus réputés de la ville : il exécuta des portraits et des œuvres religieuses pour la reine mère Marie de Médicis, pour la cour de Louis XIII, l'administration municipale, des congrégations à la mode et des particuliers. Après avoir été formé dans les Flandres et subi l'influence de ses compatriotes Rubens et Van Dyck *(cf. pp. 193 et 235)*, il renonça progressivement à la manière flamboyante de ces deux artistes au profit d'un style plus rigoureux et plus naturaliste. Cette évolution se fit particulièrement sentir à partir de 1645, lorsque l'artiste adhéra aux doctrines rigoristes du théologien catholique hollandais Corneille Jansen, mises en pratique au couvent parisien de Port-Royal, où Champaigne envoya à l'école ses deux filles.

Le modèle de ce portrait grandiose n'est cependant pas, de toute évidence, l'un des commanditaires jansénistes de l'artiste : son vêtement est rouge cramoisi et non pas noir ; il a été représenté non sur un fond gris uni mais devant des tentures drapées à la manière baroque, dans la galerie d'un palais donnant vue sur les jardins. Il s'agit d'Armand-Jean du Plessis, duc de Richelieu (1585-1642), cardinal et premier ministre du roi, quasi-monarque de la France de 1624 à sa mort. Richelieu consolida le pouvoir royal et brisa la révolte des Huguenots. Il créa la marine marchande française et mit sur pied des flottes de combat efficaces tant dans l'océan Atlantique qu'en mer Méditerranée. Il lutta en outre contre l'empire des Habsbourg. Si pour les lecteurs d'Alexandre Dumas il demeure l'adversaire plein de morgue, et parfois le protecteur, des *Trois mousquetaires*, c'est bien le portrait de Champaigne qui a inspiré à Dumas ce personnage inoubliable...

Ne pouvant se faire représenter comme monarque, Richelieu a toutefois adopté une pose traditionnellement associée aux rois français. Neil MacGregor remarquait récemment à propos des cardinaux : « Comme les femmes, ils étaient représentés assis » *(pourtant, cf. p. 128 l'exceptionnel portrait d'une femme représentée debout).* Richelieu porte la croix de l'ordre du Saint-Esprit, dont le ruban bleu moiré contraste avec le lin blanc empesé de son col et le satin cramoisi de sa robe. Il tient dans sa main droite, tendue avec raideur, non pas un bâton ou une canne, mais la toque rouge du cardinal, la barrette. Cet objet extraordinaire semble flotter à la surface de la toile, défiant toute logique spatiale ; tandis qu'il capte notre regard comme par un phénomène d'hypnose, nous prenons conscience du message implicite : Champaigne a pris soin d'éclairer la doublure intérieure de la barrette, attirant ainsi notre attention sur notre position, en contrebas du tableau – indication optique soulignée par la faible hauteur de la ligne d'horizon à l'arrière-plan. Nous levons donc les yeux vers Richelieu, dont le visage correspond au sommet d'une pyramide allongée, le long de laquelle une draperie chatoyante retombe comme de la lave. Bien que d'échelle réduite en raison de la distance qui nous en sépare, le visage n'a pas été déformé par un raccourci *(cf. aussi p. 196)* : il fait songer aux images majestueuses du Christ Pantocrator ornant les absides des églises byzantines. Mais tandis que ces icônes spirituelles nous regardent dans les yeux, le ministre du roi détourne le regard d'un air hautain, nous accordant ainsi le droit de le regarder... un chien regarde bien un évêque.

Claude Lorrain   1604/05 ?-1682

La reine de Saba s'embarquant pour se rendre chez Salomon

1648. Huile sur toile, 148 × 194 cm

Lorsque Claude Gellée, originaire de Lorraine, arriva à Rome – peut-être en qualité de pâtissier – la peinture de paysages était déjà un genre reconnu *(cf. Patenier, p. 142 ; Annibal Carrache, p. 181, le Dominiquin, p. 190 et Elsheimer, p. 113).* L'artiste surpassera cependant par son art tous les paysagistes qui l'avaient précédé. À partir de dessins exécutés sur le motif à Rome, dans la campagne environnante ou dans la baie de Naples, il inventa un âge d'or poétique qui lui attira une clientèle d'aristocrates cultivés. Sandrart, peintre allemand qui, l'ayant accompagné dans ses déplacements, avait assisté à l'élaboration des croquis sur le motif, a ainsi décrit sa manière de procéder :

> [...Claude Lorrain] ne peignit la vue, sur de petits formats, que du plan intermédiaire au plan le plus éloigné, en l'estompant en direction de la ligne d'horizon et du ciel [...] Il est pour tous un exemple, car il sait] ordonner clairement un paysage, observer l'horizon et diminuer l'échelle de chaque chose selon sa direction, adapter le coloris en fonction de la profondeur, représenter chaque fois de manière identifiable un moment précis ou une heure de la journée, harmoniser parfaitement l'ensemble en accentuant fortement le premier plan et en atténuant proportionnellement les tons de l'arrière-plan [...]

L'influence de Claude Lorrain se fera en effet omniprésente, surtout dans l'Angleterre du XVIIIe siècle, où son art aura une incidence sur la peinture, sur l'attitude des collectionneurs mais aussi sur la manière même de percevoir les paysages réels et d'aménager les parcs.

Comme de nombreux tableaux de Claude Lorrain, *La reine de Saba s'embarquant pour se rendre chez Salomon* formait une paire avec le *Mariage d'Isaac et Rebecca*, également conservé à la National Gallery. Ces deux tableaux avaient été commandés par Camillo Pamphili, neveu du pape Innocent X. Avant que ces toiles – exceptionnellement grandes – aient été achevées, Pamphili, qui était tombé en disgrâce pour avoir renoncé à son cardinalat afin de se marier, fut expulsé de Rome. Claude Lorrain acheva les deux tableaux pour le duc de Bouillon, général français attaché des armées pontificales. Les deux toiles ont pour thème (à en croire les inscriptions, seules sources d'information dont nous disposons), des épisodes de l'Ancien Testament que l'on considérait à l'époque convenir particulièrement bien au décor d'un palais de cardinal. Chacun des épisodes traite de l'amour ou de l'estime existant entre un homme et une femme et relate un voyage fatidique. La plupart des hommes d'église auraient perçu ces épisodes comme autant de références à l'union du Christ et de l'Église, mais Pamphili avait peut-être souhaité qu'il fût fait allusion, de manière détournée, à son propre amour pour Olimpia Aldobrandini.

L'artiste a adopté sa méthode habituelle consistant à harmoniser et à contraster simultanément les deux toiles : le *Mariage d'Isaac et Rebecca* représente un paysage estival de fin d'après-midi tandis que l'*Embarquement* est une vue côtière saisie au petit matin – comme tous les *Embarquements* du Lorrain. Le voyage que la reine de Saba a entrepris sur la terre ferme « avec des chameaux… chargés d'or » afin de rendre visite au roi Salomon (1R X, 1-2) cède la place au voyage qu'effectue en imagination le spectateur, quittant le port pour naviguer vers le large et la lumière. (La reine, une petite figure en rouge, descend l'escalier pour monter dans la barque qui la conduira jusqu'à son vaisseau ancré à l'horizon.)

La représentation directe du soleil dans un tableau a été la grande innovation de Claude Lorrain à ses débuts. Placé très précisément à mi-hauteur dans cette toile représentant une vue portuaire, la plus majestueuse de toutes celles peintes par l'artiste, le soleil sert de base à l'unité picturale : l'ensemble des couleurs et des tons ont été ajustés par rapport à lui. L'empreinte de la paume de la main et des doigts de l'artiste apparaît à plusieurs reprises dans le ciel, où les transitions ont été lissées. Un garçon affalé sur le quai protège ses yeux de la lumière du soleil, dont les rayons dorent les filets des cannelures et le chapiteau corinthien de la colonne.

Claude Lorrain   1604/05 ?-1682

Vue de Délos avec Énée

1672. Huile sur toile, 100 × 134 cm

Au cours des dix dernières années de sa vie, Claude Lorrain a peint six épisodes de la vie d'Énée, héros de l'*Énéide*, épopée de Virgile relatant les origines légendaires de Rome. L'artiste a apparemment proposé lui-même ce sujet à ses commanditaires. Il a choisi des scènes qui n'avaient jamais été illustrées auparavant. Elles ne constituent pas une série ; l'ordre dans lequel elles ont été peintes ne suit d'ailleurs pas celui de l'*Énéide*. Comme en écho à Virgile : « Je suis cet homme qui par le passé a réglé son chant sur l'anche [de la poésie pastorale] », le peintre s'est mis, à l'âge de soixante-huit ans, à chanter les voyages du survivant voué à l'exil... le premier à quitter la terre de Troie et à atteindre l'Italie. Les six tableaux consacrés à Énée, dont la *Vue de Délos* est le premier, sont les œuvres les plus personnelles qu'ait jamais exécutées Claude Lorrain, parvenu à une noblesse de style comparable à la grandeur du poème de Virgile.

Au cours des années 1640-1650, Claude Gellée avait souvent illustré les *Métamorphoses* d'Ovide, et c'est peut-être grâce à cet ouvrage qu'il s'est intéressé aux aventures d'Énée. Le livre XIII des *Métamorphoses* raconte, en effet, la fuite du héros hors de Troie en feu et son arrivée à Délos. Or le tableau du Lorrain est plus proche de ce passage que de la description par Virgile du même épisode au livre III de l'*Énéide*. Ovide raconte comment – emmenant avec lui les images sacrées des dieux de la cité, son père Anchise (l'homme barbu en bleu) et son fils Ascagne (l'enfant sur la droite) – Énée (en tunique rouge) prit la mer et :

> [...] entr[a] avec ses compagnons dans la ville d'Apollon [Délos]. Anios [en blanc sur la gauche], que les hommes y avaient pour roi, et Phébus, pour ministre de son culte,

l'accueill[it] dans le temple et dans le palais, il lui montr[a] la ville, ses sanctuaires fameux et les deux arbres [l'olivier et le palmier] que Latone jadis avait tenu embrassés, pendant qu'elle enfantait [Diane et Apollon].

Le relief en pierre au sommet du portique, au premier plan, représente Diane et Apollon poursuivant le géant Tityos, qui avait tenté de violer leur mère.

Cette œuvre, plus petite que l'*Embarquement* de la page précédente, plus raffinée aussi, avec son coloris bleu argenté, est l'une des plus évocatrices qui aient jamais été peintes. Les figures allongées, peut-être parce qu'on croyait alors les hommes de l'Antiquité plus grands que ceux du XVIIe siècle, paraissent pourtant minuscules à côté des arbres sacrés et des édifices majestueux. Le temple rond – dédié à Apollon – qui revêt l'apparence originale du Panthéon de Rome, nous fait songer à l'oracle ayant prophétisé la future splendeur de cette cité. La signification profonde du tableau est une méditation sur le temps qui passe, et la perspective a été construite de manière à exprimer à la fois la nostalgie du passé troyen et le désir que s'accomplisse la destinée d'Énée, fondateur de Rome. Les lignes de fuite de l'architecture se rencontrent à l'horizon à gauche, tandis que celles de la route convergent vers la droite. Comme le peintre Paula Rego l'a formulé récemment, « il y a un genre d'émotion lié au temps qui ne peut se rendre qu'en utilisant la perspective ».

Aelbert Cuyp   1620-1691

Paysage fluvial avec un cavalier et des paysans

Fin des années 1650. Huile sur toile, 123 × 241 cm

Fils et élève d'un portraitiste hollandais de Dordrecht, Cuyp se spécialisa dans le type de paysage mis au point par Jan van Goyen ; au début des années 1640, il changea cependant de style sous l'influence de paysagistes hollandais italianisants *(cf. p. 174)*. Dès lors, ses paysages, qu'ils soient réels ou imaginaires, acquièrent une certaine grandeur et baignent dans la lumière miellée de la Campagnie italienne. En 1658, Cuyp épousa une riche veuve issue d'une des grandes familles de Dordrecht, de tradition calviniste très stricte. Après son mariage, il devint diacre de l'Église réformée et accepta de nombreux offices publics, consacrant de moins en moins de temps à la peinture. Ses dernières œuvres lui furent commandées (à la différence de la majorité des paysages du XVIIe siècle, vendus sur le marché de l'art) par des nobles de Dordrecht et ont été conçues pour des emplacements précis dans leurs vastes hôtels particuliers.

Il est probable que cette toile de grand format – peut-être le plus beau des paysages de Cuyp – a été peinte pour être accrochée dans une de ces demeures, bien en hauteur au-dessus du lambris. Cette vue imaginaire, composée de montagnes dont l'altitude est inimaginable en Hollande et au pied desquelles s'étendent les vestiges d'un passé féodal, était destinée à flatter les patriciens propriétaires. Un noble à cheval passe en revue ses troupeaux, source de prospérité aux Pays-Bas, et les paysans heureux qui les gardent. À l'extrême-gauche, un chasseur s'apprête à troubler un instant la quiétude de l'après-midi. Dans les Provinces-Unies, la chasse était à l'époque un privilège de la noblesse, et les natures mortes représentant du gibier mort, un sujet en vogue dans les foyers qui aspiraient au rang d'aristocrate. Néanmoins, quelle que soit son appartenance sociale, nous sommes attirés par le paysage idyllique de Cuyp.

Le tableau, acquis par la National Gallery en 1989, est apparemment la première œuvre de l'artiste à être entrée en Grande-Bretagne. Achetée vers 1760 pour le troisième comte de Bute, elle fut à l'origine de l'engouement pour l'artiste qui s'ensuivit dans ce pays, où ses plus belles œuvres, qui y sont encore en majorité conservées, ont eu une grande incidence sur l'évolution de la peinture de paysage. Une gravure, exécutée d'après le tableau en 1764 par le graveur anglais William Elliott, présente un ciel plus

Paysage fluvial avec un cavalier et des paysans

haut et des dimensions supérieures de quelque 25 cm à celles de la toile que nous connaissons aujourd'hui ; aucun élément ne permet cependant d'affirmer que celle-ci a été rognée.

Carlo Dolci   1616-1686

L'Adoration des Rois mages

1649. Huile sur toile, 117 × 92 cm

La personnalité et l'œuvre de Carlo Dolci, l'un des peintres les plus en vue de son vivant, pourraient difficilement être davantage aux antipodes des valeurs de notre époque. Il eut à Florence, sa ville natale, une enfance si pure et si pieuse, écrivit un de ses contemporains, qu'elle inspira à d'autres enfants l'amour de Dieu. Le matin de son mariage, ses amis le cherchèrent dans toutes les églises de Florence : il était en prière dans l'église Santa Annunziata. Il fréquenta la confrérie de saint Benoît, dont la devise était « Travailler, c'est prier », et, bien que portraitiste de talent, il décida de se consacrer exclusivement à une peinture religieuse qui soit « susceptible d'éveiller la piété chez quiconque la regarderait ».

Dolci ne faisait guère preuve d'imagination : il s'inspirait souvent des compositions des autres – comme ce fut le cas pour ce tableau – et exécutait plusieurs variantes de chaque image, toutes peintes avec tant d'amour qu'on peut les considérer comme de « multiples originaux ». Lent et minutieux, il pouvait mettre une semaine à peindre un seul pied. Il refusait toute somme élevée et, bien que très sollicité par « les plus éminents monarques du monde » et les plus grands collectionneurs privés, il avait du mal à joindre les deux bouts. Un peintre tapageur, Luca Giordano *(cf. p. 200)*, lui ayant conseillé de travailler plus rapidement s'il ne voulait pas mourir de faim, il fit une dépression dont il ne se releva pas. Ses tableaux étaient le plus souvent de petite dimension, représentant soit des figures à mi-corps grandeur nature, comme sa *Vierge à l'Enfant aux fleurs* (également à la National Gallery), soit de « petites histoires », comportant des figures en pied de faible dimension, comme ici.

Pourquoi en 1990 la National Gallery a-t-elle éprouvé le besoin d'acquérir ce tableau – l'une des plus belles œuvres de l'artiste –, et pourquoi ce tableau mérite-t-il que les

visiteurs y prêtent attention ? Les contemporains de Dolci admiraient dans ses œuvres autant la qualité du dessin, le zèle dont elles témoignaient, la perfection de leur technique, la grâce des figures et l'audace du coloris, que leur religiosité. On trouve dans ce tableau toutes ces caractéristiques. L'œuvre est en très bon état : elle a conservé son cadre et sa traverse d'origine, et il n'a pas été nécessaire de la rentoiler, ce qui est inhabituel pour une œuvre de cette époque et d'autant plus précieux que l'artiste l'a signée et datée au verso, et a en outre, comme à son habitude, ajouté une inscription pieuse sur les traverses. Les présents en or offerts par les Mages ont été exécutés à la peinture, mais l'or « véritable », qui est de nature spirituelle – celui des auréoles de la Sainte Famille, celui qui nimbe la tête de l'Enfant-Jésus – a été peint à la feuille d'or avec un pinceau fin. Pour la robe bleue de la Vierge, le peintre a utilisé le meilleur et le plus onéreux des outremers ; il a en outre appliqué une feuille d'or sous la peinture translucide des joyaux ornant le vêtement du roi le plus âgé.

Mais sans l'intensité poétique du tableau, tout ceci n'éveillerait probablement que l'intérêt des spécialistes. Le charme de cette œuvre ne provient pas de la somptuosité des habits des mages, de la finesse des glacis, ni du jeu des couleurs ou de la lumière à l'intérieur de l'étable sombre. Il suffit de prendre le temps de regarder pour se sentir glisser dans un autre monde : un monde plein de grâce, à la fois minuscule et monumental, sophistiqué et candide, où ne règnent ni l'envie, ni le doute, et où les puissants rendent hommage à un Enfant.

Le Dominiquin 1581-1641

Apollon tuant les Cyclopes

1616-1618. Fresque, transposée sur toile, 316 × 190 cm

Domenico Zampieri, surnommé le Dominiquin – le « petit Dominique » – en raison de sa courte stature, était un Bolonais élève des Carrache *(cf. p. 181)*. Après la mort d'Annibal en 1609, il devint l'un des peintres les plus réputés de Rome, et l'un des principaux partisans d'un style idéalisé, fondé sur l'étude de Raphaël *(cf. pp. 86 et 146)* et de l'Antiquité gréco-romaine, par opposition au style du Caravage *(cf. p. 180)*. Poussin *(cf. p. 223)* travailla dans son atelier peu après sa propre arrivée à Rome, et fut très influencé par lui.

Le Dominiquin pratiquait aussi bien la peinture à l'huile – sur toile, bois et cuivre – que la fresque. Les pigments utilisés pour cette technique étant liés par une eau de chaux, puis directement appliqués sur le mur fraîchement plâtré de manière à ce qu'ils se lient chimiquement au plâtre au fur et à mesure de son séchage, il est compréhensible que les musées comptent peu de fresques dans leurs collections. Aussi les célèbres peintures exécutées par le Dominiquin dans les églises de Rome et de Naples sont-elles généralement restées sur place. Au XVIIIᵉ siècle cependant, une méthode permettant de détacher les fresques des murs a été mise au point afin de les préserver des destructions : on collait de la gaze sur la fresque, dont on détachait la couche picturale, c'est-à-dire le film de plâtre peint adhérant à la gaze ; on fixait alors, avec un adhésif plus fort, le dos de ce film sur un nouveau support, puis on retirait la gaze de la surface peinte. C'est ainsi qu'ont été traitées, vers 1840, les fresques du Dominiquin actuellement conservées à la National Gallery. Elles ornaient autrefois la Stanza di Apollo, un pavillon de jardin construit en 1615 à la villa Aldobrandini de Frascati, où se retirait le cardinal Pietro Aldobrandini. Deux autres scènes sont restées sur les murs *in situ*. À l'époque, il n'était pas rare de peindre dans ces édifices – comme au temps de l'Antiquité romaine – des vues de la campagne environnante ou une version idéalisée de celle-ci.

Les épisodes mythologiques mis en scène dans les paysages de la Stanza di Apollo montrent le dieu Soleil en archer exterminateur, l'aspect bienfaisant de ce protecteur des arts étant révélé dans la fontaine installée contre le mur du fond, où Apollon et les Muses étaient représentés sur le mont Parnasse. Les instruments de musique sculptés empruntaient leur son à l'orgue à eau dissimulé. Le programme iconographique, fort recherché, et les sources d'inspiration, qui pour certaines scènes demeurent obscures, laissent à penser que l'artiste avait collaboré avec un conseiller érudit. L'épisode représenté s'inspire de la *Bibliothèque*, ouvrage sur la mythologie grecque d'Apollodore, savant grec du IIᵉ siècle av. J.-C. Apollon – libre copie de « l'Apollon du Belvédère », une statue antique conservée au Vatican – tue les géants à œil unique que sont les Cyclopes, car ils ont fourni à Zeus la foudre qui a abattu le fils d'Apollon, Esculape.

L'encadrement ajoute à la complexité de l'œuvre, car il laisse à penser que ces fresques sont non pas des scènes vues à travers des fenêtres imaginaires, mais le décor de précieuses tentures. Raphaël a utilisé une méthode assez similaire au Vatican, dans une pièce des appartements pontificaux. Ici, le coin soulevé de la « tapisserie » révèle une fenêtre à barreaux, symétrique d'une véritable baie située sur le mur opposée. Le fou du cardinal, un nain, est représenté enchaîné aux barreaux de la fenêtre, des restes de victuailles à ses pieds, près d'un chat occupé à déchiqueter une caille rôtie. Son corps disgracieux contraste avec la beauté d'Apollon et sa petite stature avec celle des géants. On suppose qu'il est puni de son insolence. Il paraît que cette méchante plaisanterie a rendu le pauvre homme si amer, qu'après avoir vu la fresque il se retira dans sa chambre et « y demeura toute la journée l'estomac vide ». Ce portrait pathétique et très vivant demeure cependant l'un des plus émouvants de la National Gallery.

Gerrit Dou   1613-1675

La Boutique du marchand de volailles

Vers 1670. Huile sur chêne, 58 × 46 cm

Fils et élève d'un graveur sur verre, Dou apprit aussi la gravure sur cuivre et la peinture sur verre avant de devenir en 1628 le premier élève de Rembrandt *(cf. p. 227)*. Il avait alors quinze ans, et Rembrandt seulement vingt-deux. Celui-ci exerçait une telle influence sur Dou que certains tableaux de cette période ont été attribués tantôt à l'un, tantôt à l'autre. Après son départ pour Amsterdam en 1631-1632, Rembrandt renonça au fini de ses premières œuvres, adoptant une nouvelle manière, plus libre et plus ample. Dou, en revanche, poursuivit dans la même veine miniaturiste, puisant souvent

La Boutique du marchand de volailles

dans les couleurs brillantes de la peinture sur verre. Sa technique qui, proche de celle de l'émail, lui permettait de reproduire fidèlement n'importe quelle texture, sa maîtrise du clair-obscur et les détails fascinants de ses tableaux, lui valurent une renommée internationale. Mais il déclina l'invitation de Charles II qui lui proposait de s'installer en Angleterre : il préféra rester dans sa ville natale, où il fonda l'école des *fijnschilders* (des « peintres fins »), qui perdurera jusqu'au XIXe siècle.

Dou popularisa les tableaux « à niche » tels que celui-ci, qui présentaient un intérieur à travers une fenêtre ou tout autre ouverture. Comme d'autres peintres de genre hollandais, Dou fit preuve d'un réalisme sélectif : il composait ses tableaux en atelier et choisissait des motifs lui permettant de montrer son talent. Le bas-relief antique représentant des enfants en train de jouer avec une chèvre, par exemple, s'inspire d'une sculpture du Flamand François Duquesnoy exécutée à Rome avant 1643. Cette œuvre, dont des copies en pierre et ivoire sont attestées, apparaît fréquemment dans les tableaux de Dou à partir de 1651. Ici, elle sert à souligner la surface plane du panneau de chêne, sur lequel Dou a su aussi bien peindre l'apparence des reliefs de la sculpture, que saisir les ombres profondes de la boutique du marchand de volailles. Le bas-relief a permis en outre de comparer l'imitation de la réalité par un sculpteur de pierre et celle, beaucoup plus vivante et convaincante, du peintre.

Prise au premier degré, la scène est facile à déchiffrer : une jeune femme impétueuse désigne le lièvre mort que lui montre la marchande âgée. Au premier plan, une volaille a passé la tête à travers les barreaux de sa cage pour se désaltérer ; elle ne prête pas attention au gibier mort gisant sur l'étal. À l'intérieur de la boutique, où un oiseleur discute avec une autre femme, d'autres cages sont accrochées à la fenêtre et au plafond. Comme dans tous ses tableaux, Dou a brillamment rendu et différencié les textures représentées : celles des différents plumages, du métal brillant, de la pierre, des vêtements et de la peau, qu'elle soit lisse ou ridée. L'expression et la pose exagérées de la jeune femme donnent cependant l'impression que le tableau est porteur d'un autre message.

De nombreux tableaux de Dou ont été perçus comme des œuvres opposant l'innocence à l'expérience, et c'est peut-être aussi le thème traité ici de manière comique. Des textes du XVIIe siècle indiquent qu'en hollandais et en allemand le terme *vogel* (« oiseau ») pouvait désigner le phallus, le verbe formé à partir de ce terme, *vogelen*, l'» acte sexuel », et le terme *vogelaar* (« oiseleur «), un entremetteur ou un amant. La représentation de cages vides pouvait donc symboliser la perte de la virginité, et même, dans certains tableaux, évoquer une maison close. S'il est aussi hasardeux d'interpréter un tableau à partir d'une liste de symboles que de traduire un texte à l'aide d'un dictionnaire, il ne semble toutefois pas trop tiré par les cheveux de considérer que l'enthousiasme de la jeune femme est mis en parallèle avec la soif de la volaille en cage. Entourée de symboles sexuels, la première tend la main vers un lièvre, animal associé, dans un contexte profane (comme le lapin fécond) au désir sexuel. Mais de même que la volaille ne sortira de sa cage que pour passer à la casserole, la jeune femme devrait prendre garde à sa soif d'expérience si elle ne veut perdre son innocence enfantine.

Antonie Van Dyck 1599-1641

Saint Ambroise interdit à l'empereur Théodose l'accès à la cathédrale de Milan

Vers 1619-1620. Huile sur toile, 149 × 113 cm

La fragile mélancolie dont Van Dyck a empreint la cour des Stuart tient à la personnalité même de l'artiste. Précoce, toujours sur la brèche, il a traversé la vie comme une étoile filante. Les tableaux qu'il nous a laissés continuent cependant de nous séduire. Son idéal d'élégance languide a façonné le nôtre : peu de portraits mondains peints au cours des trois derniers siècles ont fait fi du charme raffiné qu'il a donné à ses compatriotes flamands, aux grands de Gênes, aux prélats romains et aux nobles anglais. C'est à lui que nous devons le brun Van Dyck, le col et la barbe Van Dyck ; et c'est par son truchement que nous pleurons les *Cavaliers* et leur roi martyr, Charles Ier *(cf. p. 195)*.

La force des tableaux religieux de Van Dyck et le lyrisme de ses scènes mythologiques nous atteignent moins – d'abord parce que sa carrière en Angleterre ne lui a permis de peindre que peu de tableaux relevant de ces deux genres, mais peut-être aussi parce que les sentiments les plus profonds de l'artiste s'y expriment au travers d'un répertoire de gestes et d'expressions qui ont fini par paraître, à une époque moins démonstrative de ses émotions, fébriles ou hypocrites.

À la suite d'un apprentissage écourté à Anvers, auprès d'un peintre italien, Van Dyck, devenu très tôt maître peintre, se rapprocha progressivement de l'orbite de

Saint Ambroise interdit à l'empereur Théodose l'accès à la cathédrale de Milan

Rubens *(cf. p. 235)*, rentré d'Italie en 1608. Devenu en 1618 l'un de ses assistants, il assimila rapidement le style et les méthodes de travail de son aîné. Il s'en distingue cependant par sa fougue et l'éclat de ses surfaces picturales.

Dans cette œuvre, libre copie d'un grand tableau actuellement conservé à Vienne – dû à l'atelier de Rubens, ou peut-être à Van Dyck lui-même – la différence d'approche des deux peintres est sensible. Le profil finement dessiné à la droite de saint Ambroise a été identifié comme celui de Nicolaas Rockocx, un ami de Rubens pour lequel celui-ci peignit *Samson et Dalila (cf. p. 240)*. Saint Ambroise, archevêque de Milan au IVe siècle, aurait refusé à Théodose l'accès à la cathédrale, suite au massacre des habitants de Thessalonique que l'empereur avait ordonné par vengeance. Dans le tableau de Vienne, le peintre a donné un poids et une substance aux figures : le saint, par sa présence massive, s'oppose physiquement au passage d'un empereur robuste – qui en a l'air presque abasourdi. Dans la variante de la National Gallery, la confrontation physique des personnages a été atténuée au profit d'une tension psychologique plus aiguë, mais elle introduit aussi un caractère plus décoratif. Ici, Théodose – maintenant imberbe, ressemblant davantage aux profils d'empereurs des pièces ou des médailles romaines qu'au type flamand – lève impétueusement son visage vers saint Ambroise. Celui-ci semble avoir transmis sa détermination et sa puissance à sa crosse – moins épaisse, plus ornementale et symbolique dans la première version. Le prêtre qui la tient à sa place semble ici être prêt à en frapper l'empereur. Dans le tableau conservé à Vienne, la chape de saint Ambroise semble aussi lourde que du plomb, et les motifs élaborés de son étoffe ne semblent qu'à peine affectés par le geste du saint. Sur la toile de Van Dyck, le drap d'or chatoyant semble flotter à la surface de la toile, ondulant sous l'effet de l'indignation du saint et du courant d'énergie spirituelle qui, émanant de Dieu, traverse le cadre quasi inconsistant qui entoure l'archevêque.

Antonie Van Dyck   1599-1641

Portrait équestre de Charles Ier

Vers 1637-1638. Huile sur toile, 367 × 292 cm

En 1625, le roi Charles Ier (1600-1649) succéda à son père Jacques Ier. Dans ce portrait, l'inscription latine figurant sur le petit tableau accroché à l'arbre – CAROLUS REX MAGNAE BRITANIAE : Charles, roi de Grande-Bretagne – évoque l'union entre le royaume d'Angleterre et le royaume d'Écosse, qui fut durant toute la vie de Charles Ier un sujet de controverse tant politique que juridique et ecclésiastique. La renommée internationale de Van Dyck, sa connaissance de la peinture contemporaine et son profond attachement à Titien *(cf. p. 158)*, dont il avait étudié l'œuvre avec avidité au cours de son séjour en Italie entre 1621 et 1627, en faisaient un artiste qui semblait destiné à travailler pour l'amateur d'art qu'était le roi.

Le peintre avait déjà travaillé au service de Jacques Ier en 1620-1621. De retour à Anvers après avoir voyagé en Italie, Van Dyck, auquel on demandait des peintures religieuses et mythologiques ainsi que des portraits, reprit contact avec la cour d'Angleterre. Charles reçut de lui des œuvres en cadeau, mais en commanda aussi. En avril 1632, le roi réussit à attirer Van Dyck à Londres. En juillet de la même année, l'artiste, devenu peintre officiel du roi, fut nommé chevalier. L'œuvre des artistes l'ayant précédé à la cour paraissant dès lors démodée, Van Dyck demeura quasiment le seul portraitiste du roi et de la reine. Dans une série de toiles gigantesques, stratégiquement placées à l'extrémité des grandes galeries dans les diverses résidences du roi, il a montré la puissance et la splendeur de la monarchie britannique et de la dynastie des Stuart à ses débuts, modernisant les thèmes traditionnellement associés au panégyrique d'un monarque.

Ce portrait équestre du roi a pour point de départ l'archétype figurant au verso de tous les grands sceaux de l'Angleterre, celui du souverain en guerrier. Le roi Charles porte une armure fabriquée à Greenwich et tient un bâton de commandement. Un page porte son casque. En écho aux revendications formulées dans l'inscription, la pose du modèle et la forêt représentée en toile de fond font songer au portrait que Titien fit de l'empereur Charles Quint à Mühlberg (conservé actuellement à Madrid), à l'occasion de sa victoire contre une ligue de princes luthériens. (Le tableau de Titien rappelle,

Portrait équestre de Charles Ier

quant à lui, la célèbre statue équestre romaine de l'empereur Marc-Aurèle.) Par-dessus son armure, Charles porte un médaillon en or représentant saint Georges et le dragon, surnommé le « Petit saint Georges », et renfermant un portrait de son épouse. Il le portait constamment, y compris le jour de sa mort. Ici, le médaillon rattache cependant le souverain à l'Ordre de la Jarretière, dont saint Georges était le saint patron. Souverain de la Jarretière, le roi chevauche, tel Charles Quint, à la tête des chevaliers soucieux de défendre la foi. Le sens profond de ce portrait est la proclamation par l'image de ce que Charles a toujours revendiqué : une monarchie de droit divin. Bien qu'il nous domine – la ligne d'horizon met notre regard à la hauteur de son étrier –, son visage n'a été déformé par aucun raccourci *(cf. p. 184)*. La vue de trois-quarts rend les traits de son visage plus fins, et donne à ce cavalier un air absent, à la fois noble et contemplatif.

Antonie Van Dyck

1599-1641

Lord John et lord Bernard Stuart

Vers 1638. Huile sur toile, 238 × 146 cm

Au début de 1639, les deux frères Stuart, cousins du roi Charles Ier et fils cadets du troisiè-me duc de Lennox, quittèrent le pays pour un Grand Tour qui devait durer trois ans. Ils posèrent pour Van Dyck probablement juste avant leur départ. Depuis son arrivée à la cour, l'artiste avait mis au point un nouveau type de portrait : le double portrait témoignant de l'amitié entre deux personnes – le plus souvent parents, mais pas nécessaire-

---

ment. (À la National Gallery, le portrait des filles du comte Rivers, la vicomtesse Andover et Lady Thimbelby, représentées de trois-quarts, constitue un autre bel exemple de ce type de portrait.) Les deux frères sont représentés comme s'ils avaient été saisis sur le point de partir, attendant peut-être que des domestiques avancent leur équipage. Tous deux allaient mourir quelques années plus tard en pleine guerre civile. Leur disparition a fait de ce portrait, rétroactivement, un portrait d'adieu, d'autant plus saisissant.

Le plus jeune des deux frères, lord Bernard, devenu par la suite le comte de Lichfield (1622-1645), a été représenté dans une attitude plus dynamique que lord John : un pied sur la marche, une main gantée sur la hanche, il jette un regard au spectateur par-dessus son épaule gauche. (Un dessin de cette pose complexe a été conservé et se trouve actuellement au British Museum.) La représentation de l'aîné, lord John, (1621-1644), suggère une nature plus contemplative : l'air absent, il s'appuie élégamment contre le pilier. La formule, judicieuse, permet d'obtenir une composition variée mais cohérente, dynamique mais stable. Au-dessus du foisonnement de dentelles et de franges des jambes bottées, les axes des deux corps divergent ; les visage vus de trois-quarts, au long nez et au menton proéminent caractéristiques des Stuart, se ressemblent comme l'image et son reflet. À la diagonale formée par l'alignement des têtes fait écho la ligne reliant implicitement la main droite de lord John à la main gauche de lord Bernard. Mais la composition respecte la hiérarchie familiale : l'aîné a été placé en hauteur par rapport à son frère.

Aussi convaincants qu'ils puissent paraître aujourd'hui, les traits de caractère prêtés aux deux modèles pourraient bien être trompeurs. Lord John, qui semble ici d'une nature contemplative, a été décrit après sa mort comme un être « d'une nature plus brusque et plus colérique que les autres membres de cette illustre famille princière ; la douceur de la cour ne [l']enchantant guère, il s'était consacré au métier des armes ». Lord Bernard, au regard ici hautain, avait la réputation d'être d'une « nature extrêmement douce, courtoise et affable ».

Seule la virtuosité de l'artiste à représenter le satin, la dentelle et l'extrême souplesse du cuir surpassait le talent dont il faisait preuve dans ses compositions. Mais ses morceaux de bravoure ne se réduisent pas à ces effets soigneusement rendus : toute la surface de la toile est animée par une sorte de vibration. Les costumes, au goût du jour et fort semblables, contrastent en fait remarquablement l'un avec l'autre : les couleurs chaudes portées par lord John (brun et or) s'estompent tandis que s'accentuent les couleurs plus froides du vêtement de lord Bernard (bleu et argent) de sorte que les deux frères, aux vêtements et aux tempéraments complémentaires, semblent former un tout, indivisible et chatoyant.

Carel Fabritius   1622-1654

Jeune homme à la toque de fourrure et à la cuirasse (Autoportrait ?)

1654. Huile sur toile, 70 × 62 cm

Il est fort probable que Carel Fabritius se soit représenté lui-même sous les traits de ce jeune homme à l'air déterminé. Cet autoportrait a dû être exécuté quelques mois avant la mort accidentelle de l'artiste survenue dans son atelier, suite à l'explosion d'un magasin de poudre à canon. Fils d'un maître d'école et peintre amateur qui lui a peut-être appris les rudiments du métier, Fabritius s'est formé auprès de Rembrandt *(cf. p. 227)* de 1641 environ à 1643. Seules huit œuvres ont pu lui être attribuées avec certitude. La National Gallery se félicite d'en posséder deux : le portrait ici présenté et une curieuse petite *Vue de Delft*, qui pourrait avoir été conçue pour un stéréoscope. Des documents mentionnent aussi l'exécution par Fabritius de peintures murales en trompe l'œil, mais aucune ne nous est connue.

Fabritius s'avéra être l'élève de Rembrandt le plus talentueux et le plus original. À sa mort, à l'âge de trente-deux ans, il avait acquis un style et une technique qui le singularisaient déjà de son maître. Rembrandt plaçait le plus souvent ses modèles en pleine lumière contre un arrière-plan sombre *(cf. p. 230)*. Ici, la silhouette austère de Fabritius

se détache nettement sur le fond de ciel nuageux. Fabritius se distinguait aussi de Rembrandt par la préparation de ses toiles : celui-ci appliquait de préférence deux couches de préparation (une couche rouge-orangé recouverte d'une couche de gris clair) alors que Fabritius n'en a appliqué ici qu'une seule, d'un ton légèrement crème.

Rembrandt s'étant représenté à la fin des années 1620 et dans les années 1630 avec un plastron de cuirasse, c'est un type d'autoportrait qui fut souvent adopté par ses élèves. Sa signification a fait l'objet de nombreuses controverses, certains érudits y voyant l'expression d'un patriotisme hollandais, de l'empressement à défendre l'indépendance de la patrie emportée de haute lutte, d'autres démentant toute intention de ce genre de la part du peintre. Les armures, tout comme les costumes pastoraux, les habits bourguignons ou ceux de la Renaissance italienne *(cf. p. 178)*, étaient considérés comme plus « intemporels » que les vêtements courants, car moins susceptibles de subir les aléas de la mode. La toque en fourrure de Fabritius semble aussi anachronique, se rapprochant davantage par sa forme d'un couvre-chef du XVIᵉ siècle que des chapeaux contemporains. Mais peut-être Fabritius a-t-il donné au type de portrait créé par Rembrandt – portraits héroïques, s'inscrivant hors du temps – une signification qui lui était plus personnelle.

Son nom, parfois utilisé par son père et déjà adopté par lui-même en 1641, vient du mot latin *faber*, qui signifie « travailleur manuel » et était employé pour désigner les forgerons, les maçons et les charpentiers. Fabritius avait en effet travaillé comme charpentier avant de faire partie de l'atelier de Rembrandt. C'est pourquoi on a interprété l'une de ses œuvres exécutée vers 1648-1649, supposée être un autoportrait de l'artiste en vêtements de travail, comme une allusion, tant à son occupation professionnelle précédente qu'à son nom. Celui-ci renvoie cependant à un personnage plus noble : C(aius) Fabritius ou Fabricius, consul romain connu pour sa frugalité, son courage et son intégrité. Un épisode de sa vie, connue grâce à Plutarque, allait être plus tard représenté dans l'hôtel de ville d'Amsterdam par un autre élève de Rembrandt. Les derniers documents concernant l'activité de C(arel) Fabritius à Delft font état d'une augmentation de ses dettes mais aussi d'une reconnaissance croissante de son talent. Si le tableau de Rotterdam représente Fabritius-*faber*, le peintre-artisan, le portrait de la National Gallery ne pourrait-il pas évoquer l'homme qui inspira à Virgile ces mots « Fabricius, pauvre, et pourtant prince » ?

Luca Giordano 1634-1705

La Pétrification de Phinée et de sa suite par Persée

Vers 1680. Huile sur toile, 275 × 366 cm

Peu d'artistes ont été aussi prolifiques et ont déployé une aussi grande activité que Luca Giordano, surnommé *Luca fa presto*, « Luc-le-rapide ». Après s'être formé au métier de peintre à Naples, sa ville natale, il s'est rendu à Rome, Florence et Venise. Ce tableau constitue un superbe exemple du style exubérant qu'il s'est forgé à partir de ces différentes sources artistiques : il doit surtout aux deux grands Vénitiens que furent Titien et Véronèse *(cf. pp. 158 et 165)* sa verve et son sens de la couleur ; à Pierre de Cortone, peintre et architecte romano-florentin, l'organisation de ses surfaces exceptionnellement grandes ; et à l'un de ses compatriotes, Mattia Preti, la formule consistant à placer les figures à contre-jour. Mais aussi éclectique soit-elle, cette toile porte indubitablement sa propre marque.

Action tumultueuse et composition ferme, obscurité et pleine lumière sont des antagonismes qui gouvernent de nombreuses œuvres de l'artiste, au même titre que l'opposition entre le bien et le mal ou entre le beau et l'horrible. Les tableaux de chevalet, les décorations murales et les décors de plafonds qu'il exécuta dans toute l'Italie lui valurent une renommée internationale. De 1692 à 1702, il fut peintre à la cour d'Espagne, où il fit preuve de beaucoup d'énergie. De retour chez lui, il conserva un rythme tout aussi soutenu. À l'heure de sa mort, il travaillait encore activement.

D'une largeur de plus de 3,5 m, *La Pétrification de Phinée et de sa suite par Persée*, épisode extrait des *Métamorphoses* d'Ovide, est le plus grand tableau mythologique de la National Gallery. C'est l'une des trois toiles que Giordano avait exécutées pour la salle de réception d'un palais génois. La deuxième toile, la *Mort de Jézabel*, illustre un incident relaté dans l'Ancien Testament (2 R IX, 30-7), tandis que la troisième, *L'Enlèvement des Sabines*, évoquait un épisode de l'histoire mythique de Rome. (Le goût manifeste pour les scènes violentes ou lascives dans les décors du XVIIe siècle reste un mystère.)

Andromède était depuis longtemps fiancée à Phinée lorsqu'elle fut offerte en sacrifice à un monstre marin. Sauvée par Persée, elle épousa celui-ci. Le mariage fut suivi d'un grand banquet, mais il fut interrompu par un bain de sang provoqué par Phinée, venu réclamer sa fiancée. Persée, dominé par le nombre de ses adversaires, dut avoir recours à son arme secrète : la tête de la gorgone Méduse à la chevelure de serpents, dotée du pouvoir de transformer en pierre quiconque la regardait. Giordano n'a pas hésité à représenter le moment où Phinée et ses hommes se pétrifient : leurs corps, à commencer par la tête et les mains, prennent sous nos yeux une couleur grise.

Quand bien même nous ne connaîtrions pas l'histoire, nous parviendrions à identifier le héros sans aucune hésitation. En divisant la composition en deux selon la diagonale reliant le coin supérieur gauche au coin inférieur droit, l'artiste a isolé Persée sur la droite. Vêtu du bleu le plus pur de tout le tableau, il est la seule figure faisant face au spectateur – à l'exception de la Méduse, dont le peintre a pris soin de juxtaposer l'horrible visage à la bouche béante au beau visage résolu de Persée. Le récit justifie la pose du héros : pour rester en vie, il doit éviter le regard de Méduse. Phinée, coiffé d'un casque ouvragé, se tient à l'extrême gauche. Il laisse ses hommes se battre devant lui, il fait figure de scélérat. La composition est solide et le récit explicite, non seulement grâce à la tonalité générale, au dessin et aux poses, mais aussi par la couleur : par les audacieuses taches de bleu et de jaune purs sur les deux protagonistes, images spéculaires l'un de l'autre, et par le rouge du grand rideau situé à droite, qui contraste avec les teintes de la mêlée des cadavres, la table renversée et les fuyards.

Le Guerchin   1591-1666

Anges pleurant sur le corps du Christ

Vers 1617-1618. Huile sur cuivre, 37 × 44 cm

Guercino (le « Guerchin ») signifie « qui louche » : c'est le sobriquet peu engageant sous lequel l'artiste Giovanni Francesco Barbieri est devenu internationalement célèbre. Originaire de Cento, une petite ville à mi-chemin de Ferrare et de Bologne, le Guerchin fut pour ainsi dire autodidacte. Comme de nombreux artistes du XVIIe siècle, il eut la possibilité de choisir ses « maîtres » en toute liberté. Il se tourna à Bologne vers l'œuvre des Carrache *(cf. p. 181)* et les tableaux du Caravage *(cf. p. 180)* conservés dans des collections privées, se forgeant à partir de ces sources d'inspiration un style personnel et lyrique.

Le Guerchin fonda l'Académie du Nu dans les pièces qu'un gentilhomme avait mises à sa disposition dans sa propre demeure. Là, l'artiste et ses disciples pouvaient dessiner d'après nature. Dans cette magnifique petite peinture sur cuivre, la figure du Christ s'appuie manifestement sur une étude d'après modèle vivant, exécutée, pour reprendre les termes d'un contemporain « d'une manière à la fois souple et grandiose, l'artiste ayant obtenu, à l'aide de traits énergiques à la craie blanche et au fusain appliqués sur papier teinté, des contrastes marqués d'ombre et de lumière qui sont sources d'émerveillement ». C'est avec beaucoup de subtilité que le Guerchin parvenait à traduire en couleurs les variations tonales du noir et blanc. Dans ce tableau, les couleurs pures – le rouge, le bleu de la manche de l'ange et du ciel, le noir et le blanc – sont mélangées entre elles et fondues à une couleur terre, formant une merveilleuse gamme de violets cendrés et d'ocres brumeux devant lesquels le corps du Christ, enveloppé d'un suaire lumineux, rayonne telle une perle teintée d'or. L'image est une libre interprétation d'une scène traditionnelle de l'art vénitien, composée de deux anges tenant le corps du Christ mort près du tombeau et invite le spectateur à une méditation pieuse ; elle n'illustre aucun récit biblique. Les blessures du Christ sont discrètement suggérées. L'œuvre doit son pathétisme à la juxtaposition de la beauté et de la douleur, de l'invention poétique et des obser-

Anges pleurant sur le corps du Christ

vations minutieuses faites en atelier, leur frontière étant aussi floue que les contours fondus de la chair et de la pierre, ou des plumes et des nuages.

Le Guerchin a peut-être emporté ce tableau à Rome lorsqu'il y fut appelé par un commanditaire bolonais, devenu pape en 1621. Après des débuts grisants, il fut de toute évidence intimidé par la peinture romaine de la Renaissance et par l'œuvre de ses concurrents – notamment les Bolonais Guido Reni et le Dominiquin *(cf. pp. 190 et 232)*. Il adopta alors un style classicisant accordant une place moindre aux ombres, aux raccourcis audacieux et aux études d'après nature. À la mort du pape, en 1623, il retourna à Cento, où il mena une brillante carrière, livrant des tableaux de chevalet dans toute l'Europe. Il refusa d'aller peindre à la cour de France et à la cour d'Angleterre. À la mort de Reni, il partit s'installer à Bologne et y devint le peintre le plus célèbre. Dans les meilleures œuvres de cette période tardive – comme dans la *Sibylle de Cumes avec un putto* de 1651 (également à la National Gallery) –, il parvint à égaler la froide élégance de Reni sans pour autant renoncer à ses propres talents de coloriste et de dessinateur.

Frans Hals   vers 1580 ?-1666

Jeune homme tenant un crâne (Vanitas)

1626-1628. Huile sur toile, 92 × 88 cm

Peintre le plus célèbre de Haarlem – ville hollandaise où il passa la plus grande partie de sa vie –, Hals se spécialisa dans le portrait et reçut de nombreuses commandes de riches citoyens de la ville désirant des portraits individuels, de mariage, de famille ou de groupe. Mais il exécuta aussi quelques peintures religieuses et un certain nombre de scènes de genre, toutes probablement quelque peu moralisatrices ou allégoriques. Ce tableau appartient certainement à cette dernière catégorie.

Hals fut connu de son vivant, comme il l'est encore aujourd'hui, pour l'audacieuse spontanéité et la liberté de sa touche. Un examen scientifique de la toile a confirmé que le *Jeune homme tenant un crâne* avait été peint d'une manière rapide et vigoureuse. Il n'existe aucune trace de l'habituelle sous-couche picturale. La draperie a été peinte en une seule couche appliquée directement sur la préparation rougeâtre, qui transparaît ici et là, créant des demi-tons entre les zones d'ombre et les zones lumineuses. Par endroits – au niveau du crâne modelé, à l'aide de hachures assez grossières, et de la plume rouge, par exemple –, la peinture a été appliquée dans le frais ; le contour du nez a été obtenu en grattant la peinture fraîche, peut-être avec le manche du pinceau. À la vigueur de l'exécution correspond celle de la composition, que démontre tout particulièrement le raccourci utilisé pour la main, qui fait irruption hors de la toile. Van Gogh, qui admirait Hals, évoqua au XIXᵉ siècle :

> […] les mains vivantes, mais qui n'étaient pas finies au sens où on l'entend aujourd'hui. Et les têtes aussi – les yeux, le nez, la bouche exécutés d'une seule touche de pinceau, sans retouche d'aucune sorte […]. Peindre dans l'urgence, autant que possible dans l'urgence […]. Je pense que la grande leçon à tirer des vieux maîtres hollandais est la suivante : considérer le dessin et la couleur comme ne faisant qu'un.

Il est extrêmement séduisant de considérer ce portrait comme celui de Hamlet sur la tombe de Yorick, mais rien ne permet d'affirmer que la pièce de Shakespeare avait été montée en Hollande, ou même simplement traduite en hollandais à l'époque de Hals. Il vaut mieux considérer que le tableau et la scène de Shakespeare ont pour origine une même tradition : tenu par un jeune homme, le crâne devient le symbole de la mortalité ; il évoque le caractère éphémère de la vie humaine, de la « vanité des vanités » *(cf. p. 248)*. Le caractère symbolique du tableau de Hals est souligné par le costume du jeune homme, inspiré des tenues vestimentaires mi-fantastiques, mi-italiennes introduites dans la peinture hollandaise par les disciples hollandais du Caravage *(cf. p. 180)* tels que Hendrick Ter Brugghen, dont le *Concert (cf. p. 177)* appelle aussi des associations, bien que d'un genre légèrement différent, avec l'univers shakespearien.

« On dit que c'est un ivrogne, un homme grossier, n'en croyez rien [...] », dit Whistler à l'été 1902, lorsque, sur le point de mourir, il rendit une dernière visite à l'œuvre de Hals. « Comment imaginer qu'un ivrogne puisse faire d'aussi belles choses ! »

Jan Van der Heyden   1637-1712

Vue de la Westerkerk, Amsterdam

Vers 1660. Huile sur chêne, 91 × 114 cm

Artiste hollandais prolifique, spécialiste d'un genre nouveau, le paysage urbain, Van der Heyden fut cependant davantage connu de son vivant comme inventeur : il aménagea l'éclairage des rues d'Amsterdam et fit breveter la première pompe à incendie. Il mit toute sa patience d'inventeur et son talent de dessinateur industriel au service des vues architecturales, réelles ou imaginaires, qu'il peignit. Il prenait en compte les moindres détails. Dans ce tableau il est possible de déchiffrer quelques-unes des affiches en lambeaux collées sur les coffrages en bois qui protègent les jeunes arbres du premier plan ; l'une d'entre elles annonce une vente de tableaux. Cependant, l'artiste a aussi su subordonner les détails à l'ensemble, et ce tableau tire toute sa magie de la luminosité du ciel, dont la lumière se reflète autant sur la brique rosée et les pavés jaunes que sur l'eau stagnante ; brillant à travers les feuilles des arbres, elle enveloppe toute la scène.

Ce tableau se distingue des autres œuvres de l'artiste par ses dimensions : il est trois fois plus grand que ses autres compositions appartenant au même genre. Son commanditaire – la direction de la Westerkerk, qui destinait l'œuvre à la salle de réunion – a dû en spécifier les dimensions.

Contrairement à d'autres lieux de culte hollandais, la Westerkerk avait été spécifiquement conçue pour le culte protestant. Dessinée par Thomas de Keyser, père du peintre de même nom *(cf. p. 211)*, elle ne fut achevée qu'en 1638. En choisissant de la représenter à partir de l'autre rive du canal, Van der Heyden l'a intégrée à la vie de la rue tout en l'isolant : le feuillage des arbres la sépare des autres édifices et encadre le tableau (l'arbre adulte représenté de ce côté-ci du canal, sur la gauche, est une addition tardive). Des scènes anecdotiques ont été ajoutées pour soutenir l'intérêt du spectateur. Mais l'échelle des figures dénote une moins grande maîtrise que la composition architecturale : elles ont peut-être été peintes, comme les cygnes qui ne se reflètent pas dans l'eau, par un autre artiste. La collaboration entre un peintre de vues et un peintre de figures était assez fréquente à cette époque. Pour le spectateur moderne, le tableau revêt un intérêt supplémentaire lorsqu'il sait que Rembrandt *(cf. p. 227)* a été enterré dans la Westerkerk en 1669.

Meindert Hobbema   1638-1709

L'Allée de Middelharnis

1689. Huile sur toile, 104 × 141 cm

On pensait qu'Hobbema avait cessé de peindre en 1668, après son mariage, lorsqu'il était devenu l'un des dégustateurs de vin d'Amsterdam, mais la date qui figure sur cette toile, 1689, s'est avérée être d'origine. Le fait de ne peindre que par intermittence l'aida peut-être à se dégager des sempiternelles conventions caractéristiques de ses œuvres antérieures, et à créer l'un des paysages hollandais les plus remarquables, à une époque où l'art hollandais était déjà sur son déclin. D'autres peintres avaient eu recours au motif de la route droite coupant à angle droit la surface de la toile, mais Hobbema a tiré parti de cette formule d'une manière qui transcende tous les exemples précédents.

Le tableau allie l'évidence visuelle à la subtilité : les lignes de fuite bien marquées de la route et des canaux, soulignées par les silhouettes des arbres – moins précises et diminuant moins régulièrement vers le lointain –, convergent en un point de fuite situé légèrement à gauche du centre. Mais Hobbema n'a pas obtenu cet effet d'emblée : un examen aux rayons X a révélé qu'il avait à l'origine placé un arbre de chaque côté de l'avenue au premier plan et les a recouverts par la suite. Le ciel est actuellement très endommagé, peut-être parce qu'un restaurateur du début du XIXe siècle a cherché à faire réapparaître entièrement les deux arbres en essayant de retirer la pellicule de peinture, devenue translucide avec le temps, qui les recouvrait. L'artiste a dû s'aviser que placer deux arbres encore plus grands au premier plan dissimulerait le lointain représenté sur les côtés du tableau et accélérerait par trop l'attraction du regard vers le point de fuite central. (Pour avoir une idée de l'effet produit, il suffit de placer verticalement deux crayons ou deux bandes de papier sur la reproduction). Dans la composition finale, les taches sombres du sol et de la végétation, de part et d'autre de la route, font écho à la ligne d'horizon qu'elles soulignent et contreba-

L'Allée de Middelharnis

lancent l'effet de perspective qui conduit le regard à l'intérieur du tableau. Le specta-teur est donc aussi invité à balayer latéralement du regard le paysage, qui semble ne pas s'interrompre aux extrémités de la toile.

Le village de Middelharnis se situe sur la côte nord d'une île du sud de la Hollande, à l'embouchure de la Meuse. Il est vu ici depuis le sud-est. Les figures ont été ajoutées par le peintre pour introduire l'échelle humaine et suggérer quelque activité, mais leur pré-sence ne résulte pas nécessairement d'une observation faite sur place. Sur la droite, un homme est occupé à soigner des arbres dans une pépinière, tandis que sur le petit che-min de droite un couple s'est arrêté pour discuter. Le chasseur qui marche vers nous, son chien à ses côtés, joue un rôle plus actif dans la composition : sa tête étant située au même niveau et coïncidant presque avec le point de fuite, nous avons la ferme impression que s'il continue d'avancer, nous allons nous retrouver face à face à mi-dis-tance. Utilisant les lois de l'optique, Hobbema place le point de fuite directement en face de notre regard pour nous attirer amicalement à l'intérieur du tableau, sur l'avenue qui conduit à Middelharnis.

Gerrit Van Honthorst   1592-1656

Le Christ devant le Grand Prêtre

Vers 1617. Huile sur toile, 272 × 183 cm

Comme Ter Brugghen (*cf. p. 177*), Honthorst est parti à Rome après avoir été à Utrecht l'élève du peintre d'histoire Abraham Bloemaert. Contrairement au premier cependant, il s'est fait à Rome une réputation internationale, travaillant pour des nobles et des princes de l'Église. Les Italiens l'appelaient *Gherardo delle Notti* – « Gérard des Noc-

turnes » –, et cette toile, peinte pour le marquis Vincenzo Giustiniani, chez lequel Honthorst séjournait, permet de comprendre pourquoi. De retour dans le nord, il était devenu suffisamment célèbre pour que Charles Ier l'invitât en Angleterre. Il exécuta alors pour le roi des tableaux mythologiques et de nombreux portraits. Il continua cependant à recevoir des commandes de la royauté hollandaise, exécutant, par exemple, des portraits et des décors allégoriques pour le prince d'Orange, Frédéric-Henri. En 1635, il envoya en outre à Christian IV du Danemark la première d'une longue série de scènes historiques et mythologiques. À La Haye, Élisabeth Stuart, reine de Bohême en exil, et ses filles, figuraient au nombre de ses élèves ; la National Gallery possède un portrait par l'artiste de cette femme romantique et malheureuse.

Alors que Ter Brugghen a, dans son *Concert*, utilisé la lueur d'une bougie pour créer une scène de rêve enchanteur, Honthorst a eu recours à ce type d'éclairage pour donner une impression de véracité et une tension dramatique à un épisode biblique (Mt XXVI, 57-64). Après avoir été arrêté au jardin des Oliviers au cours d'une nuit de prières, Jésus est emmené devant le Grand Prêtre Caïphe pour être interrogé et jugé. Là, deux faux témoins – les deux hommes à l'air sournois placés derrière Caïphe – témoignent contre lui. « Mais Jésus gard[e] le silence. » Dans cette vaste composition qui a la grandeur et le format d'un retable mais n'a jamais été destiné à en être un, on ne peut voir les figures représentées grandeur nature que grâce à la bougie. Sa lueur unifie l'ensemble de la scène : elle paraît éclairer toute la pièce, son intensité décroissant régulièrement jusqu'à basculer dans l'obscurité ; elle explique la teinte rougeâtre de toutes les couleurs, et fait ressortir les deux protagonistes, représentés avec plus de relief et de détails que les autres figures. Elle attire notre attention sur leurs poses, leurs gestes, leurs expressions, et n'éclaire que les accessoires pertinents, notamment les livres de la Loi et la corde avec laquelle le Christ est attaché. Elle crée enfin l'atmosphère solennelle et angoissante d'un interrogatoire tenu en pleine nuit.

Maîtrisant les effets lumineux produits par une seule source de lumière, l'artiste s'en est servi à des fins symboliques. La tunique blanche du Christ, déchirée à l'épaule depuis son arrestation, réfléchit davantage la lumière que le vêtement à fourrure du Grand Prêtre, de sorte que la lumière semble irradier de son corps. Bien que soumis, le Christ, « Lumière du Monde » et Fils de Dieu, est sans aucun doute le principal sujet de ce tableau.

Pieter de Hooch   1629-1684

La Cour d'une maison à Delft

1658. Huile sur toile, 74 × 60 cm

Les tableaux de Pieter de Hooch les plus appréciés sont ceux qu'il a peints entre 1652 et 1660 à Delft, ville où il a commencé – peut-être sous l'influence de Carel Fabritius *(cf. p. 198)* – à s'intéresser plus particulièrement à la représentation de la lumière naturelle. Les toutes premières œuvres qui nous soient parvenues de l'artiste, originaire de Rotterdam, représentent essentiellement des corps de garde et des scènes de tavernes peuplées de soldats et de serveuses. Les tableaux d'Amsterdam sont en revanche consacrés à la vie citadine dans toute son élégance : des couleurs éclatantes font ressortir les somptueux sols en marbre, les robes en soie, les tapis d'Orient vermeils. Les œuvres de Delft, enfin, évoquent dans des tons plus doux les vertus simples du foyer, l'univers domestique où évoluent les femmes bourgeoises, entourées de leurs enfants et de leurs servantes. Ces femmes passent leur vie dans un intérieur tenu avec autant de soin que l'artiste en a mis à le décrire. De Hooch a généralement prolongé ces espaces fermés grâce à des ouvertures donnant sur d'autres pièces, ou, comme ici, sur l'extérieur.

Une préparation fauve clair, semblable à celle qu'utilisait Fabritius, confère à l'ensemble de la toile une lueur chaude, que modulent les briques rosées du mur et les pavés. Le rapport des couleurs a quelque peu changé avec le temps, car les pigments jaunes et bleus ont pâli : à l'origine, le feuillage devait être beaucoup plus vert, le ciel plus coloré et lumineux, la jupe de la domestique d'un bleu plus foncé et moins translucide. Ces décolorations n'ont heureusement pas considérablement affecté la perception que nous avons de la lumière qui éclaire en douceur la petite cour, plonge le porche dans l'ombre, retrouve son intensité sur la maison d'en face, découpant la silhouette de la maîtresse de maison qui observe la fenêtre de ses voisins.

La cour et la maison sont anciennes, le treillis rudimentaire et délabré. Le balai, visiblement utilisé il y a peu, est tombé dans la plate-bande. La domestique attentive à la petite fille l'élève affectueusement par la parole et le geste. La plaque surmontant le porche figurait à l'origine au-dessus de l'entrée d'un cloître de Delft. De Hooch l'a aussi introduit dans une variante plus libertine (actuellement dans une collection privée) de ce tableau, dans laquelle une domestique quitte soudainement la fillette pour aller servir du vin à deux oisifs, buveurs et fumeurs invétérés. Bien qu'il en ait quelque peu modifié le texte dans chacun de ces tableaux, le peintre désirait peut-être renvoyer le spectateur au texte d'origine : « Voici la vallée de saint Jérôme pour qui désire se retirer et faire œuvre de patience et d'humilité, car quiconque souhaite s'élever, doit d'abord s'abaisser. » Dans cette scène, l'inscription suggère que la vie domestique, faite de patience et d'humilité, conduit au paradis aussi sûrement qu'une pratique religieuse ostentatoire. La plaque gravée, qui a survécu, figurait encore récemment au mur d'un jardin de Delft.

Willem Kalf   1619-1693

Nature morte avec la corne à boire de la corporation des Archers
de Saint Sébastien, un homard et des verres

Vers 1653. Huile sur toile, 86 × 102 cm

Kalf, originaire de Rotterdam, eut droit aux éloges d'un poète d'Amsterdam qui le considérait comme l'un des plus grands peintres de la ville – reconnaissance rare pour un spécialiste de natures mortes. Peut-être n'aurait-il pas connu de telles éloges s'il avait
persévéré dans sa première veine – la représentation d'intérieurs de granges miteuses et de
banals ustensiles de cuisine – qu'il développa lors d'un séjour à Paris entre 1640 et 1646
environ. C'est à Amsterdam, où il s'installa après avoir épousé une jeune femme cultivée
de bonne famille, que Kalf se mit à peindre le type de natures mortes pour lequel il est le
plus connu. Appelés en hollandais *pronkstilleven* (« natures mortes d'apparat » ou « osten-
tatoires »), ces tableaux, où l'on dénote l'influence des antécédents flamands, se composent d'articles de luxe – argenterie, porcelaine chinoise, tapis d'Orient, verres précieux –
et de denrées exotiques. Ils ne semblent pas avoir de portée symbolique *(cf. p. 248)*, mais
devaient à l'époque évoquer la richesse de la République hollandaise, la puissance de sa
flotte et l'efficacité de son système de distribution, ainsi que le suggèrent le tapis d'Orient
et le citron frais d'Italie, dont l'écorce se déroule au premier plan.

    La corne de buffle à monture en argent était un emblème du corps des Archers de
Saint Sébastien, lequel faisait partie de la garde civile municipale. Ce magnifique
exemple d'argenterie daté de 1565, actuellement conservé au musée d'Histoire
d'Amsterdam, témoigne aussi de l'attachement traditionnel des Hollandais à la liberté
communale et de la détermination des bourgeois de la ville à la défendre. Cette corne,
plus d'une fois peinte par Kalf, apparaît aussi dans des tableaux d'autres artistes.

Mais ce ne sont pas ces associations d'idées qui, en dernier ressort, confèrent à l'œuvre de Kalf sa beauté monumentale et solennelle. Comme dans toutes ses œuvres de maturité, l'artiste n'a peint ici que quelques objets, disposés avec sobriété, en contraste total avec l'exubérante profusion des natures mortes flamandes. Sur un fond sombre, la peinture – une pâte nourrie, appliquée généreusement – modèle ces formes larges et parvient à rendre la sensation provoquée par leurs différentes textures. Les couleurs les plus riches et les plus vives – le rouge écarlate du homard, par exemple, ou le jaune et le blanc du citron, tacheté de rose là où le crustacé s'y reflète – présentent de fortes accentuations qui les projettent à la surface du tableau. Et c'est le jeu de leurs reflets et de leurs ombres teintées qui, tel un motif musical, donnent sa cohérence à la composition.

Thomas de Keyser   1596/97-1667

Portrait de Constantijn Huygens et de son secrétaire

1627. Huile sur chêne, 92 × 69 cm

De Keyser fut à Amsterdam l'un des portraitistes les plus en vue jusqu'en 1631-1632, date de l'arrivée dans la ville de Rembrandt, qui allait lui faire de l'ombre *(cf. p. 227)*. Il exécuta des portraits grandeur nature pour des corporations et des groupes de miliciens, mais rendit aussi populaires les petits portraits en pied du genre de celui-ci. Les dimensions de cette œuvre presque miniature surprennent lorsqu'on a d'abord vu la reproduction. De Keyser a adroitement donné à ce tableau la grandeur des portraits officiels de taille imposante réservés aux dirigeants et aux grands personnages, bien que par ses dimensions et la technique utilisée, il se rapproche davantage des scènes d'intérieur intimistes.

Le modèle, Constantijn Huygens (1596-1687), seigneur de Zuylichem, était un aristocrate cultivé amateur d'art. Il servit l'ambassade des Pays-Bas à Venise et à Londres, où il fut nommé chevalier par le roi Jacques Ier en 1622. Lorsqu'il remplit la fonction de secrétaire auprès du Stathouder Frédéric-Henri, prince d'Orange, il fit l'éloge par écrit d'un artiste selon lui prometteur, le jeune Rembrandt, à qui il assura une commande du prince. Il conseilla jusqu'à son décès les dirigeants successifs de la maison d'Orange, et ne cessa de s'intéresser aux arts et aux sciences. Ici, les dessins d'architecture – peut-être ceux qu'il avait élaborés en collaboration avec l'architecte Pieter Post pour sa demeure à La Haye – sur lesquels il était l'instant précédant occupé à prendre des mesures avec un compas, mais aussi le *chitarrone* (un luth à long manche), les livres, le globe céleste et le globe terrestre, indiquent clairement ses centres d'intérêts. La famille aristocratique dont est issu Huygens n'est pas davantage oubliée, car ses armes ont été tissées sur le bord de la tapisserie représentée à l'arrière-plan. Quant aux éperons du gentilhomme, ils font référence au titre de chevalier que lui avait accordé le roi Jacques Ier.

Le jeune secrétaire (ou page) qui entre dans la pièce, une lettre à la main, remplit un certain nombre de fonctions dans le tableau. Ayant ôté son chapeau alors que Huygens ne s'est pas découvert, debout et plein de déférence quand Huygens demeure assis, l'attitude du secrétaire atteste son rang inférieur. La représentation du page de profil a prêté vie à la figure assise en donnant l'impression que celle-ci vient de se retourner vers lui, et a permis de justifier la position de face de Huygens tout en évitant une confrontation trop formelle avec le spectateur du tableau. Enfin, tout – le regard du jeune homme, le pli de la tapisserie, les lignes de fuite de la tablette de la cheminée et des lattes du plancher – dirige notre regard vers le visage de Huygens, comme éclairé par un projecteur et pour ainsi dire posé sur sa collerette non empesée et blanche comme neige, qui semble faire office de piédestal.

Laurent de La Hyre 1606-1656

Allégorie de la Grammaire

1650. Huile sur toile, 103 × 113 cm

Bien que La Hyre, peintre parisien, ne semble jamais s'être rendu en Italie, il connaissait parfaitement – pour les avoir étudiées à Fontainebleau mais aussi à travers l'œuvre d'artistes contemporains tels que Vouet, Poussin et Claude Lorrain *(cf. pp. 184 et 223)* – les réalisations de la Renaissance italienne. Il fut l'un des principaux interprètes d'une manière classique, empreinte de sobriété et de raffinement, à la mode dans la capitale française. Dans ce tableau allégorique, le poids et la netteté sculpturale de la figure, la régularité rythmique de la composition privilégiant les horizontales et les verticales, l'égale répartition de l'éclairage et même la couleur locale, fort discrète, contrastent avec le mouvement enlevé et le jeu théâtral des lumières, ombres, textures et reflets qu'on trouve dans les œuvres baroques d'artistes contemporains – chez Rembrandt par exemple *(cf. p. 227)*.

Cette jardinière – qui n'en est pas une – incarne la Grammaire, et se rattache à une série de figures allégoriques des sept Arts libéraux qui ornait une pièce de l'hôtel particulier parisien de Gédéon Tallemand, l'un des conseillers du roi Louis XIII. Les Arts libéraux recouvraient trois disciplines littéraires – la Grammaire, la Rhétorique, la Dialectique – et quatre disciplines mathématiques – l'Arithmétique, la Musique, la Géométrie et l'Astronomie. Décorer une bibliothèque ou un cabinet privés de ces allégories relevait à l'époque d'une longue tradition. Elles étaient toujours incarnées par des femmes, car les mots latins correspondants *(grammatica, rhetorica, etc.)* étaient du genre féminin, conservé du reste dans toutes les langues latines. Les autres tableaux de cette série peinte par La Hyre sont actuellement conservés dans diverses collections. Nous ignorons leur disposition précise dans la pièce, mais ces tableaux aux dimensions variables étaient probablement encastrés dans un lambris sculpté, placé en hauteur.

L'inscription latine du ruban enroulé au bras de la Grammaire signifie : « Une parole chargée de sens et savante, prononcée correctement. » La fonction de la grammaire

n'était pas de permettre l'analyse grammaticale des phrases ou l'acquisition des conjugaisons, mais bel et bien de veiller à ce que les idées fussent communiquées de manière claire. Dans son *Iconologia*, répertoire illustré des figures allégoriques publié pour la première fois en 1593 et très utilisé par les peintres, Cesare Ripa a écrit : « Comme de jeunes plantes, les jeunes esprits ont besoin d'être arrosés, et c'est à la Grammaire de s'en charger. » La Grammaire de La Hyre est en effet occupée à arroser, avec une simple cruche, des pots de primevères et d'anémones étudiés d'après nature aussi amoureusement que le seront les ustensiles de cuisine par Chardin au siècle suivant *(cf. p. 265)*. Le trop-plein s'écoule, par un trou de drainage, sur un fragment de mur ou de pilier romain orné d'une frise d'oves et de dards. Derrière, de massives colonnes cannelées et une urne romaines encadrent la vue sur le jardin, situé de l'autre côté du mur ; l'atmosphère est aussi détendue et paisible que si cette femme vêtue d'une robe de soie moirée et d'un manteau bleu dont les couleurs limpides s'harmonisent à merveille, était en train de soigner ses plantes sur un balcon, dans un coin tranquille de Paris.

Pieter Lastman 1583-1633

Junon découvrant Jupiter avec Io

1618. Huile sur chêne, 54 × 78 cm

Lastman fut le peintre d'Amsterdam le plus important et le plus influent de sa génération. Son influence transparaît dans l'œuvre d'un artiste beaucoup plus talentueux, Rembrandt

Junon découvrant Jupiter avec Io

(cf. p. 227), qui ne fut son élève que six mois. Après un séjour prolongé en Italie, Lastman rentra dans son pays pour se consacrer à la peinture d'histoire – des scènes héroïques moralisatrices, le plus souvent inspirées de la Bible, mais aussi, comme dans ce tableau, de l'histoire ou de la littérature classiques. L'artiste, qui déclinait les commandes, choisissait librement ses sujets, privilégiant les conversations et les confrontations soudaines. La référence, dans ce tableau, à un passage rarement illustré d'un mythe fameux des *Métamorphoses* d'Ovide, est caractéristique de l'œuvre de Lastman. Comme dans la plupart de ses autres tableaux de petite ou grande dimension, l'artiste a insufflé à la scène une grandeur toute italienne ainsi que l'esprit malin et humoristique du réalisme néerlandais.

Jupiter, le roi des dieux, est de nouveau tombé amoureux, cette fois-ci de la nymphe Io. L'épiant du haut du ciel, Junon son épouse aperçoit le nuage noir que l'infidèle a déployé pour prendre la belle au piège. Elle descend alors sur terre pour le surveiller de plus près. Espérant la duper, Jupiter transforme Io en génisse ; mais Junon amène son époux à lui offrir la jolie bête et charge Argus, pourvu de cent yeux, de veiller sur elle. Sur ordre de Jupiter, Mercure berce Argus jusqu'à l'endormir puis le tue. Junon décore alors de ses yeux la queue de ses paons.

Lastman a représenté la confrontation entre Jupiter, qui cherche à duper son épouse, et la suspicieuse Junon (*Métamorphoses* I, 612-616). Les paons qui tirent le char céleste de Junon, et dont la queue est encore de couleur terne puisqu'Argus n'apparaît que plus tard dans le récit, freinent furieusement leur vol. Avec l'aide d'Amour, l'enfant ailé, et de Tromperie, reconnaissable à son masque rouge et à sa peau de renard – deux personnages absents du récit d'Ovide –, Jupiter tente de dissimuler à la vue de la déesse l'énorme génisse. Sa nudité héroïque, associée à un piteux air de culpabilité, lui donne l'apparence d'un sot. Les thèmes de l'épouse dominatrice et du mari soumis font partie du répertoire traditionnel des gravures nordiques satiriques, et avec esprit, Lastman a dû chercher à greffer cette veine nationale sur le mythe latin d'une passion adultère chez les dieux païens.

Les frères Le Nain   XVIIᵉ siècle

Quatre figures à table

Années 1630 ? Huile sur toile, 46 × 55 cm

Peu de documents permettent de retracer les premières années des trois frères Le Nain, Antoine, Louis et Mathieu. Les trois artistes ayant en outre pris l'habitude de ne signer leurs œuvres que de leur nom de famille, il est difficile de déterminer leur personnalité artistique respective. *Trois hommes et un garçon*, un petit tableau inachevé des années 1640 qui, à la National Gallery, leur est attribué, pourrait être un portrait de l'atelier Le Nain. Les trois frères naquirent à Laon entre 1600 et 1610. En 1629, ils travaillaient à Paris. Tous trois devinrent membres de l'Académie royale de peinture et de sculpture l'année de sa création, en 1648. Mais la même année Antoine et Louis moururent à un ou deux jours d'intervalle, tandis que Mathieu survécut jusqu'en 1677. Dans des circonstances qui n'ont pas encore été clairement élucidées, Mathieu semble avoir bénéficié de la protection de Louis XIV en raison de « services rendus dans les armées du roi », et avoir ambitionné un titre de noblesse.

Bien que les frères Le Nain se soient tout d'abord fait une réputation en exécutant de grandes compositions mythologiques et allégoriques et des retables (dont un grand nombre a disparu sous la Révolution), et qu'ils aient continué à recevoir ce type de commandes, ils sont actuellement surtout connus pour les remarquables petits tableaux qu'ils consacrèrent aux gens du peuple, et plus particulièrement aux paysans. Des historiens d'art ont récemment mis en parallèle leur nouveau genre de peinture, empreint de réalisme et mettant en scène des habitants de la campagne sans basculer dans le romantisme ou la satire, avec l'émergence d'une nouvelle classe de bourgeois, propriétaires terriens, dont les tableaux des frères Le Nain semblaient refléter les idéaux affirmant la dignité du travail agricole et le respect mutuel dans la relation entre propriétaires terriens et métayers.

Quatre figures à table est l'un des nombreux « repas de paysans » peint par les frères Le Nain. L'intense lumière qui éclaire la scène à partir du coin supérieur gauche renforce l'obscurité et le calme qui règnent dans cet intérieur modeste mais respectable – où seul le linge bien lavé est lumineux –, mais elle délimite aussi les formes et définit les textures et les expressions. Certains ont avancé que le tableau pourrait représenter les Trois Âges de la vie : le visage ridé de la vieille femme à l'air résigné ; le regard interrogateur de la jeune femme ; les yeux écarquillés de la petite fille – pouvant signaler la vitalité comme l'inquiétude, et l'indifférence satisfaite du garçon occupé à couper le pain. Mais une interprétation allégorique de l'œuvre ne semble ni nécessaire, ni vraisemblable. Le tableau nous montre une destinée partagée et acceptée avec dignité.

Fig. 6. La radiographie aux rayons X de Quatre figures à table *des frères Le Nain a fait apparaître, sous la surface peinte actuelle, le portrait d'un homme barbu.*

Ce qui apparaît sur le visage du jeune garçon et qui semble à première vue être un repentir, s'est avéré, à l'examen aux rayons X, être un ornement cramoisi sur le costume d'un homme barbu, représenté en buste sous les *Quatre figures à table (fig. 6)*. Ce portrait n'est pas une simple esquisse mais une œuvre achevée ou presque. Le modèle porte une collerette et un pourpoint gris orné de galons crème. Nous ne savons pas si le modèle refusa ce portrait ou s'il s'agit d'un travail préparatoire pour une gravure ou un tableau plus grand, mais il semble que, peu après avoir été peint, ce citoyen prospère ait été, dans le même atelier, effacé par quatre paysans partageant un repas frugal...

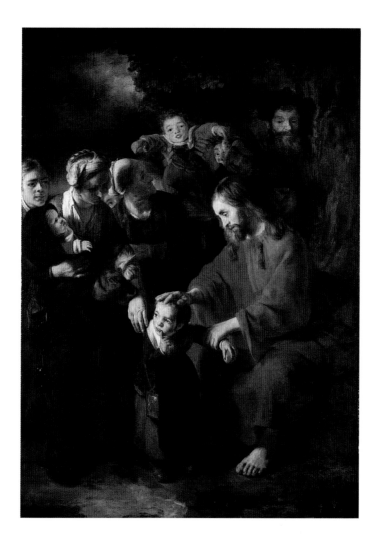

Nicolaes Maes   1634-1693

Le Christ bénissant les enfants

1652-1653. Huile sur toile, 206 × 154 cm

Né à Dordrecht, Maes se rendit à Amsterdam vers 1650 pour apprendre le métier de peintre aux côtés de Rembrandt *(cf. p. 227)*. En 1653, il était cependant de retour dans sa ville natale et y demeura jusqu'en 1673, date à laquelle il retourna s'installer à Amsterdam. En 1654 il avait abandonné la manière de peindre de Rembrandt, préférant représenter de petites scènes d'intérieur décrivant la vie des femmes et des enfants (la National Gallery en possède trois exemples). Ses œuvres diffèrent de celles qu'a peintes de Hooch *(cf. p. 208)* par son utilisation généreuse du noir brillant, des rouges chauds et par l'intensité du contraste entre les zones de pleine lumière et les zones d'obscurité. Certaines dénotent cependant le même intérêt que son confrère pour les ouvertures donnant vue sur une autre pièce ou un autre espace, mais aucun lien direct n'a pu être établi à ce jour entre les deux peintres. À partir de 1660, Maes s'est limité au portrait, adoptant l'élégance du style français en vogue en Hollande au cours de la seconde moitié du XVIIe siècle.

L'attribution de ce gigantesque tableau a été très controversée, mais il est aujourd'hui généralement considéré comme une œuvre de jeunesse de Maes, peinte soit lors de son passage dans l'atelier de Rembrandt, soit juste après. L'une des deux études de composition qui nous sont parvenues s'inspire de la célèbre gravure *La Pièce aux cent florins* (*Le Christ guérissant les malades*) de Rembrandt. Les deux études préparatoires illustrent un passage de l'Évangile selon saint Matthieu : « Alors des gens lui amenèrent des enfants, pour qu'il leur imposât les mains en disant une prière. Mais les disciples les rabrouèrent. Jésus dit : "Laissez faire ces enfants, ne les empêchez pas de venir à moi, car le Royaume des cieux est à ceux qui sont comme eux". » (XIX, 13-14).

Dans le tableau de Maes, les bruns foncés et les noirs sont rehaussés de touches crème et rouge – spécialement vives sur les joues de la petite fille qui, entre les mains de Jésus, est intimidée et se retourne sans comprendre, le doigt dans la bouche. Elle a son ardoise d'écolière en bandoulière, car ce sont des femmes et des enfants hollandais du XVIIᵉ siècle qui composent ici la foule entourant Jésus, tandis que lui-même porte un vêtement intemporel, comme saint Pierre – rejeté derrière l'arbre – et l'homme tenant un des enfants à bout de bras (est-ce un disciple retirant un enfant ou un père faisant passer le sien avant les autres ?). Le jeune homme inconfortablement pressé contre le bord gauche de la toile est vraisemblablement l'artiste lui-même – un autoportrait nous rappelant qu'il n'avait alors pas vingt ans. Maes a suivi tous les préceptes relatifs à la peinture narrative monumentale : les figures sont représentées en pied grandeur nature ; l'épisode choisi est signifiant et recèle un contenu moral élevé ; les poses et les émotions de toutes les figures ont été soigneusement définies ; enfin, les ombres et les lumières ont été disposées de manière à faire ressortir Jésus et les enfants. Pourtant, une certaine sentimentalité et quelque chose qui s'apparente à la scène de genre ne cessent de transparaître. La plupart des commanditaires ayant assez de place sur leurs murs pour une toile de cette dimension désiraient-ils quelque chose de plus noble que les humbles figures représentées ici, ou Maes s'est-il rendu compte que la peinture d'histoire n'était pas sa vocation ? En tout cas, il n'a jamais plus tenté d'exécuter un tableau d'une telle dimension.

Pierre Mignard   1612-1695

La Marquise de Seignelay en Thétis

1691. Huile sur toile, 194 × 155 cm

Pierre Mignard, peintre français qui vécut à Rome de 1636 à 1657, date à laquelle il fut rappelé en France par le roi Louis XIV et surnommé « le Romain ». En 1654-1655, il s'était cependant aussi rendu à Venise et dans d'autres villes du nord de l'Italie. Son style devait beaucoup à Annibal Carrache, au Dominiquin et à Poussin (*cf. p. 181, 190, 223*). De retour en France, il prétendit cependant s'inscrire dans la lignée de Titien et des coloristes vénitiens (*cf. p. 158*), car il cherchait à s'opposer à Le Brun, son rival, auquel il succéda dans les années 1690 au poste de premier peintre du roi et de directeur de l'Académie royale. Malgré vingt ans de carrière à l'étranger, son œuvre peint est à nos yeux indubitablement français – au moins dans ce qu'il a de calculé et de grand, à l'image de la France du Roi Soleil. Le jugement francophobe que l'Anglais Hogarth lui porta un demi-siècle plus tard pourrait être appliqué à ce superbe portrait, tableau « insolent, empreint d'une politesse affectée ». Mais Mignard s'est contenté de suivre les désirs de son modèle, la veuve de Jean-Baptiste Colbert de Seignelay, secrétaire d'État à la Marine.

Catherine-Thérèse de Matignon, marquise de Lonray, veuve de Seignelay, avait en effet demandé à Mignard de la représenter sous les traits de Thétis, nymphe de la mer à laquelle il fut prophétisé : « Déesse de l'onde [...] de toi naîtra un fils dont les exploits surpasseront ceux de son père et qu'on proclamera plus grand encore » (Ovide, *Métamorphoses*, XI, 221-223). Par le passé, les historiens d'art avaient attribué le travestissement de la marquise en Thétis à la fonction de son époux, mais Neil MacGregor a mon-

tré que ce passage d'Ovide constitue la clé du portrait. Comme Thétis, Mlle de Matignon, fille de nobles normands, avait été mariée contre son gré à un homme de rang inférieur : Colbert, père de son mari et grand ministre du roi, était le fils d'un marchand. Pélée, désigné par les dieux comme époux de Thétis, avait dû violer la déesse pour lui donner Achille, illustre héros grec de la guerre de Troie. « La mère du héros, déesse de la mer, avait de l'ambition pour son fils » : elle obtint pour lui, en descendant dans le cratère de l'Etna – volcan qui fume ici à l'arrière-plan –, une armure fabriquée par Vulcain, le dieu forgeron. Identifié à Achille, c'est cette armure qu'arbore ici Marie-Jean-Baptiste de Seignelay, le fils aîné de Mme de Seignelay, que sa mère venait de pourvoir d'une charge militaire.

Le brillant effet produit par le tableau provient avant tout de l'outremer du manteau de Thétis, qui contraste superbement avec le corail et les perles de sa coiffure et avec les tons mauve et vert des vêtements d'Achille. L'outremer, plus cher que l'or, était rarement utilisé à cette époque, en tout cas jamais en aussi grande quantité. Son emploi offrait à la marquise l'occasion de mettre fin aux rumeurs qui la prétendaient ruinée. Les bruits couraient aussi que cette veuve de sang noble avait été ou souhaitait devenir la maîtresse du roi. En offrant à la marquise une coquille de nautile regorgeant de bijoux, Cupidon fait de la liaison un fait accompli. Voici donc comment la culture classique et les talents d'un artiste zélé, formé à Rome, peuvent être utilisés à des fins insolentes, avec « une politesse affectée ».

Bartolomé Esteban Murillo   1617-1682

Les Deux Trinité

Vers 1675-1682. Huile sur toile, 293 × 207 cm

Seul Vélasquez *(cf. p. 249)* a surpassé par le talent et la gloire son contemporain Murillo, l'un des plus grands peintres de l'Espagne du XVIIᵉ siècle. Tous deux étaient natifs de Séville, mais leurs tempéraments, leurs carrières et l'accueil que leur réserva la critique auraient difficilement pu diverger davantage. Vélasquez passa la majeure partie de sa vie à la cour de Madrid. Murillo resta à Séville, où il exécuta surtout des œuvres religieuses destinées à des institutions ecclésiastiques. Il mourut en tombant d'un échafaudage dans l'église des Capucins de Cadix. Bien que Murillo ait exécuté de main de maître quelques portraits, son œuvre profane est essentiellement constituée de scènes de l'enfance – un genre sans précédent en Espagne.

La célébrité de Murillo éclipsa celle de Vélasquez au cours du XVIIIᵉ siècle : considéré comme le plus grand peintre après Raphaël *(cf. pp. 86 et 146)*, il influença entre autres Gainsborough et Reynolds *(cf. pp. 283 et 315)*. Vers 1900 cependant, son style, qui avait été en parfaite harmonie avec les sensibilités religieuses de son époque, apparut insipide. Murillo est en effet le grand interprète de tout une série de sentiments auxquels nous ne croyons plus : évitant les scènes de martyre, il avait comme sujets de prédilection la Sainte Famille, toujours attendrissante, d'adorables saints encore enfants, de gracieuses Vierge à l'Enfant, et l'Immaculée Conception. Par la suite il s'est montré rassurant jusque dans ses images d'enfants vagabonds. Mais le spectateur du XXᵉ siècle méconnaît parfois les véritables ressorts émotionnels de son œuvre. Petit dernier d'une famille de quatorze enfants, il perdit ses parents à l'âge de neuf ans, et survécut plus tard à son épouse et à six de ses neuf enfants. À partir de 1635, l'Espagne ne cessa d'être en guerre dans toute l'Europe. En 1649, la moitié de la population de Séville fut décimée par la peste et, en 1652, éclata un soulèvement populaire. Tandis qu'autour de lui le monde sombrait dans un noir désespoir, ce n'est pas par sentimentalisme mais par héroïsme que Murillo enveloppait de nuages d'encens et de roses l'univers qu'il mettait en scène. Le visiteur qu'agacent ces yeux levés au ciel et ces chérubins aux joues roses devrait commencer par observer le tracé ferme des mains, ici magnifiquement raccourcies et individualisées dans leur éloquente communion. Le dessin impeccable de l'artiste, à première vue caché par les touches vaporeuses de son pinceau – caractéristique de ses œuvres de maturité influencées par Rubens et Van Dyck *(cf. pp. 193 et 235)* –, est le signe d'un stoïcisme sous-jacent.

Murillo avait déjà traité le sujet des Deux Trinités au début de sa carrière, lorsqu'il avait peint le retour du Temple de la Sainte Famille (Lc II, 51). La composition des deux tableaux s'inspire de gravures du XVIᵉ siècle exécutées par les frères flamands Wierix pour des livres de dévotion jésuites. Ces images, destinées à plaire à un large public de laïcs, mettaient en valeur les tâches humbles effectuées par la Sainte Famille, et rendaient hommage à saint Joseph, charpentier, protecteur de la Vierge et père du Christ fait homme. À la Trinité céleste formée par Dieu le père, la colombe du Saint-Esprit et le Christ, fait écho la Trinité terrestre formée par Marie, Joseph et Jésus. Dans ce tableau, probablement commandé pour servir de retable, Joseph – la seule figure qui regarde le spectateur – tient le bâton fleuri, signe par lequel Dieu l'a choisi parmi tous les prétendants de Marie. L'Enfant Jésus se tient en hauteur, debout sur une pierre taillée. Celle-ci, qui permet à l'artiste de placer l'Enfant Jésus au sommet d'un triangle dressé au centre de la toile, est aussi symbolique : « Ainsi parle le Seigneur Dieu : Voici que je pose dans Sion [...] une pierre angulaire, précieuse, établie pour servir de fondation » (Is XXVIII, 16). L'ombre des nuages qui se séparent pour révéler la lumière divine tempère le rouge vif et l'outremer, les tons abricot, rose, or et le blanc des rehauts, formant une magnifique harmonie d'ensemble, une brume grise, bleu ciel et safran.

Bartolomé Esteban Murillo   1617-1682

Autoportrait

1670-1673 ? Huile sur toile, 122 × 107 cm

L'inscription en latin figurant sous le cadre fictif de cet autoportrait signifie : « Bart[olo]mé Murillo exécutant son portrait pour répondre aux désirs et aux prières de ses enfants. » En 1670, date à laquelle ce portrait a probablement été peint, seuls quatre

Autoportrait

des neuf enfants de Murillo étaient encore en vie. Son unique fille était entrée dans un couvent dominicain et son plus jeune fils décidait de faire carrière dans l'Église et allait par la suite devenir chanoine à la cathédrale de Séville.

À la mort de l'artiste, une gravure fut exécutée à Anvers d'après ce tableau à la demande d'un ami de Murillo, Nicolas de Omazur, poète et marchand de soie flamand établi à Séville. Dans cet autoportrait, Murillo a lui-même emprunté à la gravure des Pays-Bas une formule très utilisée pour les frontispices de livres. Le portrait à mi-corps de Murillo est entouré d'un cadre ovale doré, placé contre un mur, sur une étagère ou une console. Mais par un tour de prestidigitation possible uniquement en art, c'est le peintre lui-même, et non son image, qui passe la main hors du cadre. Vêtu sobrement d'un habit noir couronné d'un col souple en dentelle, il regarde le spectateur de son air grave et légèrement mélancolique. Rien dans ce portrait ne permet de douter qu'il soit gentilhomme. Autour du cadre ont cependant été disposés les instruments de sa profession : une palette où sont étalées diverses couleurs, des pinceaux, un dessin à la sanguine, la sanguine elle-même, un compas et une règle. Le blanc de sa palette est une véritable volute de pâte de blanc de plomb, et non sa représentation en trompe-l'œil. Le compas et la règle nous présentent l'homme comme un artiste savant, qui, loin de se contenter d'imiter les apparences, crée ses tableaux en appliquant les règles qui découlent des lois mathématiques. Un dessin rappelle – le dessin étant la discipline de base des beaux-arts – qu'en 1660 Murillo fut le co-fondateur de l'Académie des Beaux-Arts de Séville, dont il fut le premier président.

Comme dans tous ses portraits et par opposition à ses autres tableaux, Murillo fait passer ici la véracité avant le charme. Une forte lumière, qui projette des ombres foncées, a été utilisée pour modeler les formes ; sa célèbre touche « tout en douceur » n'apparaît que dans les cheveux et la dentelle. La gamme chromatique sombre, faite de noir, de blanc et d'ocre, n'est rehaussée que de rouge, comme l'indique la palette, où la présence de cette couleur sous une forme non diluée contribue à clarifier la construction spatiale de la toile et égaye le jeu solennel basé sur l'art de la réalité et la réalité de l'art.

Nicolas Poussin   1594-1665

L'Adoration du veau d'or

Vers 1634. Huile sur toile montée sur panneau, 154 × 214 cm

Que Nicolas Poussin, fils d'un paysan normand, soit devenu à Rome le peintre-philo-sophe dont « l'esprit [...] semble s'être enraciné dans l'Antiquité » montre à quel point l'obstination peut triompher des circonstances de la vie. Peu d'artistes de son impor-tance ont reçu une formation aussi peu appropriée, ou trouvé leur voie si tard. C'est un peintre itinérant mineur, travaillant dans l'église du bourg voisin des Andelys, qui éveilla chez lui un intérêt pour l'art. La même année, en 1611-1612, Poussin partit s'installer à Paris. Après avoir connu des années d'adversité et tenté par deux fois, mais en vain, de se rendre à Rome, il attira l'attention sur lui en 1622, grâce à six tableaux qu'il avait peints pour les Jésuites. En 1624 il partit finalement s'installer à Rome, avec la ferme intention d'égaler Raphaël *(cf. pp. 86 et 146)* et la sculpture antique.

Les débuts de Poussin en Italie furent à peine plus faciles que les années passées à Paris. Il étudia des gravures et des statues, une célèbre peinture murale antique faisant partie d'une collection princière, l'œuvre de Raphaël, du Dominiquin *(cf. p. 190)* et de Guido Reni *(cf. p. 232)*, et découvrit en outre Titien *(cf. p. 158)*, dont le tableau *Bacchus et Ariane* venait d'être transféré de Ferrare à Rome avec d'autres peintures mytholo-giques. Poussin ne trouva sa voie et des mécènes que vers trente-cinq ans. À partir de 1630 environ – abstraction faite des années 1640-1642 passées à Paris au service du roi, qui constituèrent un malheureux intermède – il exécuta surtout d'assez petites toiles destinées à des collectionneurs privés. Des limites mêmes de son talent, il créa un nou-veau genre pictural : la peinture d'histoire petit format, peuplée de figures en pied de faible dimension, et destinée à l'édification et la délectation d'un cercle restreint d'amateurs *(cf. cependant l'œuvre exécutée précédemment dans le même genre par Annibal*

Carrache, p. 181). Peu de peintres ont fait preuve d'autant de sérieux, sont allés aussi loin et ont finalement été aussi influents que Nicolas Poussin.

À l'origine, L'*Adoration du veau d'or* allait de pair avec le *Passage de la mer Rouge*, actuellement à Melbourne. Tous deux illustrent des épisodes de l'Ancien Testament relatés au chapitre XXXII de l'Exode. Dans le désert du Sinaï, les enfants d'Israël, découragés par la longue absence de Moïse, demandent à Aaron de leur donner des dieux capables de les guider. Ayant recueilli toutes les boucles d'oreilles en or, Aaron fait fondre le métal précieux pour le couler en un veau d'or, que les enfants d'Israël se mettent à adorer. À l'arrière-plan, sur la gauche, Moïse et Josué descendent du mont Sinaï, les Tables des Dix Commandements à la main. Lorsque Moïse entend les chants, aperçoit le veau et les danses, il « s'enflamm[e] et jet[te] les tables et les bris[e] au bas de la montagne ». La grande figure barbue habillée de blanc est Aaron qui annonce la fête en l'honneur du faux dieu.

Certains ont dit que Poussin avait réalisé en terre glaise de petites figures qui lui avaient servi de modèles. Les danseurs du premier plan semblent confirmer cette thèse : ils sont très précisément l'image inversée d'un groupe de nymphes et de satyres faisant ribote dans un tableau plus ancien de Poussin, *Bacchanale devant un terme de Pan*, également à la National Gallery. Dans un paysage majestueux, auquel le peintre a donné les couleurs audacieuses découvertes chez Titien, devant une gigantesque idole en or – plus taureau que veau (lequel représente un nombre considérable de boucles d'oreilles !) –, ces Hébreux festoyant rendent hommage à la force de la vision de l'Antiquité de Poussin. Comme sur un relief sculpté ou un vase grec peint, le mouvement des figures semble être suspendu, les gestes emphatiques isolés d'une figure à l'autre, l'ensemble laissant une impression à la fois de violence et de statisme.

Nicolas Poussin   1594-1665

Le Triomphe de Pan

1636. Huile sur toile, 134 × 145 cm

Le *Triomphe de Pan* est l'un des tableaux commandés par le cardinal de Richelieu *(cf. p. 183)* à Nicolas Poussin, qui était en 1636 le plus grand peintre français de Rome. Ces œuvres étaient destinées à une pièce du château que le grand ministre possédait dans le Poitou et qui devait aussi abriter des œuvres mythologiques de Mantegna, du Pérugin et de Costa *(cf. pp. 34, 62 et 77)*. Poussin avait dû être informé de la dimension des autres tableaux, mais aussi de la taille des figures représentées, car bien qu'il ne les ait jamais vus, celle de ses personnages est plus ou moins identique. On avait aussi dû préciser que les tableaux seraient accrochés au-dessus d'un grand lambris sous un plafond doré, entre des cariatides dorées, des batailles navales et des fleurs de lys or sur fond bleu. Dans le château de Richelieu, le cabinet de la chambre du Roi fêtait la maîtrise des mers, « don » du cardinal à Louis XIII. Concevoir une œuvre pour une pièce où, pour reprendre les termes d'un panégyrique de l'époque, « l'Art disputait à l'Opulence » et où se côtoyaient tableaux, boiseries, vases en porphyre et bustes antiques – doit avoir constitué pour Poussin un formidable défi. Non seulement il devait rivaliser avec certains éminents artistes de la Renaissance italienne, mais ses tableaux devaient aussi pouvoir sortir vainqueurs de leur confrontation avec le décor éclatant de la pièce. Aussi les couleurs utilisées sont-elles les plus vives que l'artiste ait jamais étalées sur une toile. Mais la pièce ayant été vidée et les tableaux dispersés il y a fort longtemps, nous ne pouvons qu'imaginer l'effet d'ensemble.

Poussin a soigneusement tenu compte du point de vue du spectateur. Les visiteurs du musée peuvent s'asseoir par terre pour mieux percevoir la construction spatiale et en comprendre la signification. Les figures occupent un espace légèrement surélevé qui s'étend jusqu'aux rochers et aux arbres entourés de vigne, lesquels isolent la scène du ciel et des montagnes servant de toile de fond. Dressés au premier plan contre le bord de cette

scène champêtre, un tambourin et deux masques, l'un antique représentant un satyre, l'autre italien représentant une Colombine. Derrière, un masque de Polichinelle se mêle à une nature morte regroupant les accessoires d'une bacchanale antique : thyrses (bâtons entourés de lierre, surmontés d'une pomme de pin), houlette et flûte de Pan, coupe et une jarre de vin où figure Dionysos – le Bacchus de la mythologie grecque.

La composition s'inspire d'une gravure exécutée d'après une œuvre de Jules Romain, élève de Raphaël. Mais Poussin fait aussi preuve d'une connaissance directe des traditions de l'Antiquité. L'association de masques antiques et modernes et la construction en forme de scène, évoquent les prémices du théâtre dans les rites bachiques. La scène principale représente un « triomphe » – ou adoration – devant le pilier hermaïque d'un dieu cornu réduit à un buste aux bras sectionnés, et dont la face, badigeonnée d'un jus extrait de tiges de lierre bouillies, est cramoisie. Il s'agit du terme de Pan, dieu arcadien des bergers et des gardiens de troupeaux – mais aussi de Priape, dieu de la fertilité ithyphallique, gardien des jardins, dont le culte fut importé du Proche-Orient en Grèce. Confondus l'un avec l'autre, ils ont été associés à Dionysos-Bacchus, dieu du vin qui, mort, descendu dans l'Hadès puis ressuscité, est associé au cycle de la mort et du renouveau saisonnier. Ceux qui festoient – les nymphes et leurs compagnons lubriques, les satyres, et les ménades, qui déchirent vivantes les biches ou éparpillent les fleurs d'une corbeille vouée à Dionysos – font tous partie de l'entourage de Dionysos *(cf. aussi p. 159)*. Le tableau prête vie à un monde païen imaginaire, sans omettre sa cruauté ni son charme séducteur, mais sans qu'apparaisse un soupçon de discours moralisateur, qui serait anachronique.

Nicolas Poussin   **1594-1665**

Moïse sauvé des eaux

1651. Huile sur toile, 116 × 178 cm

Cette toile, la plus récente et la plus grandiose des trois variantes qu'effectua Poussin, a été conjointement acquise, en 1988, par la National Gallery et le Musée national du pays de Galles. Elle est donc présentée en alternance à Londres et à Cardiff. Bien qu'elle ne soit pas visible en permanence à la National Gallery, l'œuvre a été incluse dans ce guide, parce que très peu connue encore, mais aussi parce que, magnifique, elle méritait de l'être.

Poussin a illustré des épisodes de la vie de Moïse au moins dix-neuf fois *(cf. p. 223)*. On a remarqué qu'il évitait dans la mesure du possible les scènes de vision ou de martyre – sujets de prédilection de l'art religieux du XVIIe siècle –, se limitant aux thèmes majeurs de la chrétienté. Il les replaçait dans leur contexte historique proche-oriental et les mettait en relation avec les doctrines fondamentales d'autres religions, selon une tendance propre aux érudits de l'époque. Parmi les sujets inspirés de l'Ancien Testament, il choisissait ceux qui avaient trait au problème du Salut ou à ses préfigurations.

Dès les débuts de la chrétienté, l'Ancien Testament a été lu par les chrétiens pour les analogies qu'il présentait avec le Nouveau Testament. Ainsi, les eaux du Nil auxquelles la mère de Moïse confia son enfant dans « une caisse en papyrus » (après que le pharaon eut donné l'ordre impitoyable de noyer tous les garçons israélites nouvellement nés, Ex I,22), ont été assimilées aux eaux du Baptême. Mais l'intérêt de Poussin pour Moïse tient peut-être aussi au fait que celui-ci était associé à des divinités païennes. Un écrivain de l'époque, influencé par cette conception, écrivit du reste au sujet de ce tableau : « C'est Moïse, le Mosché des Hébreux, le Pan des Arcadiens, le Priape de l'Hellespont, l'Anubis des Égyptiens. »

Toutes ces idées transparaissent dans le tableau. Le bébé sur lequel s'apitoie la fille du pharaon ressemble à l'Enfant Jésus bénissant les Rois mages ou les bergers dans les scènes de l'Adoration. À l'arrière-plan, sur la gauche, un prêtre égyptien honore Anubis, dieu égyptien revêtant l'apparence d'un chien (il est à peine visible, car la pellicule de peinture est devenue plus fine et presque transparente). Les références au royaume d'Égypte ne manquent pas : sur le rocher surplombant la scène principale, une divinité fluviale symbolise le Nil, tenant dans ses bras un sphinx ; des palmiers bordent la rive et un obélisque se dresse derrière un temple majestueux (curieusement, les bâtiments aux multiples fenêtres dont Poussin – qui n'avait jamais séjourné en Égypte – dote le pays du Pharaon, ressemblent aux complexes hôteliers modernes !). Le principal intérêt du tableau comme sa beauté, résident cependant moins dans son éventuel symbolisme que dans le merveilleux regroupement des figures, toutes féminines, par opposition au groupe d'hommes du *Christ guérissant les aveugles* conservé au Louvre – un tableau peint pour le même commanditaire un an plus tôt. Dans l'épisode dramatique de Moïse sauvé des eaux, chaque femme a son rôle à jouer : l'impérieuse princesse se montre généreuse, les servantes sont curieuses et ravies. L'humble figure en robe blanche, près de la tête de Moïse, pourrait être sa sœur – qui était restée non loin de là pour voir ce qu'il adviendrait de lui. Elle recommandera à la fille du pharaon de prendre la mère de Moïse comme nourrice. On serait tenté de croire que, par ce magnifique éventail de draperies, Poussin a voulu flatter son commanditaire Reynon, marchand de soies à Lyon. Les corps et les couleurs, tous bien distincts, se combinent sur la surface picturale en des rythmes amples auxquels font écho les rochers situés derrière. Le tableau est à la fois grave et gai, comme il convient à une scène où un enfant est sauvé et, à travers lui, un peuple tout entier.

Rembrandt 1606-1669

Femme se baignant dans un ruisseau

1654. Huile sur chêne, 62 × 47 cm

Tous les historiens d'art s'accordent à dire que Rembrandt Van Rijn a été le plus grand génie de la peinture hollandaise du XVIIe siècle, et la National Gallery s'enorgueillit de posséder une vingtaine d'œuvres de sa main (les trois tableaux étudiés dans ce guide ont été classés par ordre d'arrivée à la National Gallery). Artiste excellant dans tous les genres, c'est comme peintre d'histoire qu'il désirait être reconnu. S'il n'a trouvé dans cette Hollande officiellement calviniste – où les intérieurs des églises avaient été blanchis à la chaux – aucune opportunité de peindre des retables, il put cependant créer des scènes bibliques pour des collectionneurs privés. Les œuvres à sujet mythologique et biblique ont d'ailleurs connu en Hollande un développement plus important que nous ne l'imaginons souvent, et Rembrandt lui-même a reçu un certain nombre de ce type de commande. Les portraits constituent toutefois la plus grande part de son œuvre peint. Son aspiration à la peinture d'histoire permet peut-être d'expliquer pourquoi il s'est mis à donner à ces portraits – en particulier aux portraits de groupe – l'apparence vivace de récits. Son extraordinaire imagination picturale et sa technique incomparable lui ont permis d'introduire drame et mystère, en créant d'audacieux contrastes d'ombre et de lumière mais aussi entre les différentes textures, de la plus délicate à la plus épaisse. La surface peinte de ses tableaux, contrairement à celles de la plupart de ses contemporains *(cf. cependant Hals, p. 202),* est aussi vivante que les personnages représentés. Il savait non seulement évoquer de manière pénétrante les émotions engendrées par l'action dépeinte, mais aussi nous convaincre que chacune des figures peintes était douée de sentiment.

La petite *Femme se baignant dans un ruisseau* a toujours été l'une des œuvres de Rembrandt les plus appréciées. Elle est si tendrement intimiste, la pose et la technique si

Femme se baignant dans un ruisseau

spontanées, que la scène semble à première vue relater une expérience vécue : le bain dans un ruisseau de la maîtresse de Rembrandt, Hendrickje Stoffels. Mais la robe or et cramoisie laissée sur la rive laisse à penser que cette femme au bain doit être assimilée à une figure biblique ou mythologique – Suzanne, Bethsabée ou Diane. L'année où ce tableau fut exécuté est celle où Hendrickje, que nous reconnaissons ici pour l'avoir vue sur d'autres toiles, se vit publiquement humiliée en raison de sa liaison avec l'artiste, et où elle mit au monde leur seul enfant. Glisser l'image personnelle et sensuelle d'un modèle aimé dans la peau d'un personnage traditionnel était tout à fait conventionnel au XVIIᵉ siècle. Équivoque, le récit pouvait faire écho à la relation entretenue avec le modèle dans la vie réelle. C'est en toute innocence que Suzanne, héroïne d'un texte apocryphe, éveilla la concupiscence de deux vieillards, faux témoins ; la beauté de Bethsabée (2 S XI) amena le roi David à commettre un péché mortel ; la vue de Diane en train de se baigner dans les bois coûta la vie au chasseur Actéon.

Les procédés utilisés ici par Rembrandt ne sont pas moins « révolutionnaires » que la facture impressionniste de Monet au XIXᵉ siècle *(cf. p. 303)*. Ils montrent l'économie et la variété des moyens mis en œuvre par le maître hollandais afin d'obtenir des effets optiques complexes. Par endroits, la couleur chaude choisie pour la préparation – une teinte chamois – a été laissée à nu afin de suggérer une ombre : c'est le cas près du bord inférieur de la robe. La peinture du vêtement a elle-même été appliquée de manière si spontanée que chaque touche de pinceau est perceptible : l'artiste a en effet travaillé dans le frais, et il a parfois plongé son pinceau dans différentes teintes de blanc, non mélangées sur la palette, faisant apparaître côte à côte différentes nuances. Des demi-teintes froides ont été obtenues en ajoutant du blanc et du noir ou en laissant transparaître la couleur de la préparation, d'où l'obtention d'une teinte mauve. À d'autres endroits, cette couleur résulte d'une adjonction de rouge. Les ombres les plus profondes ont été rendues à l'aide de touches de noir pur projetées dans les touches de blanc et de gris encore fraîches. La robe abandonnée sur la rive témoigne d'une même virtuosité : l'illusion du brocart a été produite à l'aide de tout une variété de touches irrégulières, complétées par des rehauts d'orange pur et d'ocres jaunes, aussi épais que de la pâte dentifrice.

Rembrandt   1606-1669

Autoportrait à l'âge de trente-quatre ans

1640. Huile sur toile, 102 × 80 cm

Rembrandt, fils d'un riche meunier, fréquenta l'école latine de Leyde où il reçut plus que les rudiments d'une culture classique. À travers cet autoportrait, il fait état de son statut d'homme riche et de peintre célèbre, mais aussi celui d'un homme qui pratique un art libéral, dont l'éloquence n'a rien à envier à celle d'un poète.

La composition s'inspire de deux grands portraits de la Renaissance italienne : le courtisan, diplomate et écrivain *Balthazar Castiglione* par Raphaël (conservé au Louvre) et le *Portrait d'un homme* par Titien de la National Gallery *(cf. p. 162)*. Rembrandt avait fait une esquisse du premier lorsqu'il était apparu sur le marché de l'art d'Amsterdam en 1639. Le tableau avait été acheté par Alfonso Lopez, marchand d'art et collectionneur portugais que Rembrandt connaissait, et qui, entre 1637 et novembre 1641, posséda aussi le tableau de Titien ou l'une de ses copies. Tandis que le chapeau foncé délimitant le visage du modèle s'inspire du tableau de Raphaël, la pose, le regard direct adressé au spectateur et l'accent mis sur la riche étoffe de la manche, témoignent de la dette de Rembrandt envers Titien. À cette époque, on pensait que le tableau de celui-ci représentait l'illustre poète italien l'Arioste. En s'habillant d'un somptueux costume Renaissance (nous savons qu'il conservait des accessoires de ce genre dans son atelier) et en posant à la manière de l'Arioste, Rembrandt ne se contentait pas d'adapter une composition célèbre : il procédait à un rapprochement entre la peinture – l'art qu'il pratiquait – et la poésie. Dans le débat sur le statut respectif de ces deux arts entraient à l'époque des considérations d'ordre pratique. En tant qu'artisans, les peintres étaient considérés inférieurs aux poètes du point de vue moral et intellectuel et faisant preuve d'une imagination moindre ; ils subissaient en outre des restrictions d'ordre juridique et étaient assujettis à des taxes, dont les artistes pratiquant un art libéral, comme les poètes, étaient exonérés.

Contrairement à la *Femme se baignant dans un ruisseau*, cet autoportrait a été peint méticuleusement, la préparation ayant été entièrement recouverte de couleurs lisses mêlées les unes aux autres. Rembrandt avait peut-être l'intention d'égaler la technique de Raphaël et celle de Titien. Dans un tableau plus ancien, mais beaucoup plus tumultueux, *Le Festin de Balthazar (cf. p. 231)*, il avait joué sur les contrastes engendrés par les différentes épaisseurs de peinture ; ici, le seul effet qu'il s'autorise au niveau de la texture

Autoportrait à l'âge de trente-quatre ans

consiste à suggérer les cheveux situés derrière le cou en grattant la peinture fraîche avec l'extrémité de son pinceau. L'examen aux rayons X a révélé que le peintre avait changé deux fois d'avis en cours d'exécution. À l'origine, il avait placé la main gauche juste à côté de la main droite, laissant ses doigts reposer distraitement sur le parapet, mais il l'a ensuite effacée. Il a en outre modifié la forme du col et raccourci le devant de la chemise, changeant ainsi les proportions des zones d'ombre et de lumière autour et sous le visage.

Par la suite, le tableau a aussi changé de format : autrefois rectangulaire, il a pris la forme cintrée que nous lui connaissons aujourd'hui ; une bande étroite a en outre été ajoutée en bas. Mais la modification la plus considérable apportée à cette œuvre est actuellement visible à l'œil nu : on note un léger plissement et affaissement de la couche picturale. Quelque temps avant l'entrée du tableau à la National Gallery, au cours du XIXe siècle, la plupart des couches picturales ont été transposées de leur toile originale sur une nouvelle toile.

Rembrandt

1606-1669

Le Festin de Balthazar

Vers 1636-1638. Huile sur toile, 168 × 209 cm

Cette scène dramatique illustre un épisode de l'Ancien Testament tiré du chapitre V du livre de Daniel. Les convives d'un grand festin offert par Balthazar, roi de Babylone, boivent du vin et dégustent les mets dans une vaisselle d'or et d'argent volée au Temple de Jérusalem par son père, Nabuchodonosor ; ces banquetteurs « lou[ent] les dieux d'or et d'argent, de bronze, de fer, de bois et de pierre [...] qui ne voient ni n'entendent ni ne connaissent » et n'honorent pas Dieu lui-même. Alors « surgi[ss]ent des doigts de main d'homme [qui] écriv[ent]... sur le plâtre du mur ». Seul le prophète juif Daniel sut lire cette inscription surnaturelle – MENÉ MENÉ TÉQEL OU-PARSIN – prédisant la chute et même la mort imminente de Balthazar, et le partage de son royaume entre les Mèdes et les Perses.

Les commentateurs hébreux de la Bible s'étaient longtemps demandé pourquoi les sages de Babylone appelés par le roi avaient été incapables de lire l'inscription sur le mur. Menasseh ben Israel, érudit juif, ami et voisin de Rembrandt (qui avait exécuté son portrait à l'eau-forte vers 1636 et illustré l'un de ses ouvrages), publia ses propres conclusions. Selon lui, les lettres avaient été écrites verticalement de haut en bas et de droite à gauche (contrairement à l'usage habituel selon lequel l'hébreu se lit horizontalement de droite à gauche). L'inscription reproduite par Rembrandt suit la formule de Menasseh.

L'impression d'agitation que laisse le festin du roi est plus marquée qu'à l'origine car les quatre côtés du tableau ont été légèrement rognés, et la toile a subi une faible rotation lorsqu'elle a été remontée sur son châssis. Ainsi, la légère inclinaison de la table et le filet de vin qui s'écoule en diagonale sur la droite, accentuent l'atmosphère troublée voulue à l'origine par Rembrandt. Mais avant que n'interviennent ces petites distorsions, l'artiste avait déjà tout mis en œuvre pour produire cet effet. Le collier de Balthazar – cette chaîne en or qu'il promettait de passer autour du cou de qui déchiffrerait l'inscription – oscille de manière convulsive et découpe une ombre sombre. Son cliquetis, le halètement et les cris des convives, le retentissement du poing royal sur le métal, le choc des gobelets en or et le vin giclant ici et là sont presque audibles, tandis qu'à l'arrière-plan le musicien aveugle continue à jouer du pipeau. La lumière miraculeuse nous éblouit tandis que la matière picturale semble tourbillonner des sombres transparences et des pâles contours obtenus par grattage, jusqu'aux lourdes incrustations de la cape de brocart de Balthazar.

Le procédé cinématographique du gros plan a permis de placer dans cette toile – certes grande, mais conçue pour un intérieur de maison –, des personnages gigantesques, représentés à mi-corps. Cette formule nous donne l'impression d'assister de très près à la scène.

Nous ignorons qui a commandé cette scène barbare, mais elle était probablement destinée à la salle à manger d'un riche patricien, dans laquelle les hôtes, à la fois ravis et inquiets, devaient dîner en gardant à l'esprit que « les dieux d'or [...] ne voient ni n'entendent ni ne connaissent » et la nécessité de glorifier « le Dieu qui a dans sa main ton souffle et à qui sont toutes tes voies ».

Guido Reni   1575-1642

Loth et ses filles quittant Sodome

Vers 1615-1616. Huile sur toile, 111 × 149 cm

Le Bolonais Reni fait partie, comme le Florentin Dolci *(cf. p. 188)*, de ces grands artistes italiens du XVIIᵉ siècle que le public du XXᵉ siècle a du mal à apprécier : il nous apparaît étranger et plein de contradictions. À juste titre, puisque cet artiste, qui a travaillé le plus souvent à Bologne et à Rome, a suscité l'admiration parce qu'il était d'une nature talentueuse *et* étudiait sans relâche ; parce qu'il était physiquement très beau *et* est resté toute sa vie célibataire ; parce que c'était un homme pieux *et* un joueur invétéré. Ses tableaux habillent souvent d'une beauté glaciale des sujets pleins de violence. Il a cherché à égaler Raphaël *(cf. pp. 86 et 146)* et l'art antique, mais a emprunté à Dürer les draperies de ses gravures. Il a affirmé que les « seules peintures qui soient belles et parfaites sont celles qui plaisent chaque jour davantage ». *Loth et ses filles* répond précisément à cette définition. L'impact de ce tableau – peint pour un collectionneur privé peu après le retour à Bologne de Reni, qui venait d'effectuer un séjour à Rome – dépend du niveau de culture du spectateur et de son désir ou non de prendre le temps de le regarder.

Le sujet même de l'œuvre constitue pour le public moderne un premier obstacle. Dans ce tableau d'une curieuse intensité, *rien ne se passe*. Il est en outre impossible de savoir ce que les personnages pensent ou ressentent, ni comment le spectateur est censé réagir. Nous avons besoin de connaître les événements antérieurs à cette scène et ceux qui vont suivre. Un sujet de ce genre n'a de chance d'avoir du succès que si le tableau est destiné à séduire et à éveiller l'intérêt d'un particulier, et non à faire de la propagande. L'épisode représenté est extrait du chapitre XIX de la Genèse. Deux anges sont venus prévenir Loth, homme juste, que le Seigneur s'apprête à détruire Sodome, sa ville. Ils l'incitent à fuir dans la montagne avec son épouse et ses deux filles. Sa femme, qui se retourne sur la ville en flammes, est transformée en colonne de sel. Dans la mon-

tagne, les deux filles de Loth, installées dans une grotte avec leur père, pensent que celui-ci et elles-mêmes sont les trois seuls survivants sur terre. De manière à « engendrer une descendance », elles enivrent Loth puis le séduisent. Les deux unions incestueuses donneront naissance à Moab et Ben-Ammi, les ancêtres des Moabites et des Ammonites, ennemis d'Israël.

La plupart des artistes ont représenté l'épisode sensuel de la séduction – facilement reconnaissable car la scène comprend généralement, outre le vieil homme ivre et les deux jeunes séductrices, une ville en flammes à l'arrière-plan. Reni a procédé différemment. S'inspirant d'un relief du XVIe siècle ornant le portail de San Petronio, principale église de Bologne consacrée au saint patron de la ville, et d'une fresque faisant partie du cycle de l'Ancien Testament de Raphaël au Vatican, il a peint en gros plan la fuite de Loth et de ses filles. Il nous incombe de faire le lien entre ces trois figures et l'épouse de Loth transformée en sel, mais aussi avec les incestes qui vont avoir lieu (l'aînée des filles porte le vin qui va jouer un rôle crucial). Le gros plan a permis à Reni de représenter les personnages grandeur nature comme dans les peintures narratives héroïques, tout en évitant le caractère explicite que présente normalement cet épisode. Tout est clair comme de l'eau de roche – et pourtant règne une ambiguïté qui ne laisse d'intriguer : l'expression des personnages – le vieil homme au regard presque concupiscent, ses filles belles mais aussi inquiétantes que les masques antiques de Médée ou des Bacchantes – jusqu'à leurs gestes « éloquents » que nous ne pouvons cependant pas interpréter, en passant par les couleurs, riches mais indéterminées, et les draperies. Contrairement à la tradition, le manteau de la femme de droite, ample et somptueux, creuse son corps au lieu d'en mettre en valeur ses formes.

Salvator Rosa   1615-1673

Autoportrait

Vers 1645. Huile sur toile, 116 × 94 cm

« Demeure silencieux à moins que ton discours vaille mieux que le silence », tel est le
texte du panneau qui figure sous la main de Salvator Rosa dans cet autoportrait sans
concession. Poète, acteur, musicien, écrivain satirique, épistolier, aquafortiste et
peintre, Rosa, vêtu d'un costume d'universitaire, se présente ici tel un philosophe stoï-
cien, méprisant « le bruit et l'agitation, vides de sens » de la vie quotidienne. Sa cape
foncée s'inspire peut-être du « manteau brun » du Silence évoqué par l'Arioste dans un
de ses poèmes. Ce portrait s'accompagnait d'un tableau tout aussi fantasque (actuellement dans le Connecticut), une allégorie de la Poésie à laquelle la maîtresse bien-aimée
du peintre, Lucrezia, avait prêté ses traits. Ensemble, les deux tableaux symbolisaient
peut-être le Silence et l'Éloquence.

Après avoir été formé à Naples à la peinture de petits tableaux décoratifs – scènes de
batailles, paysages et vues côtières – Rosa, qui désirait pratiquer un genre plus noble, à
savoir la peinture de figures, quitta Naples pour Rome. Là, il se fit des ennemis parmi

les artistes de la ville, mais aussi parmi ceux qui auraient pu être ses commanditaires. Entre 1640 et 1649, il travailla à Florence où, attaché à la cour des Médicis – qu'il prétendait mépriser –, il trouva des mécènes et des admirateurs parmi les familles nobles et les gens de lettres de la ville. Ce portrait et son pendant ont précisément été peints pour l'hôtel particulier d'une de ces familles, les Niccolini.

Malgré sa théâtralité, cet autoportrait, à travers lequel le peintre fait sa propre publicité, en dit long sur l'attitude de Rosa, qui rejetait la recherche de la beauté idéale, quête caractéristique de son époque. La National Gallery possède deux de ses nombreux paysages, qui dépeignent généralement de sauvages étendues de forêts et des scènes de montagne. Ils étaient fort recherchés des amateurs de pittoresque au XVIIIe siècle. Décrivant un voyage qu'il avait effectué dans les Alpes en 1739, Horace Walpole écrivit : « Précipices, montagnes, torrents, loups, grondements – Salvator Rosa. » Les scènes de sorcellerie peintes par Rosa à partir de gravures nordiques eurent plus d'influence encore sur l'engouement pour le néo-gothique du XVIIIe siècle. La National Gallery en possède un exemple particulièrement réussi – et par là même affreux. Son mépris de la beauté, ses sujets « sauvages » ou macabres, ses revendications quant à la dignité et la liberté de l'artiste, le récit légendaire d'une jeunesse passée en compagnie de bandits napolitains, mais aussi d'une double activité consistant à « se battre le jour [à Naples, dans une révolte contre le régime espagnol] et à peindre la nuit » firent de Rosa un héros aux yeux des romantiques et un scélérat aux yeux de Ruskin, qui considérait son art infecté par le « souffle du dragon » du mal.

Pierre Paul Rubens   1577-1640

Paix et Guerre (Minerve protège Pax de Mars)

1629-1630. Huile sur toile, 204 × 298 cm

Rubens et Rembrandt *(cf. p. 227)* ont été deux protagonistes hors pair de la peinture nordique du XVIIe siècle. Rembrandt était un personnage dépensier et peu scrupuleux, mais nous vénérons le grand artiste humaniste qu'il a été. Son aîné, Rubens, fut un idéaliste clairvoyant, cultivé et réservé, honnête et loyal, qui méprisait l'attitude arrogante des nobles et des courtisans et œuvra en faveur de la paix et de la tolérance en Europe. Il eut plus d'influence que Rembrandt, et adopta en peinture ce qui était considéré comme un style universel. Le plaisir qu'il avait à représenter des femmes bien en chair nous fait sourire et nous considérons volontiers le peintre grandiloquent, manquant peut-être même de sincérité. Nous avons souvent du mal à apprécier, même dans des tableaux aussi éloquents que cette allégorie de la Paix et de la Guerre, le mélange d'érudition et d'exubérance, de traits d'esprit et de sérieux dont il fait preuve. Cette toile fut présentée à Charles Ier en 1630 au cours d'un séjour que Rubens effectua à Londres, dans le cadre d'une mission diplomatique. Il avait en effet été chargé par l'archiduchesse Isabelle, gouvernante des Pays-Bas espagnols, de s'assurer de la paix entre l'Espagne et l'Angleterre.

Comme toutes les allégories, *Paix et Guerre* a besoin d'être déchiffrée – mais il n'est pas nécessaire de l'aborder d'emblée de cette manière désincarnée et conventionnelle. Le regard se pose d'abord sur les yeux brillants de la petite fille qui épie, timidement mais avec beaucoup d'attention, hors de la toile, et cela a certainement été voulu par Rubens. La fillette, qui porte des vêtements contemporains, de même que sa sœur aînée et le garçon à la torche sont les enfants de Balthasar Gerbier, peintre et agent royal, chez lequel séjournait Rubens. Mais au-dessus des enfants apparaît un sombre guerrier vêtu d'une tunique rouge sang et d'une armure noire ; le ciel s'embrase, une figure fantomatique crie. Si le spectateur ne voyait et ne comprenait rien d'autre, ces détails lui feraient à eux seuls saisir le message de l'œuvre. Qui pourrait rester indifférent à l'appel du regard de l'enfant ? Qui ne souhaiterait préserver de l'épée et du feu ce bonheur fragile ?

Paix et Guerre (Minerve protège Pax de Mars)

Rubens a divisé la toile en deux selon une ligne diagonale reliant le coin supérieur gauche au coin inférieur droit. Le triangle gauche est lumineux. C'est là que règne la Paix, que des enfants se mêlent joyeusement à de solides incarnations de notions abstraites, empruntées au tronc autrefois commun de la mythologie et de la poésie gréco-romaines. On a récemment avancé que Rubens avait peut-être l'intention d'illustrer l'invocation du poète grec Hésiode à la Paix, « protectrice des enfants ». La Paix est cette femme radieuse qui presse son sein pour nourrir l'enfant Ploutos, dieu de la Richesse. Autour d'elle, la suite de Bacchus, le dieu du vin et de la fertilité, célèbre ses bienfaits : une bacchante apporte un bassin rempli de pièces d'orfèvrerie tandis qu'une autre danse au son d'un tambourin. Un putto apporte au-dessus de la tête de la Paix deux de ses attributs : une couronne d'olivier et le caducée de Mercure. Aux pieds de la déesse, le satyre basané offre dans une corne d'abondance les dons de la terre tandis qu'un amour fait signe aux fillettes d'accepter le fruit savoureux. Un adolescent invite ses compagnes à s'approcher, tandis qu'Hymen, dieu romain du Mariage, sosie de l'adolescent, les éclaire de sa torche et pose une couronne sur la tête de l'aînée. Seule l'intervention vigoureuse de la figure casquée, qui n'est autre que Minerve, déesse de la Sagesse armée, repousse la menace que représentent Mars, dieu de la Guerre, et la Furie l'accompagnant.

Pierre Paul Rubens   1577-1640

Paysage automnal avec vue de Het Steen au petit matin

Vers 1636. Huile sur chêne, 131 × 229 cm

Après la mort, en 1626, de son épouse bien-aimée Isabelle Brant, Rubens, entré au service de l'archiduchesse Isabelle, se mit à voyager à l'étranger. En 1630, il revint à Anvers, fatigué et à bout de force. La même année cependant, « peu enclin à mener

déjà la vie d'abstinence d'un célibataire », il se remaria. Hélène Fourment était une beauté de seize ans, que Rubens avait connue enfant. Il eut désormais deux objectifs : le bonheur de son ménage et l'exercice de son art de manière indépendante. Brisant « le nœud doré de l'ambition », il parvint à se faire relever de ses fonctions officielles. En 1635, il acheta la seigneurie de Steen, près de Malines – un achat officiellement approuvé par le Conseil du Brabant, car Rubens avait été anobli par le roi d'Angleterre et le roi d'Espagne. Ce manoir du XVIe siècle avec parc, pâtures et terres arables, constituait une saine retraite les mois d'été, et, comme son neveu l'écrira par la suite, cette propriété fournissait à l'artiste l'occasion « de peindre de manière vivante et d'après nature les montagnes, les plaines, les vallées, les prairies environnantes, et les horizons qu'elles offrent au lever et au coucher du soleil ».

Ce panneau faisait certainement pendant à *L'Arc-en-ciel, paysage* (Londres, Wallace Collection), une vue de fin d'après-midi. De son vivant, Rubens a conservé les deux œuvres par-devers lui. Dans le panneau de la National Gallery, le soleil vient de se lever : il disperse les nuages, dore le feuillage des arbres et des arbustes, étincelle sur les vitres de Het Steen et sur le fusil du chasseur épiant les perdrix au premier plan. Des ombres servent à indiquer les ondulations du terrain, tandis que d'autres entourent les arbres. Un paysan et sa femme vont au marché en charrette. Derrière eux, le maître des lieux et son épouse partent en promenade, tandis qu'une nourrice allaite le bébé. Les dimensions gigantesques de ce panneau nous obligent à le considérer de deux manières différentes. Pour déceler les détails évoqués et bien d'autres, nous devons parcourir des yeux toute la surface du panneau, ce qui suppose que nous nous déplacions. Ce faisant, nous adoptons l'angle de vue du chasseur accroupi. Mais pour découvrir l'ensemble du panneau, véritable kaléidoscope de paysages plus ou moins grands qui encadrent des petites scènes de loisirs ou de travail et offrent presque tous un angle de vue différent, il faut reculer.

À une certaine distance, la ligne d'horizon, représentée assez haut, suppose l'existence d'un promontoire à partir duquel l'œil embrasse ce vaste panorama. Le lever de soleil sur la droite indique l'est comme sur une carte. Conformément à une vieille convention flamande, Rubens a divisé le panneau en trois bandes horizontales suggérant la perspective aérienne : la bande du bas, correspondant au premier plan, est brune avec des rehauts de rouge ; la deuxième, verte ; et la troisième, bleue. Tandis que le seigneur de Steen ne règne que sur sa propriété, le peintre règne en maître sur tout ce que son pinceau fait apparaître à nos yeux. Constable *(cf. p. 267)*, qui connaissait et admirait cette toile, fut autant influencé par l'expression d'une harmonie entre l'homme et la nature, que par les formules picturales de Rubens *(cf. détail sur la double page de titre)*.

Pierre Paul Rubens   **1577-1640**

Portrait de Suzanne Lunden (Le Chapeau de paille)

Vers 1622-1625. Huile sur chêne, 79 × 54 cm

Il est quasiment certain que le modèle de ce célèbre portrait n'est autre que Suzanne, la sœur aînée d'Hélène Fourment, que Rubens allait épouser en secondes noces en 1630. Lorsque Rubens peignit ce tableau, il était cependant déjà lié à la famille Fourment par sa première épouse Isabelle Brant, dont la sœur avait épousé Daniel Fourment, frère de Suzanne et d'Hélène. Le lien familial entre le modèle et l'artiste ressort clairement de ce tableau d'une grande spontanéité, qui pourrait être un portrait de mariage ou de fian-çailles, comme semble le suggérer la bague que le modèle porte à l'index droit (dans le double portrait de mariage de Rubens et de son épouse – actuellement conservé à Munich –, l'artiste avait représenté Isabelle avec au même doigt une bague semblable).

Devenue veuve peu après son premier mariage célébré en 1617, Suzanne épousa en 1622, soit à vingt-trois ans, Arnold Lunden. Peut-être est-ce pour rappeler cette succession d'événements qu'en toile de fond des nuages gris se dispersent, révélant le bleu du ciel. Rubens a peint ce portrait dans son atelier, mais le fait d'avoir placé son modèle en plein air lui a permis de faire intervenir une lumière naturelle, de sorte que même l'ombre du chapeau à plumes de Suzanne ne parvient pas à atténuer l'éclat de sa peau et de ses yeux. Cet effet suscitera l'admiration d'un peintre français, Mme Vigée Le Brun, qui l'adoptera dans son autoportrait de 1782 *(cf. p. 328)*. Comme de nombreuses œuvres de Rubens, ce panneau a peut-être été agrandi à un stade avancé : les bandes de bois ajoutées à droite et le long du bord inférieur sont faciles à distinguer.

Rubens avait le talent exceptionnel de savoir donner aux femmes belles et désirables dont il effectuait le portrait un air vif et intelligent. Généralement, il leur agrandissait les yeux et leur accentuait le noir de l'iris. Ici, les effets de la lumière rendent les yeux de Suzanne brillants et expressifs. Son regard évite cependant le nôtre, bien que ses lèvres s'entrouvrent en un sourire confiant et chaleureux. Ainsi son visage, hésitant momentanément entre réserve et spontanéité, apparaît merveilleusement naturel.

Pour représenter la peau, Rubens avait une technique infaillible qui a donné ici à l'épiderme de Suzanne sa transparence nacrée. Il a tout d'abord appliqué avec un gros pinceau, sur la couche de craie blanche brillante, des hachures irrégulières terre de Sienne, ce qui lui a permis d'obtenir un ton scintillant, ni clair ni foncé. Le visage et le haut du buste, avec les seins placés anormalement haut, enserrés dans un corset, ont été ensuite modelés de la même manière. La couleur chair a été appliquée sur ces stries brun argenté ; là où elle est moins épaisse, le modelé brun sous-jacent produit l'effet d'une ombre lumineuse. La pellicule de peinture étant devenue plus transparente avec le temps, les hachures brunes sont maintenant perceptibles sur le front de Suzanne, là où le bord du chapeau fait de l'ombre ainsi que celles, plus grossières, placées à l'arrière-plan, et le premier contour du chapeau, initialement plus large. Le peintre a ensuite ajouté des rehauts de blanc et des ombres rouges et noires sur la couleur chair du nez, des joues, du menton, du cou et des seins.

Le traitement de la chevelure a également été rapide et efficace : les mèches indisciplinées ont été peintes avec le bout du pinceau ou obtenues en grattant avec la pointe du manche. On retrouve la même fluidité de la touche au niveau des vêtements et en particulier des plumes d'autruche au mouvement enlevé, et des splendides manches rouges amovibles, dont la couleur audacieuse fait écho et concentre le rouge chaud des lèvres, des narines et des paupières.

Pierre Paul Rubens   1577-1640

Samson et Dalila

Vers 1609. Huile sur bois, 185 × 205 cm

En 1608 Rubens revint précipitamment à Anvers après huit années passées en Italie : il espérait arriver au chevet de sa mère mourante. Son arrivée dans la ville coïncida pour ainsi dire avec la conclusion d'une trêve entre les Pays-Bas méridionaux et les Provinces-Unies. Il devint rapidement le peintre officiel des gouverneurs des Pays-Bas espagnols, l'archiduc Albert et l'archiduchesse Isabelle ; il resta cependant domicilié à Anvers. Il ne retournera jamais en Italie, mais l'étude de l'art antique et de la Renaissance italienne l'aura marqué à jamais. À Anvers, il se mit à œuvrer pour la reconstruction de son pays déchiré par la guerre et devint une figure clé de la vie artistique et intellectuelle du pays.

Il compta à l'époque parmi ses amis les plus intimes et ses mécènes un homme riche et influent, l'échevin Nicolaas Rockocx, commanditaire de *Samson et Dalila*, – un tableau destiné à être accroché bien en évidence au-dessus de la cheminée de son grand salon à Anvers. Lorsqu'il y a quelques années, le tableau a été accroché à sa hauteur d'origine – soit à plus de deux mètres du sol –, à l'occasion d'une exposition à la National Gallery, on a réalisé à quel point Rubens avait merveilleusement bien calculé l'angle de vue. Le dessus du lit avait retrouvé son horizontalité et la composition conduisait l'œil du spectateur vers le mur et la porte du fond par laquelle les soldats philistins entrent pour capturer l'infortuné héros juif. Aux multiples sources lumineuses de cette pièce – les flammes du

Samson et Dalila

brasero, la bougie tenue par la vieille entremetteuse et la torche des philistins –, qui témoignent de la dette de Rubens envers son ami Elsheimer *(cf. p. 113)*, s'ajoute dans notre imagination un feu de cheminée qui se situerait en contrebas, illuminant le tapis d'Orient et la jetée de satin safran, tout en découpant de chauds reflets dans les ombres de la peau et de la draperie blanche, où les hachures brunes sous-jacentes, exécutées grossièrement, sont restées à nu ou ont été à peine voilées.

La passion fatale de Samson pour Dalila est relatée dans l'Ancien Testament (Jg XVI, 4-6, 16-21). Corrompue par les ennemis philistins de Samson, Dalila amène ce dernier à lui révéler l'origine de sa force surnaturelle : sa chevelure, que le ciseau n'a jamais touchée. Tandis qu'il dort sur ses genoux au cours d'une nuit d'amour, elle fait venir un homme qui rase les « sept tresses de sa chevelure ». Le récit de cet homme que le désir d'une femme a perdu a souvent été traité par les artistes néerlandais du XVIᵉ siècle, et Rubens suit ici cette tradition nordique en introduisant une entremetteuse, qui n'apparaît pas dans la Bible. Le profil de la vieille juxtaposé à celui de la jeune courtisane suggère à la fois ce qu'elle a été et ce que deviendra Dalila. Pourtant, le tableau regorge de réminiscences italiennes, telles les figures grandeur nature du premier plan, qui ne pourraient tenir debout dans le tableau. Une statue représentant Vénus et Cupidon domine cette scène érotique. Le corps athlétique de Samson s'inspire de la sculpture antique et des figures de Michel-Ange *(cf. p. 133)* ; la pose de Dalila reprend en l'inversant celle que le sculpteur a donnée à sa *Leda* et à *La Nuit*. Pour les seins de Dalila, Rubens s'est inspiré des marbres romains, mais, suivant sa propre maxime, il a remplacé le marbre par une chair moelleuse : c'est une des poitrines les plus charnues jamais peintes.

Mais ces emprunts n'enlèvent rien de l'originalité de ce somptueux tableau où le geste professionnel du « coiffeur » est d'une délicatesse incongrue et où l'expression ambiguë de Dalila trahit à la fois sensualité, compassion et sentiment de triomphe.

Jacob van Ruysdael   1628/29 ?-1682

Vaste paysage avec un château en ruine et une église de village

Vers 1665-1670. Huile sur toile, 109 × 146 cm

On considère souvent que les vues panoramiques de plaines hollandaises qui s'étendent à perte de vue constituent la contribution la plus marquante des paysagistes hollandais. Elles diffèrent des « vues panoramiques du monde » flamandes antérieures – dont la *Vue de Het Steen* de Rubens constitue un exemple très tardif *(cf. p. 237)* –, parce qu'elles semblent représenter une vision instantanée d'un paysage donné plutôt qu'une composition de souvenirs visuels isolés. Elles se caractérisent par une ligne d'horizon basse, supposant un point d'observation peu élevé. Bien que Ruysdael – qui fut sans doute le plus grand paysagiste hollandais, celui aux talents les plus variés – n'ait pas inventé ce type de tableau, il en est devenu l'un des plus éminents représentants (les visiteurs de l'aile Nord pourront cependant comparer ce tableau avec le vaste paysage de Philips de Koninck).

On pense que Ruysdael, né à Haarlem, s'est formé auprès de son père Isaack et de son oncle, Salomon Van Ruysdael *(cf. p. 242)*, dont l'influence est manifeste dans les premières œuvres de l'artiste. En 1657, Jacob était installé à Amsterdam. Ce tableau pourrait être une vue du Gooiland, une région à l'est de la ville ; or il existe au moins quatre autres paysages, quoique plus petits, représentant en partie ou en totalité la même vue, mais avec des variantes considérables *(cf. par exemple son* Vaste paysage avec ruines, *également à la National Gallery)*. Il est clair que le peintre ne cherchait pas à reproduire avec précision la topographie du lieu. Bien que l'œuvre se veuille spontanée, elle est, comme tous les tableaux de paysages de l'époque, le produit d'une recomposition en atelier.

Le ciel, qui occupe les deux tiers de la toile et se reflète dans l'eau au premier plan, est l'élément qui domine l'œuvre. Il s'agit d'un ciel de Hollande, chargé d'humidité, dans lequel des nuages tournoient tandis que le soleil, qui parvient ici et là à percer, forme des puits de lumière. Constable cherchera, un siècle et demi plus tard, à imiter ces effets de lumière *(cf. p. 267)*. Plus remarquable peut-être que le rendu précis de la forme, de la densité et de la luminosité des nuages est l'illusion que nous donne l'artiste de les voir se déplacer dans l'espace, au-dessus de nos têtes. Nous avons tendance à penser que la perspective n'a pas d'incidence sur les ciels nuageux, mais les nuages donnent ici l'impression de s'effiler vers la ligne d'horizon et de s'élargir près du bord supérieur de la toile. Interrompue uniquement par des flèches d'église et par les minuscules ailes blanches d'un moulin à vent, la ligne d'horizon semble s'étendre au-delà du cadre. Mais la sensation que nous pourrions avoir d'habiter ce paysage est compromise par notre angle de vue. En nous accordant une perspective plongeante sur le bastion, qui se dresse sous la ligne d'horizon, le peintre nous donne l'impression de l'observer d'un point qui, surplombant même le rivage où les paysans font paître leurs troupeaux, semble d'une hauteur inconcevable (les figures et les animaux ont été peints par Adriaen Van de Velde ; le partage des tâches était assez fréquent dans les paysages hollandais). Le recul suggéré par l'artiste renforce cependant l'atmosphère élégiaque que crée la vue des ruines recouvertes de végétation, réminiscences empreintes de mélancolie d'un passé lointain et plus héroïque.

Salomon van Ruysdael   1600/03 ?-1670

Deventer vu du nord-ouest

1657. Huile sur chêne, 52 × 76 cm

Salomon van Ruysdael, l'oncle de Jacob Ruysdael *(cf. p. 241)* fut, avec Jan Van Goyen, le plus célèbre peintre des cours d'eau de Hollande. Il vivait à Haarlem, exécutant de petits tableaux, qu'il ne peignait le plus souvent pas sur commande, mais mettait en vente. Il s'agissait la plupart du temps de variations sur un seul thème : le paysage hollandais. Ce n'est que tardivement qu'il se mit à exécuter quelques natures mortes composées de gibier mort. L'eau devint rapidement le principal élément de son œuvre : il commença par décrire les ciels nuageux, chargés de pluie, sur lesquels se détachent des chaumières, puis s'intéressa aux vues s'étendant sur des eaux calmes ou agitées de lacs, de mares, de fleuves, de canaux et de douves, dans lesquelles se reflètent des arbres. À partir de 1640 ses œuvres devinrent plus audacieuses, les petits coins tranquilles cédant progressivement la place à des vues plus vastes, à des sortes de marines fluviales d'où les arbres disparurent ; ils furent remplacés, comme ici, par des navires aux voiles gonflées de vent derrières lesquels se profilent les silhouettes de villes lointaines.

Comme de nombreuses œuvres ultérieures de l'artiste, cette vue de Deventer, qui ne correspond pas à un lieu ayant réellement existé et s'inspire probablement d'une gravure, semble quasiment illustrer un passage du traité de Karel Van Mander, ouvrage à succès publié à Haarlem en 1604. Conseillant l'introduction de thèmes attrayants dans la peinture de paysages, Van Mander recommande de faire une place aux « rivières serpentant à travers les prés marécageux en décrivant de larges coudes [... de] laisser toujours l'eau s'écouler vers le point le plus bas et, pour renforcer l'effet artistique, [de] construire des villes maritimes qui s'étendent sur des terrains plus élevés [...] ». Plutôt que d'introduire sur des falaises les châteaux que décrit ensuite Van Mander, Van Ruysdael a placé le beffroi de Grote Kerk presque au centre de la ligne d'horizon, de manière à obtenir une dominante verticale qui se détache du ciel veiné – un ciel des plus ténus –, là où, pour reprendre les termes de Van Mander, il rencontre « l'élément lourd qu'est la terre ».

Situé sur l'Ijssel dans la province orientale d'Overijssel, Deventer est loin de la mer, et les vaisseaux voguant sous pavillon hollandais en tirant des bordées, remontent le fleuve en direction des terres. Van Ruysdael prête cependant à cette vue des plus banales montrant des navires marchands, la qualité épique d'un voyage en haute mer. Leurs voiles se découpant sur le ciel, les navires suivent une ligne diagonale, soulignée par une bande de terre marécageuse et vivement éclairée par rapport au premier plan,

situé dans l'ombre des nuages. Cette diagonale, qui conduit le regard jusqu'à un point de fuite à l'horizon, est accentuée par le rivage qui s'écarte sur la droite. L'effet obtenu est étonnamment dynamique et audacieux au regard des faibles dimensions du tableau. Bien que le ciel occupe les trois-quarts du panneau, l'attention se porte sur les réalisations humaines : les tours des églises en pierre, les moulins exploitant la force du vent, les bateaux voguant de manière héroïque, les pêcheurs tirant sur leurs filets, et aussi – et non des moindres – l'œuvre d'art créée à partir de ces éléments empruntés au quotidien, sans motif pittoresque pour en délimiter la composition ou pour s'interposer entre nous, les eaux plates, et le sol sablonneux.

Pieter Saenredam 1597-1665

L'Intérieur de la Buurkerk à Utrecht

1644. Huile sur chêne, 60 × 50 cm

Formé à Haarlem dans l'atelier d'un portraitiste et peintre d'histoire, Saenredam s'est consacré à un genre plus rigoureusement cérébral, celui de la peinture d'architecture, appréciée des contemporains parce qu'elle reposait sur les lois universelles des mathématiques et de l'optique. Ses intérieurs d'église inondés de lumière – son sujet de prédilection – soulignaient la nature métaphysique de ces sciences.

Ayant travaillé en étroite collaboration avec l'architecte Jacob Van Campen, Saenredam est le premier grand artiste à avoir utilisé les méthodes des arpenteurs. Ses tableaux représentant des églises des Pays-Bas du Nord ont été élaborés à partir de dessins de perspective ou de cartons de même dimension que l'œuvre finale, eux-mêmes exécutés avec minutie à partir d'esquisses et de mesures prises *in situ*. La fidélité absolue à l'édifice réel était par la suite souvent sacrifiée au profit d'un effet plus grandiose,

L'Intérieur de la Buurkerk à Utrecht

quand, des années plus tard parfois, l'artiste exécutait ses tableaux, en atelier. Le dessin dont s'inspire celui-ci et dont seule la moitié droite a été utilisée, date du 16 août 1636; le tableau correspondant à la moitié gauche du dessin (actuellement au Kimbell Art Museum de Fort Worth, aux États-Unis) date de 1645.

Comme tous les intérieurs d'église de Saenredam, cette vue de la Buurkerk, qui était à l'origine la seule église paroissiale d'Utrecht, représente un édifice médiéval dépouillé de toute décoration et blanchi à la chaux pour répondre aux exigences du culte protestant. Placé comme l'artiste au niveau du portail nord, nous avons vue sur la nef. La structure restée en place date pour l'essentiel des XIVe et XVe siècles, mais Saenredam a délibérément choisi de s'intéresser aux restes gothiques de l'édifice du XIIIe siècle, dont il a exagéré la hauteur des voûtes. Un panneau paroissial est accroché à l'un des piliers centraux; dans le renfoncement d'un de ceux de droite sont enchâssées les tables des Dix Commandements surmontées du buste de Moïse. Plus haut à droite sont accrochées des armoiries; au-dessous ont été naïvement dessinés à la sanguine – de toute évidence par l'enfant qui est debout juste à côté – les personnages d'un roman de chevalerie du Moyen

Âge très populaire dans presque toute l'Europe, qui venait d'être publié en hollandais : il s'agit des fils d'Amyon de Dordogne représentés sur Bayard, le cheval magique. Sous le dessin, une inscription porte le nom de l'église, la date et la signature de l'artiste.

Dans les tableaux de Saenredam, les figures ne sont pas toujours de sa main. Elles n'apparaissent pas dans ses dessins et sont introduites dans les peintures pour indiquer l'échelle des édifices, constituer des rehauts de couleur et soutenir l'intérêt ; mais peut-être servent-elles en outre à en souligner le sens plus profond. Nous ne saurons sans doute jamais vraiment quelle intention sous-tendait la représentation du groupe du premier plan. Le second garçon est occupé à dresser un chien, auquel il apprend à se tenir sur ses pattes arrières, symbole en Hollande de l'obéissance et de la faculté d'apprendre. Nous pouvons peut-être considérer le tableau comme une illustration des célèbres vers de saint Paul opposant l'aveuglement de ce bas-monde à la clarté de vue de l'au-delà (1 Co XIII, 10-12) « Lorsque j'étais enfant […] je raisonnais comme un enfant. Devenu homme, j'ai mis fin à ce qui était propre à l'enfant. À présent, nous voyons dans un miroir et de façon confuse ; mais alors, ce sera face à face. À présent, ma connaissance est limitée ; mais alors, je connaîtrai comme je suis connu. » L'obéissance aux enseignements de la religion peut permettre de mettre fin à la frivolité du profane – dont le dessin de l'enfant constitue un exemple – et permettre que l'architecture solennelle de la Maison de Dieu soit perçue aussi clairement que l'architecture placée par Saenredam sous un éclairage blanc et pur, l'éclairage que procure la compréhension réelle des choses.

Sassoferrato   1609-1685

Madone en prière

1640-1650. Huile sur toile, 73 × 58 cm

Comme Carlo Dolci *(cf. p. 188)*, Giovanni Battista Salvi, surnommé Sassoferrato du nom de son lieu de naissance dans les Marches, était très proche des Bénédictins. Leur devise, *laborare est orare*, « Travailler, c'est prier », semblait lui convenir aussi bien qu'à son contemporain florentin. Comme Dolci, il empruntait ses compositions à d'autres artistes : à des peintres des XVe et XVIe siècles tels que le Pérugin *(cf. p. 77)*, Dürer, le Tintoret *(cf. p. 155)*, Spagna, et à des artistes contemporains, en particulier Reni *(cf. p. 232)*, mais aussi au Français Mignard, qui avait peint à Rome des madones alors très à la mode *(cf. p. 218)*. L'œuvre de Sassoferrato a souvent été considéré à tort comme celui d'un disciple de Raphaël *(cf. pp. 86 et 146)*, tant il est vrai qu'il a adopté le style « pur » d'une époque révolue. Après avoir copié, à l'âge de vingt et un ans, quelques tableaux pour le monastère bénédictin de Pérouse, il fut présenté à une communauté de Franciscains réformés établie à Rome. Il vécut une quarantaine d'années dans cette ville, où il devait finalement mourir. Une princesse lui commanda son seul retable, destiné à remplacer, dans l'église dominicaine Santa Sabina de Rome, une œuvre de Raphaël que les Dominicains avaient imprudemment vendue à un collectionneur.

Abstraction faite des quelques portraits d'ecclésiastiques qu'il exécuta et de l'autoportrait qui lui fut commandé en 1683 pour la galerie d'artistes du duc Cosme III de Médicis, Sassoferrato vivait de tableaux de dévotion du type de celui-ci. La plupart étaient peints en « originaux multiples », exécutés sur commande ou vendus à des pèlerins. Il existe ainsi plus de quinze variantes de cette composition qui s'inspire d'une gravure supposée elle-même avoir été exécutée d'après une œuvre de Guido Reni.

Nous apprécions peu Sassoferrato aujourd'hui, en partie à cause de son abnégation artistique et parce que son œuvre a influencé directement les bondieuseries du XIXe siècle. Son propre œuvre est cependant trop solide et trop bien peint pour être sentimental. Son fini émaillé, l'éclat du blanc, du rouge et de l'outremer sur le noir, n'excluent ni un vigoureux modelé des formes, ni une minutieuse observation – tels les pâles reflets du voile de la Vierge dans les ombres qui lui couvrent le visage.

Madone en prière

Dans le cas présent, Sassoferrato fournit des images à la Contre-Réforme, qui avait réaffirmé le culte de la Vierge et l'efficacité des images pieuses lui étant consacrées. Sa peinture participe de l'esprit qui préside à la compilation et à la publication à travers toute l'Europe de récits et d'albums concernant ces icônes miraculeuses. La *Madone en prière* prie au-dessus de nous, pour nous, son voile s'inclinant vers nous hors de l'espace du tableau. Elle nous donne l'exemple même de la prière, soumise à la volonté du Père et à son Fils. C'est la Vierge des récits de l'Annonciation, de l'Adoration ou de la Nativité que l'artiste a isolée ; nous pourrions nous défaire de notre égocentrisme grâce à son infinie miséricorde et son humilité – tel l'artiste, qui a dissimulé sa facture picturale. Elle a les yeux baissés, mais il suffit de lever les nôtres vers elle – depuis un agenouilloir, un lit de malade ou de mort – pour que son regard tendre se pose sur nous. Elle est représentée seule, sans son Enfant : elle est *notre* mère, *notre* nourrice, *notre* intercesseur ; s'en remettre à elle permet de recouvrer notre force, notre liberté et notre dignité, tel est le message de Sassoferrato.

Jan Steen   1625/26-1679

Les Effets de l'intempérance

Vers 1663-1665. Huile sur bois, 76 × 106 cm

Aujourd'hui encore, un « ménage à la Jan Steen » est une expression que les Hollandais emploient pour désigner une famille délurée. Jan Steen en a peint beaucoup, glissant souvent dans l'œuvre son propre portrait sous les traits d'un débauché hilare, fumant la pipe et buvant de la bière. Jan Steen a été un artiste prolifique alors qu'il n'a cessé de changer de ville et a produit dans l'ensemble des œuvres d'une très grande qualité. Ceci devrait nous mettre en garde contre une interprétation hâtive de l'image d'artiste dévoyé qu'il nous donne de lui. L'un des nombreux peintres hollandais du XVIIe siècle à être restés catholiques, Jan Steen est un moraliste, mais il se sert pour prêcher des proverbes et du théâtre populaires, ainsi que des coutumes festives. Il se moque de la comédie humaine, des gens comme nous qui se conduisent comme ils ne devraient pas.

Tous ses tableaux ne relèvent pas du même genre. La National Gallery possède aussi *Joueurs de quilles devant une auberge* – sorte de paysage qui, malgré le sujet annoncé, ne semble se livrer à aucun commentaire désobligeant sur ceux qui prennent leur aise sous le soleil d'été – et une œuvre tardive, *Deux hommes et une jeune femme jouant de la musique sur une terrasse*, qui anticipe sur les compositions lyriques et mélancoliques de Watteau au XVIIIe siècle. Steen a également peint des sujets bibliques et mythologiques ainsi que des portraits. Alors qu'un grand nombre de ses tableaux sont de petit format, *Les Effets de l'Intempérance* est une œuvre assez grande où se déploie une touche plus large, peut-être acquise au contact de Hals *(cf. p. 202)* au cours des neuf années passées à Haarlem.

La femme de gauche est la créature la plus répréhensible : il s'agit d'une mère de famille qui *n'apprend pas* la vertu à ses enfants. Ivre, elle a sombré dans un sommeil profond, laissant glisser la pipe en terre qu'elle tenait à la main *(cf. p. 249)*. Le petit brasero placé à côté d'elle menace de mettre feu à sa robe, tandis qu'un de ses enfants lui fait les poches. Au-dessus de sa tête est accroché un panier dont le contenu annonce le destin de ceux qui grandissent la bride sur le cou : il contient en effet une béquille et une crécelle de mendiant ainsi qu'un fouet évoquant les peines infligées par la justice. Un des gamins illustre,

quant à lui, une expression hollandaise : il jette des roses à un cochon (l'expression française en est « donner de la confiture aux cochons »), tandis que le trio de droite gâche une
bonne tourte à la viande en la donnant à un chat. Le perroquet, animal qui imite
l'homme, boit le vin que lui offre une domestique aussi luxueusement habillée et ivre que
sa maîtresse, tandis que sous la tonnelle située à l'arrière-plan, un homme – peut-être le
père – badine avec une fille bien en chair : le vin se moque vraiment du monde.

De même que les oiseaux venaient picorer les raisins représentés de manière extrêmement réaliste par Zeuxis, célèbre peintre de l'Antiquité grecque, nous pourrions ici
– attirés par la ravissante nature morte que Steen a exécutée au premier plan, par l'éclat
de l'étain et le chatoiement des soies – avoir envie de goûter aux fruits. Cependant, en
regardant en profondeur son tableau, nous pourrions être amenés à changer notre
manière de vivre et à éviter ainsi les effets de l'intempérance.

Jan Jansz Treck   1605-06-1652

Vanitas

1648. Huile sur chêne, 90 × 78 cm

Jan Treck était peintre de natures mortes à Amsterdam. Ce tableau est l'une des deux
œuvres que la National Gallery possède de sa main. La seconde, *Nature morte à la cruche en
étain*, de 1649, présente une gamme chromatique à base de gris, de noirs et de blancs, qui
contraste avec les rouges vifs et les tons or déployés ici. Une telle exubérance de couleurs
autour d'un crâne bâillant bien mis en évidence peut paraître étrange, mais ce tableau se
rattache à une catégorie spécifique de nature morte, très en vogue au XVIIe siècle en

Hollande : la vanité. Tandis qu'il admire le talent de l'artiste, le spectateur est amené à réfléchir au caractère inéluctable de la mort et à l'inanité des ambitions de ce bas-monde, en particulier l'accumulation des richesses et la soif du pouvoir. Ce type de peinture tire son nom de la version latine de l'Ecclésiaste (I, 2) – « Vanité des vanités, dit le prédicateur [...] tout est vanité ». Le crâne, qui joue un rôle clé dans ce type de tableau, nous permet de déchiffrer correctement tous les objets représentés, comme dans la seule autre vanité que possède la National Gallery, l'*Allégorie des vanités de la vie humaine* de Harmen Steenwyck, également présentée dans l'aile Nord.

Le crâne couronné de brins de paille et le casque représenté à côté font référence – sous forme de parodie – à la pratique qui consistait à ceindre le front des vainqueurs de couronnes de laurier (dont les feuilles sont persistantes). Tous deux semblent avoir appartenu à un même héros mort de longue date, qu'aucune armure ne pouvait protéger de la Faucheuse. Le sablier rappelle l'inéluctable passage du temps, tandis que la pipe en terre hollandaise et les bougies font allusion au gaspillage honteux et à la brièveté de la vie, car les jours « partent en fumée » pour reprendre les termes du Psaume CII ; ils nous rappellent aussi la place qu'occupait la Bible dans les foyers hollandais. La présence de la coquille et de la paille semble incongrue. Mais ces objets, que les enfants utilisaient pour faire des bulles de savon, évoquent un passe-temps illusoire, et font plus précisément référence à l'*homo bulla*, l'homme perçu comme une bulle fragile et éphémère.

Ni la collection d'objets de luxe – de pots de grès du Rhin, de soies précieuses ou de boîtes en laque –, ni la pratique de la musique ou des beaux-arts, ni la solennité de la loi évoquée par le document scellé au plomb, ni l'érudition ne sont épargnés : « Tout est vanité. » La présence de la page de titre d'une pièce de théâtre *Le Mal profite à son maître*, une comédie du dramaturge et diplomate Theodore Rodenburgh, est probablement due à l'à-propos de son message moralisateur.

Diego Vélasquez   1599-1660

Philippe IV d'Espagne en brun et argent

Vers 1631-1632. Huile sur toile, 195 × 110 cm

Lorsque Vélasquez entra au service de Philippe IV d'Espagne, il avait vingt-quatre ans, et le roi, qui avait accédé au trône seulement deux ans plus tôt, en avait dix-huit. Après un apprentissage à Séville, sa ville natale, auprès du peintre et écrivain Pacheco – tellement impressionné par le jeune Vélasquez qu'il lui donna sa fille en mariage – l'artiste fut nommé peintre de cour à Madrid, poste qu'il n'allait jamais quitter et auquel allaient progressivement venir s'ajouter d'autres tâches officielles. Les relations étroites que nouèrent Philippe IV et Vélasquez, dont les personnalités mûrissaient côte à côte, ne furent interrompues que par les deux séjours italiens de Vélasquez, de 1629 à 1631 et de 1649 à 1651. Rubens *(cf. p. 235)*, en mission diplomatique en Espagne en 1628, fut à l'origine du premier. Étudiant en compagnie de Vélasquez – le seul artiste espagnol contemporain qui avait droit à son admiration – les grands tableaux de la Renaissance vénitienne appartenant à la collection royale, Rubens put approfondir la compréhension que le jeune artiste avait du langage pictural de Titien *(cf. p. 158)*.

Philippe IV en brun et argent est le premier portrait que le roi a demandé à Vélasquez de retour d'Italie en 1631. Philippe n'avait autorisé personne d'autre à le représenter en l'absence du peintre. Pour le portrait d'un roi espagnol, la pose est conventionnelle. Elle s'inspire peut-être du protocole appliqué lorsque le souverain accordait une audience à un ambassadeur ou à un sujet ayant une requête : il recevait dans une pièce du palais, où il se tenait debout, tête nue, le chapeau posé à côté de lui sur une table. L'apposition de la signature de Vélasquez sur un document que le souverain tient à la main et qui a l'apparence d'une requête semble venir confirmer cette hypothèse. Philippe porte la Toison d'Or au bout d'une chaîne en or, et un col blanc rigide, la *golilla*, dont une loi rend le

Philippe IV d'Espagne en brun et argent

port obligatoire au début de son règne, une tentative pour limiter l'extravagance vestimentaire : la *golilla* remplaçait la fraise sophistiquée portée auparavant.

   Il est rare que, dans un portrait situé dans un intérieur, le roi ne soit pas vêtu de noir
uni : le somptueux costume qu'il porte fait toute la splendeur du tableau de Vélasquez.
Tandis que le visage, avec sa mâchoire inférieure déformée et son regard d'une timidité
surprenante, a été modelé à l'aide d'une fine mosaïque de couleurs, le costume a été
exécuté à partir de traînées et de taches appliquées librement et inspirées de Titien et de
Tintoret *(cf. p. 155)*. De loin, ces marques, tantôt minces et fluides, tantôt si épaisses
qu'elles apparaissent comme en relief, créent l'illusion d'une broderie en argent étince-

lant sur une étoffe chatoyante. Elles ont vraisemblablement été peintes quelque temps après le visage, à l'aide des longs pinceaux qu'utilisait Vélasquez.

Les fins lavis rouges et brun foncé de l'arrière-plan, qui sont devenus plus translucides avec le temps, laissent apparaître les changements opérés par l'artiste : il a modifié la position des jambes et le contour de la cape. Au-dessus du chapeau on perçoit même sur la peinture sous-jacente les traces laissées par les pinceaux essuyés par l'artiste à cet endroit. La sous-couche gris pâle a toujours dû légèrement scintiller à travers la couche superficielle de peinture, suggérant ainsi l'atmosphère ambiante. Les contemporains appréciaient la liberté et la virtuosité de la technique, non seulement parce qu'elles leur rappelaient les illustres prédécesseurs vénitiens de Vélasquez mais aussi parce qu'ils les associaient à un art particulièrement adapté aux palais princiers, où la grandeur des pièces permettait d'admirer ces grands tableaux avec tout le recul nécessaire.

Ce portrait, qui avec l'éloignement devient aussi majestueux qu'il convient, nous livre l'image d'un monarque à la tête d'une puissance internationale, héritier de toute la magnificence du trône d'Espagne. Quand on observe de près ce tableau, on s'aperçoit pourtant que l'artiste a dressé avec compassion – mais sans concession – le portrait d'un jeune homme qui manque singulièrement d'assurance, pris au piège du cérémonial et de l'étiquette liés à sa charge.

Diego Vélasquez   1599-1660

Scène de cuisine avec le Christ chez Marthe et Marie
1618 ? Huile sur toile, 60 × 104 cm

Ce tableau fait partie d'un groupe de *bodegones* – scènes de cuisine ou de taverne naturalistes comportant des natures mortes bien en vue (du terme *bodega* qui signifie cave ou taverne) – peints par Vélasquez à ses débuts, en complète rupture avec le style académique de son maître Pacheco. Elles semblent lui avoir été inspirées par l'œuvre du Caravage *(cf. p. 180)*, qui avait travaillé dans les possessions espagnoles d'Italie et dont les tableaux commençaient à être appréciés en Espagne. Mais nous ne savons pas lesquels avait vus le jeune Vélasquez – si tant est qu'il en ait vus. Ce sont les romans picaresques publiés à partir de 1554, avec leurs mendiants et leurs dévoyés, qui étaient à l'origine du goût des Espagnols pour les tableaux mettant en scène des gens du peuple – un genre dans lequel les premiers essais de Vélasquez eurent la faveur des habitants tant de Séville que de Madrid.

Si les premiers *bodegones* que nous connaissons de lui sont des scènes exubérantes de type picaresque, les plus accomplies, comme ici, sont empreintes de dignité. Plusieurs représentent des femmes au travail. Dans celle-ci comme dans la scène biblique introduite à l'arrière-plan, les *bodegones* de Vélasquez s'inspirent de tableaux néerlandais du XVIᵉ siècle, ou plus vraisemblablement de gravures réalisées à partir de ces œuvres. Elles présentent pourtant un caractère tout à fait original et très espagnol. Vélasquez, qui rejetait ce qu'il y avait de plus ostentatoire chez le Caravage, a aussi ramené la profusion d'aliments des modèles nordiques aux quelques denrées d'un repas réel, présentées dans des plats espagnols ordinaires. La jeune femme du premier plan est occupée à piler de l'ail dans un mortier, peut-être pour confectionner, avec des jaunes d'œuf, de l'huile d'olive (dans la cruche de droite) et du piment, une mayonnaise épicée destinée à accompagner du poisson grillé. Ces aliments fort modestes, disposés en petites quantités selon une série d'ovales décroissants, deviennent sublimes grâce à la manière incomparable qu'avait Vélasquez de traiter la forme et la texture. L'aspect glissant de la peau argentée du poisson, la sourde luminosité du cuivre, l'éclat de la couverte sur les plats en terre cuite ébréchés, la peau de l'ail, fine comme du papier à cigarette, celle plus épaisse du piment qui s'est recroquevillée sous l'effet de la dessiccation, les reflets sur le mortier – sont autant de défis à toute tentative de reproduction ou de description. Jamais autant d'attention n'a été portée à la représentation de deux œufs : jamais le volume, ni le faible reflet de la coquille n'avaient été suggérés avec autant de précision *(cf. détail p. 168).* Dans cette nature morte, Vélasquez, âgé de dix-neuf ans seulement, fait déjà preuve de ce mystérieux mélange de virtuosité et de réserve, mélange unique, frisant l'abnégation, qui allait être la caractéristique de tout son œuvre.

À l'endroit du passe-plats aménagé dans le mur de la cuisine apparaît le Christ chez Marthe et Marie (Lc X, 38-42). Marie est assise aux pieds de Jésus, et Marthe se plaint d'être seule à faire le service. Le Christ lui répond alors : « Marthe, Marthe, tu t'inquiètes et t'agites pour bien des choses. Une seule est nécessaire. C'est bien Marie qui a choisi la meilleure part [...] ». La relation précise entre le premier et l'arrière-plan – plus esquissé et plus conventionnel –, n'est pas claire. La jeune femme à l'air renfrogné et aux mains rougies qui manie le mortier et le pilon doit-elle être assimilée à Marthe ? Ou est-ce, à la suite d'une mésinterprétation du texte biblique censé sanctifier les corvées domestiques, une cuisinière moderne invitée à faire son devoir ? Une comparaison entre l'avant et l'arrière-plan laisse à penser que Vélasquez accorde plus de soin, au moins dans ce tableau, aux choses du quotidien qui entourent Marthe.

Diego Vélasquez   1599-1660

La Toilette de Vénus (La Vénus Rokeby)

Vers 1647-1651 ? Huile sur toile, 122 × 177 cm

Tributaire du puritanisme religieux, l'art espagnol comptait peu de nus féminins, même si la collection royale comprenait de nombreux nus mythologiques dus à Titien et à d'autres maîtres de la Renaissance vénitienne. *La Toilette de Vénus*, appelée la *Vénus Rokeby* du nom de Rokeby Hall (dans le Yorkshire) où elle fut conservée au XIXᵉ siècle, est la seule œuvre de ce genre qui nous soit parvenue de Vélasquez (des documents en mentionnent une seconde aujourd'hui disparue), et elle demeura unique jusqu'à la *Maja nue* de Goya *(cf. p. 290)*, qui s'en inspire très probablement. Peinte soit juste avant, soit pendant le second séjour de Vélasquez en Italie de 1649 à 1651, la *Vénus* fut répertoriée en 1651 dans la collection que possédait le jeune fils du Premier ministre de Philippe IV, jeune homme connu pour être à la fois mécène et coureur de jupons. Il allait par la suite devenir marquis de Carpio puis vice-roi de Naples, et c'est très certainement sa présence à la cour qui lui a permis de commander un tableau de ce genre sans être inquiété par l'Inquisition.

Si le sujet de cette toile semble s'inspirer à la fois des « Vénus au miroir avec Cupidon »
et des « Vénus allongées » inventées par la Renaissance vénitienne, le thème omniprésent
en est la réflexion, dans toutes les acceptions du terme. Vénus réfléchit à sa beauté, que
reflète le miroir ; puisque son visage nous apparaît dans la glace, elle doit y voir le reflet du
nôtre. On peut s'imaginer qu'elle songe à l'effet que produit sur nous sa beauté. Vélasquez
a dû longuement réfléchir devant sa toile et son modèle, car cette femme, à la taille fine et
à la hanche saillante, ne ressemble nullement aux nus italiens plus enveloppés et plus
ronds, qui s'inspirent des sculptures antiques. Elle a en outre une coiffure tout à fait
moderne. Seule la présence du potelé Cupidon, qui manifeste une déférence empreinte
d'innocence, fait de cette femme une déesse. Le peintre a modelé le corps féminin à l'aide
de fins dégradés soigneusement effectués à partir d'un noir et d'un rouge sourds, de blanc,
de rose et de gris. Le satin gris-noir qui se reflète sur sa peau lumineuse présente lui-même
des reflets nacrés de sa peau. Le peintre a tracé d'un seul coup de pinceau, chargé de noir,
la ligne qui cerne le contour inférieur du corps, courant du milieu du dos jusque sous le
mollet. Ces touches libres et spontanées sont, au même titre que le rendu très précis de
l'aspect des choses, le fruit d'un long mûrissement et d'une pratique assidue.

Peut-être même le tableau a-t-il été conçu comme un jeu de miroir : on a pensé qu'il
pouvait avoir été peint pour former harmonieusement contraste avec une Danaé nue
(transformée ultérieurement en Vénus), attribuée au Tintoret. En 1677 les deux œuvres
avaient été incorporées, probablement sous forme de paire, au décor d'un plafond dans
l'un des palais de Carpio. La Vénus-Danaé, récemment redécouverte en Europe dans
une collection privée, est de dimension quasiment identique et semble l'image inversée
de la *Vénus* de Vélasquez : la figure est allongée dans la même position, mais face au
spectateur, sur une draperie rouge, devant un paysage. L'inversion face/dos fait songer à
la formule adoptée par Titien dans les « poésies » mythologiques peintes pour Philippe
II, le grand-père de Philippe IV, et faisant aujourd'hui encore partie de la collection
royale. Dans ces œuvres, Titien avait promis de montrer le nu féminin sous tous ses
aspects. Mais dans cette œuvre obsédante de Vélasquez qui succède aux tableaux de la
Renaissance plus sensuels et exubérants, le récit et la poésie résident, de manière caractéristique chez lui, dans le fait de regarder et d'être regardé.

Johannes Vermeer 1632-1675

Jeune femme debout à l'épinette

Vers 1670. Huile sur toile, 52 × 45 cm

Vermeer, peintre de Delft, est connu pour ses petites scènes domestiques à un ou deux personnages dont les intérieurs sereins, d'une subtile géométrie, sont généralement le cadre de la vie paisible des femmes. Pourtant, ses toutes premières œuvres, de grandes scènes narratives et dramatiques où l'on sent l'influence des peintres catholiques italianisants d'Utrecht *(cf. pp. 177 et 206),* témoignent de son aspiration première à devenir peintre d'histoire. C'est vers 1656, date d'exécution d'une *Entremetteuse* de modeste condition actuellement conservée à Dresde, qu'il est devenu l'artiste qui allait exécuter ce tableau-ci – bien que quelques œuvres d'autres collections permettent de conclure qu'il n'a jamais tout à fait abandonné le genre « noble ».

    Peut-être est-ce parce qu'il avait du mal à obtenir des commandes dans ce genre traditionnel que Vermeer, lui-même catholique, s'est tourné vers des sujets commercialisables ayant trait à la « vie quotidienne » de la Hollande protestante. Finalement, seules quelque trente œuvres de sa main – tous genres confondus (y compris deux ravissants paysages citadins) –, sont mentionnées dans les documents d'époque et connues de nos jours : Vermeer travaillait lentement, tenait parallèlement l'auberge que son père lui avait laissée en héritage, occupait une charge municipale, et était en outre marchand et expert en art. Il fit quasiment faillite en 1672 lors de l'invasion française. À sa mort, survenue à l'âge de quarante-trois ans, sa veuve, accablée de dettes et chargée d'élever leurs huit enfants, dut vendre ses tableaux pour payer les créditeurs.

Comme on pouvait l'attendre d'un peintre animé par les aspirations qui étaient les siennes, l'artiste a introduit jusque dans les intérieurs domestiques une dimension allégorique ou narrative. Ici la jeune femme effleure les touches de l'épinette – une version réduite du clavecin – mais regarde en dehors du tableau, les yeux pleins d'espoir. Souvenons-nous que la musique nourrit l'amour ; ici, la chaise vide suggère une éventuelle absence – celle, peut-être, de quelqu'un en voyage à l'étranger dans les montagnes représentées dans deux tableaux, au mur et sur le couvercle de l'épinette. Cupidon présentant une plaque ou une seule carte à jouer était l'emblème de la fidélité en amour, si on s'en réfère à l'un des très populaires recueils d'emblèmes – où chaque image est accompagnée d'une devise et d'un texte explicatif –, publiés à l'époque en Hollande. Il a été avancé, mais pas de manière totalement convaincante, que ce tableau faisait pendant à *Jeune femme assise à l'épinette* de Vermeer, où la viole de gambe représentée au premier plan attend le partenaire de la jeune femme pour un duo. Dans ce cas cependant, la présence derrière la jeune femme de l'*Entremetteuse*, un tableau de l'artiste d'Utrecht Baburen, laisse à penser qu'il s'agit d'un amour intéressé.

Que les deux tableaux forment ou non une paire, tous deux livrent le portrait de jeunes femmes rêvant d'amour. Mais le thème semble bien banal en comparaison de la manière dont Vermeer l'a traité. Une lumière fraîche pénètre par la fenêtre de gauche, comme toujours chez Vermeer. L'artiste s'en est servi pour faire ressortir les plus infimes particularités et l'éclat de chaque texture : celle du marbre veiné de gris, des dalles de Delft blanches ou bleues, du cadre doré et du mur blanchi à la chaux, du velours et du taffetas bleus, du satin blanc et des nœuds écarlates. Cette lumière révèle les volumes, découpe les ombres et crée l'espace. Pourtant, tout ceci n'épuise pas toute la lumière : il reste assez pour qu'on puisse sentir sa présence diffuse dans toute la pièce, et même au-delà du cadre. C'est ce qui fait toute la magie de l'œuvre.

Francisco de Zurbarán   1598-1664

Sainte Marguerite d'Antioche

Vers 1630-1634. Huile sur toile, 163 × 105 cm

Zurbarán fut apprenti peintre à Séville, où il se lia d'amitié avec Vélasquez *(cf. p. 249)*, une amitié qui allait s'avérer précieuse, puisque c'est grâce aux bons offices de ce dernier qu'il allait par la suite participer au décor de la nouvelle folie madrilène du roi. Au début de sa carrière, il fut le principal fournisseur des nombreuses institutions monastiques que comptait Séville ; à partir de 1650 environ, il vécut de contrats passés avec l'étranger, envoyant des séries de toiles religieuses dans les colonies espagnoles du Nouveau Monde. Il mourut à Madrid dans la gêne, après avoir tardivement tenté d'adoucir son style aux formes coupantes en adoptant la manière plus gracieuse et plus vaporeuse de son heureux rival Murillo *(cf. p. 220)*, qui réussissait à Séville.

Sainte Marguerite est un excellent exemple de sa première manière, qu'il devait, sans doute indirectement, au Caravage *(cf. p. 180)*. L'œuvre était peut-être destinée à orner un retable ou à faire partie d'une des suites de saintes vierges que Zurbarán et son atelier exécutaient pour des couvents d'Espagne et d'Amérique latine. Marguerite se tient debout, solidement campée, éclairée du dessus – telle ces statues en bois peintes de couleurs vives, qui peuplent les églises espagnoles – par une lumière intense, régulièrement répartie. Son

Sainte Marguerite d'Antioche

attribut, le dragon, se détache moins nettement sur le fond sombre du tableau. Selon la légende, le diable serait apparu à la sainte sous la forme d'un dragon dans la prison où elle était détenue pour avoir refusé de se marier, prétextant qu'elle s'était consacrée au Christ. Lorsque le dragon la menaça, elle se signa sur la poitrine. Lorsqu'il l'avala, la croix se mit à grandir et finit par le fendre en deux, ce qui permit à sainte Marguerite de s'échapper indemne. Elle fut par la suite exécutée, mais en souvenir de cette délivrance miraculeuse, Marguerite est la sainte qu'évoquent les femmes prêtes à accoucher.

Elle est ici habillée en bergère – certes érudite, austère et extrêmement soignée –, car elle est censée avoir gardé les moutons de sa nourrice. Elle porte sur le bras gauche des *alforjas* en tissu de laine – c'est-à-dire des sacoches – et tient dans la main droite une houlette de berger à crosse métallique. Tous les détails de son costume, et particulièrement son chapeau de paille aux bords relevés, ont de toute évidence été étudiés d'après nature, que le costume ait été porté par un modèle très patient ou enfilé sur un mannequin. Ils sont d'un tel réalisme qu'ils permettent paradoxalement de souligner la victoire de cette martyre sur la nature.

AILE EST

La peinture de 1700 à 1900

Les visiteurs qui entrent à la National Gallery par l'imposant portique côté Trafalgar Square, sont nombreux à chercher les toiles colorées des impressionnistes exposées dans l'aile Est avec les œuvres plus récentes de la collection. Il est vrai que *La Plage de Trouville* de Monet ou *Canotage sur la Seine* de Renoir, peints il y a un siècle, n'ont rien perdu de leur pouvoir évocateur si direct, parce qu'ils nous rappellent les plaisirs simples de nos propres loisirs d'été à la mer ou à la campagne. Il est à première vue difficile de saisir le lien qui unit ces œuvres à celles des époques antérieures, où l'artifice est plus manifeste et dont les références à la religion ou à la culture classique sont parfois difficiles à identifier ; mais il existe assurément entre elles un dénominateur commun.

Pour employer une formule scolaire, elles illustrent toutes « la persistance et l'évolution des genres » – ces catégories traditionnelles de la peinture codifiées au XVIIe siècle. Il suffit de faire un instant abstraction des innovations techniques de la peinture française du milieu du XIXe siècle – introduction d'une palette vive, spontanéité apparente de la touche, textures picturales ostensiblement nouvelles – et de s'intéresser en revanche à *ce qui* a été peint, au format des œuvres et à leur dessein originel, pour se rendre compte que la tradition s'est imposée avec autant de force que la volonté de changement.

C'est la force même de la tradition établie qui incite à l'innovation et en donne toute la mesure. Les impressionnistes ne sont que les derniers d'une longue lignée d'artistes d'Europe occidentale à avoir été confrontés au problème de la *peinture de paysage*. De Patinir, peintre flamand du XVIe siècle, à Constable et Turner, en passant par Elsheimer, Rubens, Claude Lorrain, Poussin, Ruysdael et les maîtres vénitiens des *vedute* et des *capricci*, les peintres ont mis au point diverses manières de représenter l'éloignement et la lumière naturelle en extérieur. Le mode de production, de commercialisation et d'exposition de la peinture de paysage dans les Provinces-Unies hollandaises du XVIIe siècle anticipaient sur la manière dont les paysages ont été exécutés et vendus au XIXe siècle, et c'est en grande partie le réalisme hollandais qui a en tout premier lieu amené les peintres des XVIIIe et XIXe siècles à travailler en plein air.

Si le paysage est devenu un sujet de prédilection de la peinture dite « moderne », les autres genres picturaux qui se sont constitués au cours de l'histoire de l'art européen ne sont pas pour autant tombés dans l'oubli. L'aile Est abrite des tableaux relevant des grands genres : retables, allégories, *tableaux d'histoire* mythologiques ou religieux. Il est peut-être difficile de s'en rendre compte de prime abord, car les décorations murales de la cour d'Espagne et les retables de Tiepolo – le plus grand peintre italien du XVIIIe siècle – ne sont évoquées à la National Gallery que par de petites esquisses à l'huile qui leur ont servi de modèles.

Les vastes peintures allégoriques dont cet artiste a orné des murs et des plafonds sont représentées par des fragments, notamment l'*Allégorie avec Vénus et le Temps*, une toile ovale provenant du décor d'un palais vénitien. La plupart des grands retables et des peintures d'histoire exécutés en France à partir de 1700 environ sont restés dans leur pays d'origine, mais la National Gallery possède deux remarquables œuvres monumentales dues à Delaroche et à Puvis de Chavannes. C'est cependant le tableau de Manet *L'Exécution de Maximilien* (aujourd'hui fragmentaire) qui témoigne de manière la plus convaincante de la vitalité de la peinture d'histoire au XIXe siècle, tandis que l'œuvre de jeunesse de Fragonard consacrée à Psyché et ses sœurs témoigne de l'importance toujours accordée à la mythologie. Bien qu'affaiblie, cette tradition a survécu jusqu'au XXe siècle, comme le prouvent les *Baigneuses* de Cézanne, qui semblent défier les nymphes monumentales du XVIe siècle vénitien.

Le *portrait* grandeur nature est bien représenté dans l'aile Est par des œuvres qui s'étalent entre le XVIIIe et le XXe siècle. Dans l'Angleterre protestante, c'était le type de tableau le plus souvent commandé dans les années 1700, au grand désespoir de nombreux artistes. La tentative de Reynolds d'élever le portrait au rang de la peinture d'histoire, plus inventive et plus ouvertement didactique, transparaît dans la plupart des œuvres que la National Gallery possède de lui. Mais tous les peintres qui se sont engagés dans la voie du portrait officiel ont cherché – et cherchent encore – à donner au modèle et au tableau un surcroît de signification, souvent par allusion à un tableau de maître. Ceci est tout aussi vrai de Matisse, qui s'est tourné vers Véronèse en 1908 lorsqu'il a exécuté le *Portrait de Greta Moll*, que de Goya, Ingres, Degas, et même de Gainsborough, le rival naturaliste de Reynolds.

Plus modeste que la peinture d'histoire mais bien vivante, la *peinture de genre*, ou peinture de la vie quotidienne, continue à fleurir, qu'elle soit moralisatrice comme dans *Le Marriage à la mode* de Hogarth, ou dénuée de jugement, voire hédoniste, comme dans les scènes impressionnistes de la vie moderne.

La *nature morte*, considérée comme un parent pauvre par les théoriciens de l'art, mais très appréciée tant des princes que des roturiers, n'a jamais été laissée de côté. De Meléndez à Picasso, elle continue à servir de support à l'expérimentation de la facture et de la représentation des formes. *La Chaise de Van Gogh* personnalise un motif symbolique emprunté à la nature morte du XVIIe siècle hollandais.

En dehors des techniques, instruments et matériaux utilisés par les peintres, n'y a-t-il rien de nouveau dans la peinture exposée dans l'aile Est ? Il ne faut pas oublier que peindre est un métier manuel : il serait donc inconsidéré d'en négliger les changements techniques. Les transformations d'ordre économique et social ont aussi profondément affecté l'aspect de la peinture entre 1700 et l'avènement de la modernité : par exemple, l'émergence de marchands de couleurs et de toiles professionnels, qui a établi une distance entre l'artiste et les matériaux constitutifs de son œuvre et a rendu superflus les formations en atelier et les apprentissages ; la multiplication des expositions publiques et des marchands d'art ; le déplacement des œuvres d'art des collections princières vers les musées d'État ; mais le changement le plus flagrant est le déclin de la dévotion privée et du culte public, ainsi que l'essor et la chute des monarchies, des républiques et des empires.

À l'intérieur même de la traditionnelle hiérarchie des genres, dont les artistes et les spectateurs subissent consciemment ou inconsciemment l'influence, un changement significatif s'est en fait produit. C'est précisément parce qu'on en connaît les règles que l'on peut jouer à un jeu. De nouveaux sens ont été donnés aux œuvres en croisant les genres nobles avec des genres moins considérés. Comme nous l'avons vu, Reynolds mêlait le portrait à la peinture d'histoire. Inversement, une dimension intimiste a été conférée à certains portraits en les insérant dans des scènes de la vie quotidienne, ce qui a donné naissance à un genre plus spécifiquement anglais, le *conversation piece* (« scène de conversation »), aux tableaux de petite dimension, dont *Les Familles Milbanke et Melbourne* de Stubbs constitue un merveilleux example – malgré le silence qui y règne.

Plus saisissante est l'œuvre hybride de Seurat, *Une baignade à Asnières*. Des ouvriers qui s'adonnent à leurs loisirs – sujet caractéristique des scènes de genre de petite dimension – se voient élevés à la dignité de héros par le simple fait qu'ils sont représentés à une échelle monumentale et avec la rigueur géométrique d'une fresque de Piero della Francesca. Seurat n'est pas le seul à « élever » ainsi le bas peuple : *Le Vanneur* de Millet participe de la même idée. Les paysages aux dimensions modestes de Friedrich expriment une foi religieuse aussi intense que dans n'importe quel retable ; Redon dissimule l'Ophélie de Shakespeare dans une bouquet de fleurs. Surpris et ravis par l'infinie capacité de l'art à se transformer et à se renouveler, nous allons d'un tableau à l'autre pour nous découvrir et nous redéfinir nous-mêmes.

NOTE DE LA NOUVELLE EDITION

En 1997 la National Gallery et la Tate Gallery se sont mis d'accord pour réunir les œuvres d'artistes étrangers faites avant 1900 dans la collection de Trafalgar Square, tandis que celles qui datent du vingtième siècle seraient exposées à la Tate. Ainsi, le *Portrait de Greta Moll* de Matisse, le *Compotier, violon et bouteille* de Picasso, et *Ophélie parmi les fleurs* de Redon, tous les trois peints après 1900, ne sont plus accrochés dans l'aile Est. Cependant, nous avons gardé dans le *Guide* les textes qui se rapportent à ces œuvres parcequ'ils racontent une partie essentielle de l'histoire de la peinture en Europe de l'Ouest entre 1700 et les premières années du vingtième siècle, et pourraient aider au lecteur à regarder des tableaux non seulement à la National Gallery, mais aussi dans d'autres collections.

La très belle toile de Gauguin *Faa Iheihe*, peinte en 1898 au cours de ses derniers temps à Tahiti, est une des œuvres transféreés à leur tour de la Tate à la National Gallery. Elle est commentée, ainsi que d'autres nouvelles acquisitions importantes, dans des pages supplémentaires à la fin de cette nouvelle édition du *Guide*.

Canaletto   1697-1768

La Cour du tailleur de pierre

Vers 1726-1730. Huile sur toile, 124 × 163 cm

C'est grâce au succès rencontré par Giovanni Antonio Canal auprès des jeunes aristocrates anglais effectuant leur Grand Tour d'Europe pour parfaire leur éducation, que la
Grande-Bretagne compte aujourd'hui beaucoup plus d'œuvres de sa main que sa Venise
natale et même que l'Italie tout entière. Après avoir été formé à la peinture de décors de
théâtre, Canaletto se consacra en 1725 à la peinture de *vedute*, des vues topographique-
ment plus ou moins exactes de la ville, de ses canaux, ses églises, ses fêtes et ses cérémo-
nies. Il se rendit à plusieurs reprises en Grande-Bretagne, mais ses tableaux anglais
n'ayant eu aucun succès, il rentra définitivement en Italie vers 1756.

  Bien que nous associions le nom de Canaletto à des vues de sites célèbres, limpides
et produites en série, son chef-d'œuvre, *La Cour du tailleur de pierre*, n'appartient pas à
cette catégorie. Œuvre de jeunesse, certainement commandée par un client vénitien,
elle offre une vue intimiste de la ville, semblable à celle que pourrait offrir une fenêtre
donnant sur l'arrière d'une maison. Le site n'est en fait pas la cour d'un tailleur de
pierre, mais le Campo San Vidal représenté au cours des travaux de reconstruction de
l'église adjacente, l'église de San Vidal ou Vitale. On aperçoit de l'autre côté du Grand
Canal Santa Maria della Carità, devenue de nos jours l'Accademia di Belle Arti – le principal musée d'art de Venise.

Si les œuvres tardives de Canaletto sont peintes dans un style plus rigide sur des fonds blancs réfléchissants, dans ce tableau plus précoce la touche est libre et la préparation rouge brun, d'où la tonalité chaude de l'ensemble. Des nuages se dissipent et le soleil découpe des pans d'ombre foncés, dont les diagonales plongeantes contribuent à définir l'espace et à articuler l'architecture. Ce sont des enfants et de petites gens au travail – et non des doges ou des dignitaires – qui animent la scène et en donnent l'échelle. À gauche au premier plan, une mère a posé son balai contre un mur pour voler au secours de son enfant qui vient de tomber ; une petite fille fort sérieuse et une femme à sa fenêtre, occupée à aérer sa literie, observent la scène. Les tailleurs de pierre travaillent à genoux. Une femme, assise à sa fenêtre, file. La ville, dégradée par les intempéries, en état de délabrement, continue à vivre ; sous le haut clocher de Santa Maria della Carità, on voit une petite maison miteuse – où une belle étoffe rouge, pendue à une des fenêtres, attire la lumière du soleil la plus brillante.

Paul Cézanne   1839-1906

Grandes baigneuses

Vers 1900-1906. Huile sur toile, 127 × 196 cm

Le Cézanne que nous connaissons le mieux est celui qui peignait des natures mortes et des paysages de sa Provence natale, lentement et méthodiquement élaborés, des taches de couleur bien ordonnées servant à représenter simultanément l'incidence de la lumière et les formes. L'influence de son œuvre sur les tableaux cubistes de Braque et Picasso *(cf. p. 308)*, et sa formule devenue célèbre (trop souvent citée hors contexte) selon laquelle la nature doit être traitée « par le cylindre, la sphère, le cône », ont tendance à nous faire considérer Cézanne comme un artiste pondéré et cérébral. On ne saurait être plus loin de la vérité. Ses premières œuvres, puissantes et nerveuses, traitaient de sujets aussi violents et sensuels que ceux de Delacroix *(cf. p. 275)*, et l'auteur d'une lettre adressée en 1858 à Émile Zola, un des camarades d'enfance de l'artiste, évoque « cet ami poétique, fantastique, bachique, érotique, antique, physique, géométrique que nous avions ».

Fils d'un riche banquier farouchement opposé à ses penchants artistiques, Cézanne fit tout d'abord des études de droit à l'université d'Aix-en-Provence. Il prit ensuite des cours de dessin à l'Académie de la ville. En 1861, il suivit Zola à Paris, où il visita les musées et rencontra Pissarro *(cf. p. 309)*, qui l'encouragea à peindre en plein air. Sa peinture n'eut de succès que tardivement, et il ne réussit jamais à se débarrasser d'une certaine maladresse dans l'exécution des figures humaines. Mais dans ses trois *(Grandes) Baigneuses*, toiles exécutées entre 1895 et 1905 environ, il parvint enfin à une synthèse entre son expérience d'homme mûr d'une part, et les passions – alors sublimées –, les ambitions, et peut-être même les souvenirs de sa jeunesse de l'autre.

Comme les deux autres *Baigneuses* (Fondation Barnes à Merion, Pennsylvanie, et Museum of Art de Philadelphie), le tableau de la National Gallery rappelle les nymphes au bain monumentales et sensuelles et les déesses païennes des tableaux mythologiques de la Renaissance vénitienne. Cézanne avait étudié de telles œuvres, notamment chez le Titien *(cf. p. 158)*, lors des visites qu'il avait effectuées au Louvre dans sa jeunesse – mais aucun récit spécifique n'est évoqué ici. Ces nus imaginaires sont cependant aussi fermement plantés dans la nature que les rochers, la végétation ou les maisons de pierre des paysages qu'il a peints sous « le bon soleil de Provence ».

Comme le notait le peintre Bridget Riley, la jambe arrière de la femme de gauche « ancre fermement le tronc de l'arbre dans le sol tandis que sa tête fusionne avec l'écorce » et « les ocres, les bleus, les roses, les verts et le blanc » de la composition sont dérivés « de la terre, de la chair, du ciel, de la lumière du soleil, des feuilles et des nuages fuyants et opalescents ». Cézanne a utilisé dans tout le tableau les mêmes touches et les mêmes aplats, et l'impression laissée par l'ensemble est celle d'une grande luminosité diurne. Tandis qu'à travers les nus féminins de ses premières peintures, tout aussi gauches et anonymes, s'exprimaient les fantasmes de l'artiste – désir et crainte de l'éternel féminin, vision de la femme comme victime et castratrice, de l'amour comme inséparable du viol, du crime et de l'immolation – ces figures-ci dépassent ces émotions subjectives, et atteignent à une sérénité énigmatique.

Paul Cézanne 1839-1906

Le Poêle dans l'atelier

Fin des années 1860. Huile sur toile, 41 × 30 cm

À la fin des années 1860, Cézanne partageait son temps entre Aix-en-Provence, où il retrouvait sa maison familiale de grands bourgeois, et Paris, où il menait une vie de bohème et où il a probablement peint ce petit tableau qui ne manque cependant pas de force. À Paris, il se rendait au Louvre où il passait le plus clair de son temps à exécuter des esquisses, et c'est aussi là – paradoxalement – que lui vint l'idée d'une nouvelle forme d'art basée sur l'observation directe de la nature. Il est possible qu'il ait tout particulièrement étudié *La Fontaine de cuivre*, célèbre tableau de Chardin qui avait fait son entrée au Louvre en 1869. Comme les autres maîtres anciens qui étaient redécouverts ou réhabilités au cours de ces années-là – les peintres d'intérieurs hollandais Vermeer et de Hooch, les frères Le Nain, Hals et Vélasquez à ses débuts *(cf. pp. 202, 208, 215, 249, 254)* –, Chardin *(cf. p. 265)* avait représenté ce qu'il avait véritablement observé. Cézanne s'intéressera à cet artiste toute sa vie.

Dans ce tableau, Cézanne a audacieusement disposé les objets courants de son atelier : il nous les fait découvrir de son point d'observation légèrement surélevé d'artiste

debout devant son chevalet, sous une lumière forte provenant de fenêtres situées derrière son épaule gauche. Emblèmes de sa profession, une palette et un petit tableau suspendus contre le mur sombre accrochent la lumière, tandis qu'une toile légèrement teintée, tendue sur son châssis, encadre un chaudron ventru rappelant les ustensiles de cuisine représentés par Chardin. À l'intérieur de l'atelier, ce motif constitue une nature morte quasi indépendante. Ton et couleur, matière et forme semblent inséparables, comme chez Vélasquez ou chez Hals. L'obscurité ne correspond pas à une absence de couleur, elle est constituée de délicieux filets noirs et lustrés de différents tons ; les blancs varient du plus pur et brillant à un blanc crème ou gris, tandis que le feu, d'un rouge incandescent, s'inscrit au cœur de la composition. Des années plus tard, lorsqu'un jeune artiste demandera à Cézanne, déjà âgé, par quelle étude un débutant doit nécessairement commencer, Cézanne répondra : « Peignez votre tuyau de poêle. »

Jean Siméon Chardin 1699-1779

Le Château de cartes

Vers 1736-1737. Huile sur toile, 60 × 72 cm

À une époque où les grands tableaux mettant en scène des récits héroïques étaient considérés comme les œuvres les plus méritoires, Chardin, gêné par son manque de formation en dessin, devint l'un des principaux représentants d'un genre modeste, la nature morte. Né à Paris, où il allait demeurer presque toute sa vie, il fréquenta tout d'abord l'école de la corporation de Saint-Luc, avant d'être admis à l'Académie en tant que peintre de natures mortes et d'animaux. Vers la fin de sa vie, la plupart des grandes collections privées de l'époque comptaient des œuvres de sa main. Bien qu'ayant absolument besoin d'une phase d'observation et de travail sur le vif, Chardin mit au point des méthodes lui permettant de peindre à une certaine distance du modèle, de manière à pouvoir réconcilier

Le Château de cartes

le souci du détail et la recherche d'un effet général. Si certains critiques ont regretté son inaptitude à peindre des sujets plus « nobles », d'autres, comme l'influent philosophe que fut Diderot, ont été sensibles à la magie de son pinceau : « On n'entend rien à cette magie [...] C'est une vapeur qu'on a soufflée sur la toile [...] Approchez-vous, tout se brouille, s'aplatit et disparaît ; éloignez-vous, tout se crée et se reproduit. »

Au début des années 1730, peut-être en réponse à une amicale raillerie du portraitiste Joseph Aved avec qui il était lié, Chardin se tourna également vers la peinture de figures de petite dimension, influencé par les peintres de genre hollandais et flamands du XVIIᵉ siècle. Encouragé par le succès rencontré par ces compositions simples mettant en scène des filles de cuisine et des domestiques au travail, il passa des arrières-cuisines de la bourgeoisie à ses salons. Limiter le champ de vision à la demi-figure lui permit de peindre à plus grande échelle, comme c'est le cas ici. Dans ce tableau merveilleusement intimiste et contemplatif, il nous livre le portrait du fils de l'un de ses amis, M. Lenoir, marchand de meubles et ébéniste.

Le sujet du *Château de cartes* s'inspire de celui des vanités moralisatrices du XVIIᵉ siècle *(cf. p. 249)*. Les vers inscrits sous la gravure réalisée à partir du tableau et publiée en 1743 soulignent la vanité des entreprises humaines, aussi fragiles qu'un château de cartes. Mais la peinture a tendance à prendre le contre-pied de cette morale. Sa composition stable et rigoureusement géométrique donne à la scène un air de permanence s'opposant à la nature fugitive du passe-temps auquel s'adonne le jeune garçon, et par là même de l'enfance. L'harmonie magique des tons enveloppe la scène d'une lumière chaude et subtile, à la fois directe et diffuse. La technique de Chardin est restée secrète, bien qu'on l'ait soupçonné d'utiliser autant le pouce que le pinceau. Il n'est cependant pas difficile d'imaginer qu'il ait effectivement pu répondre aux questions d'un peintre médiocre : « On se sert des couleurs, mais on *peint* avec le sentiment. »

John Constable

1776-1837

La Charrette de foin

1821. Huile sur toile, 130 × 185 cm

Le père de John Constable était un riche meunier du Suffolk. « Lorsque je regarde un moulin peint par John, dit un jour le frère du peintre, je vois qu'il va se mettre *à tourner*, ce qui n'est pas toujours le cas de ceux peints par d'autres artistes. » La fidélité de Constable à la nature et son attachement à son environnement natal sont devenus légendaires. Il est cependant moins connu que les aquarelles de Girtin et *Agar et l'ange* de Claude Lorrain furent, selon son biographe, les premières œuvres qui lui servirent de « guides pour l'étude de la nature ». Ruysdael, Rubens, Wilson et Annibal Carrache figurent au nombre des autres « guides fiables », dont il copia les œuvres au cours de sa jeunesse, écrivant un jour d'Ipswich : « J'ai l'impression de voir du Gainsborough dans chaque haie et chaque arbre creux » *(cf. pp. 181, 235, 241, 283).* Il fut aussi influencé par des peintres contemporains, et n'oublia jamais le conseil que lui avait donné Benjamin West, le président de la Royal Academy : « N'oubliez jamais, monsieur, que la lumière et l'ombre *ne sont jamais immobiles* [...] dans vos ciels [...] recherchez toujours la *luminosité* [...] même pour les effets les plus sombres [...] vos noirs doivent ressembler à ceux de l'argent et non à ceux du plomb ou de l'ardoise. »

L'exclamation du jeune Constable, « Il y a assez de place pour un peintre naturel *(natural painter)* », doit être comprise non comme celle d'un « peintre naturel » naïf, mais comme celle d'un étudiant ambitieux luttant pour maîtriser le langage de l'art qui donnait forme à ses sentiments les plus profonds, avant même qu'il ne pût les exprimer.

La *Charrette de foin*, qui a été exposée à la Royal Academy en 1821 et à la British Institution en 1822 sous le titre *Paysage : midi*, est l'une des grandes toiles de plus d'1,8 m que Constable a exécutées au cours de ses hivers passés à Londres, à partir d'esquisses et d'études réalisées l'été à la campagne. La charrette de foin responsable du titre actuel est une copie d'un dessin de John Dunthorne, ami d'enfance et assistant de Constable, qui le lui envoya du Suffolk sur sa demande. La vue donne sur la maison du fermier Willy Lott, située sur le bief de la Stour près du Moulin de Flatford, qu'exploitait le père de Constable. Le Victoria and Albert Museum possède une esquisse du tableau réalisée à la même échelle. Dans la version finale ici présentée, Constable a remplacé la figure à cheval située au bord du cours d'eau par un tonneau, qu'il a finalement supprimé (mais il commence à réapparaître).

En « sélectionnant et combinant [...] quelques formes et effets évanescents de la nature », Constable cherchait à atteindre une « vérité d'expression sans affectation », sans renoncer à la poésie. Il travaillait presque « à en perdre connaissance » afin de conserver dans ces grandes compositions, élaborées en atelier pendant de longs mois, l'éclat de ses esquisses. *La Charrette de foin*, l'« icône » de la campagne anglaise tant célébrée, suscitait l'admiration des amis les plus intimes de l'artiste, mais n'avait aucun succès dans les expositions londoniennes. En 1823, l'artiste la vendit avec deux autres tableaux à un marchand anglo-français qui les exposa au Salon de 1824 à Paris. Là, le travail de Constable fut enfin compris, en particulier par des peintres *(cf. Delacroix, p. 275)*, qui tirèrent « la sonnette d'alarme en [s]a faveur, [et] reconnurent la richesse de la texture et l'attention portée à l'aspect des choses. Ils furent frappés par la verve et la fraîcheur [de ces œuvres]... » Un Anglais rapporta les propos d'un autre visiteur : « Regardez ces paysages dus à un artiste anglais, le sol semble couvert de rosée. » Le cadre du tableau porte l'empreinte de la médaille en or qui fut remise à Constable par le roi de France Charles X.

John Constable   1776-1837

La Baie de Weymouth et le mont Jordon

1816 ? Huile sur toile, 53 × 75 cm

Constable fit la connaissance de Maria Bicknell en 1800, alors qu'elle n'avait que treize ans. C'était la petite fille de M. Rude, riche pasteur d'East Bergholt, le village natal de l'artiste. Maria Bicknell et Constable se fiancèrent en 1811, mais le père de la jeune fille, homme de loi, et surtout son grand-père, le pasteur, s'opposèrent à son union avec un « homme de moindre fortune et [...] sans profession ». Le biographe et ami de Constable, C.R. Leslie, explique que pendant cinq ans Maria fut traitée « comme une élève de pensionnat risquant d'être victime d'un coureur de dot ». À l'âge de vingt-neuf ans cependant, « elle se sentit en droit de prendre elle-même une décision dont dépendait entièrement son bonheur ». Le révérend John Fisher, un ami de Constable, célébra le mariage le 2 octobre 1816 en l'église Saint Martin. Fisher invita les jeunes mariés à demeurer chez lui et sa toute nouvelle épouse, à Osmington, près de Weymouth, en ces termes : « La campagne ici est sublime et merveilleusement sauvage ; elle vaut bien la visite d'un peintre. »

Il y a désaccord quant à la nature de ce tableau représentant la baie de Weymouth : s'agit-il d'une esquisse peinte par Constable sur le vif, lors de sa lune de miel, ou d'une œuvre plus tardive destinée à la vente, élaborée à partir d'esquisses exécutées sur place, et restée inachevée ? L'œuvre est d'une telle fraîcheur et spontanéité que la plupart des spectateurs aiment à penser qu'il s'agit d'une vue immortalisée par Constable lors de son séjour à Osmington ; l'artiste aurait placé son chevalet légèrement à l'ouest de Red-

cliff Point, face au mont Jordon et à la falaise de Furzy. Le brun rouge de la préparation transparaît à travers le bleu du ciel et de l'eau, ce qui donne un ton chaud au paysage. Un promontoire, des rochers et des galets – peints avec beaucoup de liberté mais de manière plus détaillée que le reste du tableau – encadrent cette vue et la mettent en valeur. *La Baie de Weymouth* doit cependant toute sa beauté à son ciel, un véritable paysage nuageux : des colonies de nuages émergent de l'horizon pour former la « voûte céleste » – cette découverte picturale faite au XVIIe siècle par les peintres de marines hollandais *(cf. p. 178)*. « Un meunier est tout particulièrement attentif au moindre changement du ciel », écrivait Leslie, avant de citer la description que Constable avait faite d'une gravure exécutée d'après l'une de ses esquisses à l'huile :

> Ces [nuages] tout près de la terre crèveraient peut-être avec un vent plus fort, qui [...] les ferait bouger plus rapidement ; c'est pourquoi les meuniers et les marins leur donnent le nom de « messagers » : ils sont toujours annonciateurs de mauvais temps. Ils flottent « entre deux eaux » sur ce qu'on pourrait appeler le sentier des nuages.

Ayant travaillé dans le moulin de son père, Constable devait en effet avoir été sensibilisé à l'apparence et au comportement des nuages. Il est d'autant plus émouvant de savoir qu'au nombre des exercices effectués dans sa jeunesse pour l'apprentissage de son art, il a minutieusement copié et étiqueté une série de configurations nuageuses, publiées en 1785 par Alexander Cozens, paysagiste et maître de dessin, à l'usage de ses élèves. Il n'existe pas d'études de nuages plus fidèles à la réalité que celles de Constable, mais même le meunier doué d'un sens de l'observation qu'il était avait dû acquérir le vocabulaire pictural lui permettant de reproduire ce qu'il observait. Füssli, un artiste contemporain de la Royal Academy, se plaisait à dire qu'il « aurait aimé avoir un parapluie, lorsqu'il se trouvait devant une des averses de Constable ». De fait, *La Baie de Weymouth* nous donne envie d'enfiler un anorak et une écharpe.

Jean-Baptiste Camille Corot   1796-1875

Paysans sous les arbres à l'aube

Vers 1840-1845. Huile sur toile, 28 × 40 cm

Jusqu'après le tournant du siècle, la célébrité et la popularité de Corot étaient essentiellement dues à ses paysages tardifs, créés de manière artificielle – des compositions argentées teintées de romantisme, aux peupliers nébuleux se dissolvant dans la luminosité du ciel et de l'eau. Je me souviens que même à la fin des années 1930, lorsqu'encore enfant j'allais dans les musées, des adultes soupiraient devant ces toiles monotones bien que lyriques, éprouvant le plaisir de la mélancolie. Ce n'est que de nombreuses années plus tard que j'ai découvert l'autre Corot, le mentor de l'école naturaliste de Barbizon, de Pissarro *(cf. p. 309)* et des impressionnistes, l'artiste sans prétention ayant peint d'après nature, dont la vision délicate et précise résiste à l'analyse verbale et ne se prête pas à une nostalgie facile.

Corot ne présenta pas aux Salons ses études peintes sur le vif, mais elles eurent tout de même une influence sur des générations d'artistes, car elles furent achetées à sa mort par d'autres peintres, notamment par Degas *(cf. p. 272)*. Venu tardivement à la peinture, inspiré par les paysages que Constable avait exposés au Salon de 1824 *(cf. p. 267)* et par chance soutenu et encouragé par ses parents, Corot a été l'un des révolutionnaires les plus modestes de l'histoire de l'art. Ayant découvert dans la nature même la paix et l'harmonie de l'art classique, il a converti la tradition du paysage idéal – fortement stylisé – hérité de Poussin et de Claude Lorrain *(cf. pp. 184 et 223)* en peinture de paysage moderne.

Les vues typiquement méridionales peintes par Corot – aqueducs antiques, remparts couleur fauve, coteaux couverts de broussailles, pins parasols et oliviers sous un vaste ciel bleu d'Italie ou de Provence – figurent parmi ses plus belles esquisses à l'huile, et les visiteurs de la National Gallery sont toujours sensibles à la délicieuse petite vue intitulée *Avignon vue de l'ouest*. L'œuvre ici choisie est encore plus modeste ; elle a été exécutée en Bourgogne, dans le Morvan, où Corot allait souvent peindre au début des années 1840. La famille de son père était originaire de cette région, à laquelle il devait se sentir particulièrement attaché. Ici, un paysan scie du bois, aidé par sa femme. Des arbres et des maisons villageoises, baignant dans la lumière froide du petit matin, se détachent du ciel. De longues ombres tombent sur l'herbe, où nous distinguons tout juste l'éclat des plumes blanches de l'oie qui se dandine. Cette œuvre ne comporte aucune note héroïque ou volontairement poétique, ni aucune fioriture : elle se compose simplement de touches parfaitement étudiées de blanc, de gris, de gris brun, de vert, et de bleu, rehaussées d'une seule touche de rouge, sur le bonnet de la paysanne.

Jacques-Louis David   1748-1825

Portrait de Jacobus Blauw

1795. Huile sur toile, 92 × 73 cm

Achetée par la National Gallery en 1984, cette œuvre merveilleusement bien conservée est le premier tableau de David entré dans une collection publique britannique. L'artiste s'illustra en France en tant que peintre, mais aussi comme homme politique : il participa activement à la Révolution et devint par la suite peintre à la cour de Napoléon. À la chute de l'Empire, David s'exila à Bruxelles, où il mourut en 1825. Son *Portrait de la vicomtesse Vilain XIIII et de sa fille* a été acquis par la National Gallery en 1994.

Bien que David se soit fait un nom grâce à de grandes toiles mettant en scène des récits héroïques empruntés à l'Antiquité, les portraits de ses contemporains figurent au nombre de ses plus belles œuvres : leur vif réalisme s'accompagne d'une composition rigoureuse, d'une gamme chromatique contrôlée et de la touche discrète du style néoclassique. *Jacobus Blauw* en est un exemple particulièrement réussi ; il évoque en outre les centres d'intérêts politiques et artistiques du peintre. Le modèle était un patriote hollandais qui, en 1795 (ou en l'an IV du calendrier révolutionnaire français, pour reprendre la datation adoptée par l'artiste pour son tableau), participa à l'établissement de la République batave. Lorsque l'armée française envahit les Pays-Bas un peu plus tard la même année, Blauw fut envoyé à Paris avec son compatriote Caspar Meyer pour négocier un accord de paix. C'est alors que chacun d'eux commanda son portrait à David (celui de Meyer est au Louvre). Il est cependant clair que des deux hommes, c'est Blauw que David trouva le plus sympathique.

L'artiste a représenté Blauw assis, en train de rédiger un document officiel. Cette formule lui a permis d'organiser la composition selon une géométrie stricte : les lignes – essentiellement horizontales et verticales – se coupent à angle droit et font écho à la forme de la toile. (On peut aussi considérer que le modèle forme une pyramide au-dessus du secrétaire.) Blauw semble s'être détourné de son travail pour réfléchir – un prétexte trouvé par David pour le présenter de face. David a toutefois atténué la gêne qui résulte d'une confrontation trop directe en évitant de placer la tête de son modèle au centre de la composition et en lui laissant les yeux dans le vague. La pose, bien que d'une grande stabilité, laisse une impression d'instantanéité et semble nous donner un aperçu du caractère de Blauw. Il est représenté dans une tenue simple, convenant à un républicain : il porte un manteau uni et une cravate souple, et non pas une perruque d'aristrocate, mais ses propres cheveux poudrés. Une merveilleuse touche rehausse ses boutons de cuivre, reflets rouges inexplicables renvoyant à l'atelier de l'artiste – donc à l'espace du spectateur.

Hilaire-Germain-Edgar Degas   1834-1917

Après le bain, femme s'essuyant

Années 1880. Pastel sur feuilles de papier montées sur carton, 104 × 98 cm

« Degas, fou de dessin, anxieux personnage de la tragi-comédie de l'Art moderne », telle est l'image que le poète Paul Valéry a donnée de l'artiste. Artiste progressiste, et pourtant profondément respectueux de la tradition académique telle qu'elle lui avait été enseignée par des élèves d'Ingres *(cf. p. 296)* et telle qu'il l'avait appréhendée au cours d'un voyage d'étude effectué en Italie de 1856 à 1859, Degas s'essaya tout d'abord à la peinture d'histoire. À partir de la fin des années 1860, il devint un observateur perspicace, bien que sélectif, des scènes contemporaines de la vie urbaine – au café-concert, au ballet ou sur les hippodromes –, représentant aussi des femmes de modeste condition au travail ou au bain. À partir de 1874, il exposa avec les impressionnistes, sans toutefois partager leurs théories ni leur technique.

L'impressionnisme supposait un quasi-abandon de la ligne au profit de la couleur ; or Degas, grand dessinateur, ne voulait pas rompre ce lien qui le rattachait au passé. Pour lui comme pour Ingres et les artistes toscans de la Renaissance, le dessin était la pierre angulaire de toute représentation ; la peinture nécessitait de nombreuses études préparatoires et une approche méthodique de l'organisation picturale. Lorsqu'en 1900 il découvrit en compagnie de l'artiste anglais Sickert les *Nymphéas* de Monet *(cf. p. 305)*, il déclara qu'il n'éprouvait pas le besoin de faire abstraction de sa « connaissance » devant un étang. Depuis 1870, Degas souffrait en outre de troubles visuels qui rendaient pénible toute séance de peinture en plein air ; le choix de ses sujets était déterminé par la nécessité pour

lui de travailler en atelier avec un faible éclairage. Son problème oculaire, qui nécessitait un traitement et des périodes de repos, mais lui demandait aussi des efforts constants, lui fit prendre conscience de la part de volonté qui entre dans l'acte de perception : « On voit ce qu'on souhaite voir », disait-il, et il ajoutait que le dessin ne dépend pas de ce qu'on voit, mais de ce qu'on parvient à faire voir aux autres.

Degas s'est tourné vers le pastel pour plusieurs raisons. Sa matité lui rappelait celle des fresques italiennes, qui suscitaient son admiration et celle de Puvis de Chavannes (*cf. p. 311*)(cf. p. 311) ; les pastels étaient en outre disponibles dans une vaste gamme de teintes « modernes », et lui permettaient de dessiner en couleurs : « Je suis coloriste avec la ligne » déclarait-il. Autour de 1885, il produisit une série de nus à leur toilette, exécutés au pastel sur papier, proposant une interprétation contemporaine d'un motif traditionnel : « [...] jusqu'à présent le nu avait toujours été représenté dans des poses qui supposent un public. Mais mes femmes sont des gens honnêtes et simples, qui ne s'occupent de rien d'autre que de leur occupation physique [...] c'est comme si vous regardiez à travers le trou d'une serrure. »

Debout dans son atelier, probablement sur une plate-forme, Degas a commencé par effectuer une esquisse au fusain, qui demeure visible sous les entrelacs des pastels au niveau des contours des épaules, des bras et du modelé du dos, qui apparaît sous les hachures roses. Les couleurs sont aussi vives et pures que celles des impressionnistes, utilisées à la fois à des fins descriptives et de manière arbitraire (par exemple les touches de bleu sur la chaise jaune, et l'orange sous l'aisselle de la femme). Elles se rehaussent entre elles et tonifient la composition. Degas a mélangé certaines couleurs de pastels, mais a pulvérisé du fixatif sur d'autres pour permettre à de nouvelles teintes de se superposer à celles déjà appliquées. L'effet final est à la fois beau et dissonant. Le peintre a traité avec une grande complexité spatiale un coin de pièce à l'origine étriqué ; le modèle, privé de visage, a été dépersonnalisé au cours de l'accomplissement (simulé) d'un acte intime ; le spectateur se fait le complice du voyeur, qui a indiqué sa présence par d'amples gestes sur le papier.

Hilaire-Germain-Edgar Degas 1834-1917

Hélène Rouart dans le bureau de son père

Vers 1886. Huile sur toile, 161 × 120 cm

Hélène Rouart, que Degas avait peinte sur les genoux de son père encore toute enfant, était la seule fille d'Henri Rouart, ami de toujours de l'artiste. Cet ingénieur et industriel fortuné était collectionneur mais aussi peintre : il exposa ses toiles à sept des huit expositions impressionnistes. Selon Louis, le frère d'Hélène, ce portrait, peint alors qu'elle avait dix-huit ans, était la concrétisation d'un projet de représentation de toute la famille Rouart. Deux pastels et un dessin d'Hélène debout, enveloppée d'un châle et admirant en compagnie de sa mère une statuette de Tanagra, ont survécu. Peut-être est-ce en raison de la mauvaise santé de madame Rouart que Degas décida ultérieurement de peindre Hélène seule dans le bureau de son père. Dans un certain nombre de dessins préparatoires, elle est représentée assise sur le bras de la chaise qui apparaît ici.

Depuis les années 1860, Degas s'intéressait à un type de portrait évoquant la personnalité du modèle à travers les objets qui l'entourent. Il est alors d'autant plus curieux qu'Hélène ait été définie uniquement par les objets appartenant à son père : des statues égyptiennes en bois exposées dans une vitrine et au mur, une tenture chinoise en soie, une étude à l'huile de la baie de Naples par Corot et un dessin de Millet. La présence de son père est évoquée par l'énorme chaise sur laquelle Hélène s'appuie et par le bureau où ses livres et ses papiers attendent son retour – comme sa fille semble elle-même le faire dans la passivité.

Immobilisée entre la chaise et le mur, Hélène a un regard introspectif, ne prêtant attention ni au peintre (ou au spectateur), ni aux objets qui l'entourent. On a dit de ce portrait qu'il la présentait comme quelqu'un ayant été élevé dans un milieu cultivé. Pour moi, c'est un portrait encombré par ce qui l'entoure. Les contours rouge vif que Degas a peints librement autour de la figure pour l'arracher à l'arrière-plan (qu'il avait peut-être envisagé de retravailler ultérieurement) servent à la relier davantage au ton dominant, et le rouge de la tenture chinoise a peut-être aussi été choisi pour souligner le roux de ses cheveux. Fille encore non mariée – Degas la montre sans bague au doigt – Hélène, qui allait se marier quelque temps plus tard, remplissait peut-être auprès de son père des fonctions de secrétaire. Dans cet inventaire de la collection très hétéroclite d'Henri Rouart, Degas a glissé Hélène, l'objet le plus précieux. Ce portrait, l'une des œuvres les plus énigmatiques du siècle, est resté dans l'atelier de Degas jusqu'à la mort de l'artiste.

Un critique, commentant en 1881 la statue d'une jeune ballerine vieille avant l'âge exécutée par Degas, écrit : « Si [cet artiste] persévère dans ce style, il se fera une place dans l'histoire des arts cruels. »

Ferdinand-Victor-Eugène Delacroix   1798-1863

Portrait de Louis-Auguste Schwiter

1826-1827. Huile sur toile, 218 × 144 cm

Les plus grandes œuvres de Delacroix n'ont jamais quitté leur pays d'origine. Son interprétation « des mythes antiques et de l'histoire médiévale, du Golgotha et des barricades, de Faust et de Hamlet, de Scott et de Byron, du tigre et de l'odalisque » – pour reprendre les termes de l'historien d'art Lorenz Eitner –, doit être découverte à Paris dans ses grands tableaux de chevalet et ses décors de plafonds. Eux seuls peuvent nous permettre de juger pleinement de l'audacieuse alliance entre beauté et cruauté, sensualité et maîtrise, imagination et observation, modernité et tradition qui caractérise l'art de ce peintre dont l'influence fut immense. « Lorsque Delacroix peint, dit un jour un contemporain, c'est comme si un lion dévorait un quartier [de viande]. »

De même que le nom de Byron est associé à la poésie romantique, Delacroix est le nom qui vient immédiatement à l'esprit quand on songe à l'art romantique français. Comme Byron, Delacroix obtenait ses effets artistiques flamboyants à force de réflexion et grâce à une excellente maîtrise de la technique. Élève d'un artiste académique, il doit surtout sa formation à l'étude qu'il fit au Louvre des grands coloristes de la Renaissance et du

Portrait de Louis-Auguste Schwiter

XVIIe siècle. Fasciné par la touche vibrante des Vénitiens et de leur héritier flamand, Rubens *(cf. pp. 155, 158, 165 et 235)*, il tenta comme eux de simuler une vive lumière naturelle même dans ses zones d'ombre, et considéra la couleur, et non la ligne, comme l'élément structurel fondamental. Ce sont précisément ces caractéristiques qui firent sensation lors de l'exposition de *La Charrette de foin* de Constable *(cf. p. 267)* au Salon de 1824, et exacerbèrent l'anglomanie que Delacroix partageait avec un grand nombre de ses contemporains. En 1825, après avoir vendu son tableau *Les Massacres de Scio* à l'État français, il partit pour Londres avec deux amis anglais, les aquarellistes Richard Bonington et Thales Fielding. Là, les trois artistes visitèrent des musées, allèrent au théâtre et lurent les œuvres de poètes anglais. Delacroix rencontra d'autres artistes britanniques, notamment Thomas Lawrence *(cf. p. 298)*. Le portrait grandeur nature de Louis-Auguste Schwiter, peint par Delacroix après son retour à Paris, correspond du reste à une tentative de l'artiste d'imiter le style des portraits de Lawrence.

Schwiter, ami fidèle de Delacroix, était lui-même peintre. Il est cependant représenté ici sous les traits d'un gentilhomme élégamment vêtu de noir tenant son chapeau à la main, debout sur ce qui semble être la terrasse d'un grand manoir, comme s'il attendait qu'on le fît entrer. Le vase de Chine bleu, dont les fleurs sont évoquées par une pein-

---

ture épaisse, contraste avec la doublure rouge du chapeau. Comme les branches jonchant le sol, ces touches de couleur servent à établir une relation entre le premier plan et le paysage crépusculaire – qu'on dit peint en partie par Paul Huet, peintre et ami de Delacroix – rompant ainsi l'isolement de la figure monochrome.

L'éclairage – qui provient ici de la droite et non de la gauche comme c'est habituellement le cas dans les portraits – met en valeur la partie gauche du visage et permet peut-être d'expliquer la surprenante impression de timidité du modèle, bien qu'il soit fermement campé au centre de la composition et qu'il regarde le spectateur droit dans les yeux. Sa pose « moderne » – sans emphase et empreinte d'un soupçon de réserve britannique –, mais aussi la facture libre et « inachevée » du tableau, rendirent ce portrait en pied à la fois formel et peu conventionnel, inacceptable aux yeux du jury chargé de sélectionner les œuvres pour le Salon de 1827. Ce portrait fut donc refusé. Delacroix le retravailla ultérieurement, l'achevant finalement en 1830.

Paul Delaroche 1795-1856

Le Supplice de Jane Grey

1833. Huile sur toile, 246 × 297 cm

L'anglomanie florissait en France dans les années 1820 et 1830 *(cf. page précédente)*. L'intérêt porté à l'histoire de la Grande-Bretagne, alimenté par les romans de Sir Walter Scott, était en outre soutenu par les parallèles établis entre d'une part, des événements survenus depuis peu en France, et d'autre part la guerre civile et les tribulations des Tudor et des Stuart. C'est peut-être en Angleterre que l'histoire britannique commença d'être représentée en peinture, mais c'est le Français Paul Delaroche qui se fit une réputation dans toute l'Europe en l'exploitant dans de grands tableaux exposés à Paris au Salon de 1825 à 1835. Vulgarisées sous forme de gravures produites en série, ces œuvres, dans lesquelles se mêlent un goût ostentatoire d'antiquaire et le pseudo-réalisme des mélodrames bourgeois, influencèrent à leur tour les peintres d'histoire britanniques au milieu de l'ère victorienne. Aujourd'hui, bien que Delaroche soit un peintre pour ainsi dire oublié, *Le Supplice de Lady Jane Grey* est un des tableaux de la National Gallery qui a le plus de succès.

Il relate les derniers moments de la vie de Jane Grey, le 12 février 1554, date de l'exécution de cette jeune protestante de dix-sept ans. Arrière-petite-fille de Henri VII, Jane Grey avait été proclamée reine d'Angleterre à la mort d'Édouard VI, encore adolescent et également protestant. Elle avait régné neuf jours en 1553, après quoi, suite aux machinations des partisans de la fille catholique d'Henri VIII, Marie Tudor, elle avait été accusée de haute trahison et condamnée à mourir dans la Tour de Londres.

La surface par trop léchée et les détails trop minutieux pour une œuvre de cette échelle peuvent agacer, de même que sa sensiblerie : la fragilité féminine, qui est ici portée à son paroxysme, éveille la pitié d'un bourreau distingué, vêtu de collants roux. Delaroche, qui s'est inspiré d'un martyrologe protestant publié au XVIe siècle, a falsifié la vérité historique pour mieux séduire ses contemporains. Lady Jane Grey, jeune épouse ayant fait ses humanités, fut en fait exécuté en plein air. Accompagnée de deux dames de compagnie, probablement pas moins stoïques qu'elle-même, elle avança d'un pas résolu vers le billot. Elle ne pouvait être vêtue ni d'un corset à baleines, ni d'une robe de satin blanc coupée à la mode du XIXe siècle. Ses cheveux devaient en outre être attachés. Mais on ne peut juger de la qualité d'un tableau en fonction de sa fidélité à l'histoire. Les critères applicables en l'occurrence sont davantage ceux des mélodrames populaires ou des tableaux vivants.

Comme sur une scène, l'héroïne avance à tâtons vers le spectateur, aimablement guidée par le connétable de la Tour, un homme assez âgé dont la présence massive, sombre et masculine, la met en valeur. Placée au-dessus d'elle, une lumière semble compléter le faible éclairage de la scène ; sa lumière se reflète sur la robe immaculée et sur la paille qui déborde de la scène. Les émotions de chacun des personnages sont soigneusement caractérisées et différenciées : aucun doute ne subsiste quant à la personnalité de chacun d'eux – pas même celle de la femme qui, représentée à l'arrière-plan, s'est détournée pour ne pas voir l'horrible scène. Malgré sa complaisance, *Le Supplice de Lady Jane Grey* demeure un tableau d'une grande force, qui illustre parfaitement les mots de John Foxe dans le *Livre des Martyrs*, publié en 1563 : « Laissons cette valeureuse dame passer pour une sainte : et laissons toutes les grandes dames qui portent son nom imiter ses vertus. »

François-Hubert Drouais   1727-1775

Madame de Pompadour

1763-1764. Huile sur toile, 217 × 157 cm

Fils du peintre Hubert Drouais, François-Hubert devint un célèbre portraitiste employé à la cour de France. Il était surtout connu pour ses toiles d'enfants de l'aristocratie, qu'il habillait en jardiniers ou en Savoyards pour montrer leur amour, soit de la nature soit filial (les petits Savoyards qui jouaient de l'orgue de Barbarie rapportaient chaque année leurs économies à leurs mères restées en Haute-Savoie). Ce somptueux portrait de Madame de Pompadour, maîtresse de Louis XV, emploie de la même manière l'image de la vertu et de l'activité bourgeoises pour flatter cette grande dame.

Dans le cas présent, cependant, la fiction rejoint quelque peu la réalité : la marquise de Pompadour répondait à l'origine au simple nom de Mademoiselle Poisson. Une diseuse de bonne aventure avait prédit à la petite fille de neuf ans qui allait devenir

cette femme charmante, jolie, d'un bon naturel et bien éduquée, qu'elle conquerrait le cœur d'un roi. Sa famille l'avait dès lors surnommée « reinette ». (Vingt ans plus tard, elle allait récompenser la diseuse de bonne aventure en lui offrant une grosse somme d'argent : six cents livres.) Mariée au neveu du riche amant de sa mère, elle ouvrit son salon aux esprits cultivés de la capitale. Voltaire est le plus connu des philosophes qu'elle captiva et soutint, et elle ne tarda pas à attirer l'attention du roi Louis XV. En 1745, séparée de son mari, elle était déjà installée à Versailles et anoblie. Aux yeux de ses détracteurs cependant, elle restait une bourgeoise parisienne, membre d'une classe sociale qui, selon eux, s'enrichissait à leurs dépens. Affectueuse, charmante et surtout passionnée d'art et de musique, elle sut conserver l'amitié du roi, même après la fin de leur liaison en 1751-1752.

Drouais rend ici compte des centres d'intérêt de Madame de Pompadour : il l'a entourée de livres, d'une mandoline, d'un carton à dessins et de son chien bien-aimé. Il l'a en outre vêtue d'une robe en soie abondamment brodée et ornée de cascades de dentelles. Ses bobines de laine – ou plus précisément ses fuseaux – sont rangés dans une table à ouvrage très à la mode : fort sophistiquée, elle est décorée de plaques en porcelaine de Sèvres (la marquise avait pris sous sa protection la manufacture de porcelaine de Vincennes et l'avait transférée à Sèvres, près de l'une de ses résidences). Elle lève les yeux vers le spectateur comme sans doute autrefois vers le roi lorsqu'il entrait dans ses appartements par l'escalier dérobé. Cette femme n'est plus toute jeune, mais elle a encore un teint « merveilleux », et ses yeux sont « certes petits, mais des plus vifs, intelligents et pétillants qui soient », selon les propos laudateurs d'un contemporain. Mais ce portrait en dit plus qu'il n'y paraît à première vue. Comme l'indique la signature de l'artiste, Drouais a peint le visage de la marquise d'après nature en avril 1763, sur un rectangle séparé qui fut par la suite joint au reste de la toile. Madame de Pompadour doit en avoir apprécié la ressemblance puisqu'elle commanda d'autres portraits (cette fois en buste) à l'artiste. Cette toile fut cependant achevée en mai 1764, quelques semaines après la mort de Madame de Pompadour, décédée le 5 avril à l'âge de quarante-trois ans. Elle avait souffert toute sa vie d'une santé fragile. Se montrant stoïque lors de sa dernière maladie, elle continua à porter du rouge et à sourire à tout le monde. Suave et noble, tout en restant relativement intime, le portrait livre d'elle une image conforme à celle qu'elle aurait aimé qu'on garde d'elle.

Jean-Honoré Fragonard 1732-1806

Psyché montre à ses sœurs les présents qu'elle a reçus de l'Amour

1753. Huile sur toile, 168 × 192 cm

À travers cette œuvre de jeunesse peinte à l'École des élèves protégés de Paris (l'ancêtre de l'École des Beaux-Arts), Fragonard, élève de François Boucher et lauréat du prix de Rome, rend parfaitement compte du goût du roi Louis XV et de sa maîtresse, la marquise de Pompadour, commanditaires de Boucher. Pourtant, après avoir cherché une dernière fois à faire reconnaître son talent aux institutions publiques en exposant au Salon de 1767 à Paris, Fragonard disparut quasiment de la vie artistique officielle tant que dura la monarchie : il travailla presque exclusivement pour des commanditaires privés, dont beaucoup étaient ses amis. Il eut ainsi la liberté de célébrer d'une manière plus personnelle le sentiment de nature, les désirs, et les pulsions érotiques. À travers ses huiles, gouaches, pastels, gravures et autres estampes, mais aussi à travers ses nombreux dessins à la craie, à l'encre et au lavis, il a fini par effacer la différence entre esquisse et œuvre achevée, et même qu'entre les genres. Il n'est pas toujours possible de savoir, par exemple, si tel tableau représentant une figure isolée est le portrait d'un modèle vêtu de façon extravagante ou une image née de la fantaisie de l'artiste.

Au cours de ses deux séjours en Italie, le premier passé à l'Académie de France à Rome (1756-1761), le second dix ans plus tard chez un de ses commanditaires, Fragonard fut attiré par la peinture de paysage et séduit par l'œuvre d'artistes italiens, contemporains ou presque, comme Tiepolo et Giordano *(cf. pp. 200 et 323)*. Ni les ruines antiques ni l'art de la Renaissance ne parvinrent à l'émouvoir. Lors de l'effondrement du marché de l'art au cours de la Révolution, il se retira à Grasse, sa ville natale, mais il fut amené à la politique par le professeur de son fils, le peintre David *(cf. p. 271)*. Dans ses œuvres tardives, il essaya de se conformer, parfois sans grand succès, à l'austérité néoclassique du style « républicain » de David.

Fragonard a fort probablement puisé le sujet de ce tableau dans la version française que La Fontaine a donnée de la fable allégorique de Cupidon et de Psyché par l'écrivain latin Apulée. Dans le palais magique où l'a installée Cupidon, le dieu de l'Amour, Psyché fait étalage de ses richesses en présence de ses sœurs. Celles-ci « en conçoivent une grande envie » – personnifiée ici par Éris, déesse de la Discorde à la chevelure de serpents, qui plane au-dessus de la scène – et tentent de troubler le bonheur de Psyché en la faisant douter de son amant, qui demeure invisible. Dans cette toile, peinte par l'artiste à vingt et un ans à peine, le traitement pictural et plusieurs détails comme les bébés ailés et potelés – les *putti* de l'art antique, qui représentent ici les invisibles serviteurs du château –, trahissent l'influence des œuvres exécutées par Rubens pour le palais du Luxembourg, mais aussi celle de Watteau.

La composition s'inspire d'un dessin de tapisserie de Boucher du même sujet. Mais

les couleurs – les harmonies d'or et d'orange qui commencent à remplacer les accords de rose et de bleu de Boucher – sont déjà propres à Fragonard. Elles apparaissent sous la forme la plus pure et concentrée dans les fleurs situées au pied du trône de Psyché, cette partie de la toile autour de laquelle s'organise très clairement l'ensemble de la composition. Les contours deviennent moins nets vers les bords de la toile, comme dans un miroir convexe ; parallèlement, les couleurs ont tendance à perdre leur identité, à se mêler les unes aux autres : ainsi les figures principales se trouvent-elles entourées de teintes grises et sombres qui laissent présager le désastre à venir.

Caspar David Friedrich   1774-1840

Paysage d'hiver avec une église

1811. Huile sur toile, 32 × 45 cm

Né dans le petit port maritime de Griefswald sur la Baltique et formé à l'Académie de Copenhague, Friedrich, l'un des plus grands artistes du mouvement romantique allemand, s'était spécialisé dans la peinture de paysage. Son objectif n'était pas, comme il l'a écrit, « de représenter fidèlement l'air, l'eau, les rochers et les arbres […] mais de faire en sorte que ces éléments reflètent l'âme et l'émotion [de l'artiste] ». Par la suite, utilisant le paysage pour transmettre des sentiments subjectifs, il le chargea aussi de symbolisme. Les éléments naturels tels que les montagnes, la mer, les arbres, les saisons et les heures de la journée prirent alors souvent un sens religieux.

Paysage d'hiver avec une église

Paysage d'hiver fut d'abord présenté au public, en 1811 à Weimar, avec une autre scène hivernale, actuellement au musée de Schwerin. Dans le tableau désolé de Schwerin, une minuscule figure, en appui sur des béquilles, regarde par-delà une plaine couverte de neige. Tout autour, des chênes morts présentent leurs troncs noueux tandis que les souches des arbres déjà abattus s'étendent à perte de vue. Mais à l'immense désolation de ce paysage s'oppose l'œuvre de Londres qui lui fait pendant. Là, le même infirme a abandonné ses béquilles. Adossé à un solide rocher, devant un crucifix se détachant par son éclat des branches vigoureuses et toujours vertes des jeunes sapins, l'estropié a les mains jointes en signe de prière. À l'horizon, la façade et les flèches d'une église gothique, dont la silhouette fait écho à celle des sapins, émergent du brouillard telle une vision. Des pousses d'herbe percent la neige, et la lueur de l'aube envahit le ciel. Le désespoir mortel du premier tableau a ici cédé la place à l'espoir de la résurrection – le salut obtenu grâce au sacrifice du Christ sur la Croix.

Friedrich n'était pas le seul Allemand de l'époque à mettre en parallèle l'architecture des églises gothiques et la forme naturelle des arbres. L'iconographie retenue ici reflète sa foi et sa sympathie pour les mouvements patriotiques et démocratiques de l'époque.

Paysage d'hiver a été peint avec si peu de pigments que Friedrich semble s'être intéressé moins à la couleur elle-même qu'à des subtiles gradations de tons. Il obtenait cet effet saisissant de brume transparente et diaprée en appliquant en pointillé, de la pointe de son pinceau, un pigment bleu, le smalt, qui devient transparent dans un liant oléagineux.

On avait depuis longtemps perdu la trace du *Paysage d'hiver* exposé en 1811, lorsqu'on crut le découvrir à Dresde en 1940. L'œuvre fut acquise par le musée de Dortmund. En 1982, un second tableau présentant la même composition fut trouvé à Paris parmi les effets d'un prince russe exilé. Celui-ci fut acheté par la National Gallery en 1987 : c'était la première œuvre de Friedrich à entrer dans une collection publique britannique. Un examen des techniques utilisées a montré depuis lors que seul le *Paysage d'hiver* de Londres porte les marques de la méticulosité dont faisait preuve Friedrich et qu'il a toutes les chances d'être le tableau peint par l'artiste en 1811. Reste à établir si l'œuvre de Dortmund est une réplique exécutée par l'artiste ou, comme il semble plus probable, une copie due à un élève ou un imitateur.

Thomas Gainsborough   1727-1788

M. et Mme William Hallett (La Promenade matinale)

Vers 1785. Huile sur toile, 236 × 179 cm

Personnalité simple et intuitive, Gainsborough, dont les penchants allaient vers la musique et le théâtre plus que vers la littérature ou l'histoire, et qui était par-dessus tout attiré par la nature, continue à nous charmer, ce que son rival Reynolds *(cf. p. 315)*, beaucoup plus sérieux, parvient plus rarement à faire. Né dans le Suffolk comme Constable *(cf. p. 267)*, Gainsborough a aussi été, autant que ses moyens et son époque le lui permettaient, un « peintre naturel » mais d'une manière très différente. Bien qu'il ait affirmé ne rien souhaiter d'autre que « prendre [sa] viole de Gambe et se retirer dans quelque délicieux village où [il] pourrait peindre des paysages », son attachement à la nature ne se limitait pas aux paysages. Les enfants et les animaux, les hommes et les femmes, et tout ce qui danse, chatoie, respire, soupire ou chante, semblent naturels dans le monde enchanté de Gainsborough, de sorte que la « nature » finit chez lui par englober non seulement des forêts, des mares et des papillons, mais aussi des étoffes de soie et de satin, des plumes d'autruche et des chevelures poudrées. Mais sa manière enlevée, consistant à travailler toutes les parties de la toile en faisant vibrer le pinceau, n'apparaît que dans ses œuvres de maturité telles que cette splendide et très célèbre toile.

Dans les œuvres des premières années, exécutées à Sudbury après un apprentissage à Londres – au cours duquel Gainsborough avait restauré des paysages hollandais et travaillé avec un graveur français –, le fini dénotait une moins grande liberté d'exécution. Vers 1759, Gainsborough s'installa à Bath, lieu de villégiature où il se constitua une clientèle londonienne, et découvrit Van Dyck *(cf. p. 193)* à travers les collections de différents manoirs. Ces deux rencontres allaient être décisives. Pour juger de leur effet, il suffit de contempler ses portraits de femmes, grandeur nature, dans lesquels l'élégance et l'aisance de la touche s'accompagnent d'une gamme chromatique plus douce et d'un allègement de la texture. En 1774, l'artiste s'installa définitivement à Londres, où il se livra à une grande pratique du portrait, mais se mit aussi à peindre des « tableaux fantaisie » s'inspirant de l'œuvre de Murillo *(cf. p. 220)*. Jamais il n'aspira au « grand style » de la peinture d'histoire. Ses œuvres doivent leur poésie à la touche employée et non à l'originalité de la composition.

Cependant, l'idée de transformer un portrait de mariage en soi officiel (pour lequel les modèles ont probablement posé séparément) en une promenade dans un parc revient sûrement à Gainsborough. William Hallett était âgé de vingt et un ans et son épouse, Elizabeth, née Stephen, en avait vingt, lorsqu'ils s'unirent solennellement pour partager la même vie jusqu'à leurs derniers jours. Un chien Samoyède se promène à leurs côtés, la patte droite en avant, comme pour les imiter ; son poil, clair et duveteux, fait écho à la tenue claire et vaporeuse de Mme Hallett. N'étant qu'un chien incapable de distinguer un grand jour d'un jour ordinaire, il halète joyeusement, cherchant à attirer l'attention. Le parc est un décor peint, comme ceux utilisés par les photographes de l'ère victorienne; il a cependant permis de représenter ces citadins vêtus de leurs plus beaux atours dans la lumière d'un petit matin couvert de rosée.

Thomas Gainsborough   1727-1788

M. et Mme Andrews

Vers 1748-1749. Huile sur toile, 70 x 119 cm

Robert Andrews et son épouse Frances Mary, née Carter, s'étaient mariés en 1748, peu de temps avant de commander à Gainsborough leur portrait ainsi qu'une vue de leur ferme, les Auberies, située près de Sudbury. À l'arrière-plan apparaissent l'église Saint-Pierre de Sudbury et, sur la gauche, le clocher de l'église de Lavenham. Ce petit portrait en pied placé en plein air, dans un décor rustique, est caractéristique des premières œuvres de Gainsborough peintes dans son Suffolk natal, après son retour de Londres. La vue, identifiable, est inhabituelle et pourrait répondre à une demande explicite des commanditaires. Il ne faudrait cependant pas s'imaginer que les modèles ont posé assis sous un arbre, tandis que Gainsborough plantait son chevalet au milieu des gerbes de blé ; les costumes ont très vraisemblablement été peints à partir de mannequins habillés par l'artiste, ce qui pourrait expliquer leur air figé ; le paysage a dû être étudié séparément.

Les peintres que ne faisaient pas partie « du dessus du panier » avaient fait leur spécialité de ce type de tableau, commandé par des gens « vivant dans des pièces rangées, mais non spacieuses », selon l'heureuse formule d'Ellis Waterhouse à propos d'Arthur Devis, peintre contemporain de Gainsborough. Les modèles (ou les mannequins qui en tiennent lieu), ont tous deux une « attitude distinguée », inspirée des manuels de savoir-vivre. Nonchalant, M. Andrews, heureux détenteur d'un permis de chasse, tient son fusil sous le bras. Gainsborough avait peut-être prévu que Mme Andrews, raide comme un piquet et soigneusement composée, tienne un livre ou, comme on a pu le

suggérer, un oiseau tué par son époux. Finalement, l'espace réservé sur ses genoux n'a été rempli par aucun objet identifiable.

À partir de ces composantes conventionnelles, Gainsborough a élaboré le tableau lyrique le plus acerbe de toute l'histoire de l'art. La satisfaction que procurent à M. Andrew ses terres bien entretenues est peu de chose au regard de ce que ressent le peintre face à l'or et au vert des champs et des boqueteaux, face aux douces ondulations des terres fertiles qui se fondent au loin dans de majestueux nuages. Bien qu'ordonnée, cette splendide abondance donne aux figures un air fragile. Quelle merveille pourtant que cette jupe à crinoline d'un bleu acide qui, en se déployant, épouse presque la courbure du dossier du banc ; ou encore ces souliers pointus gainés de soie qui font écho au motif des pieds du banc, tandis que les chaussures plus massives de M. Andrews semblent converser avec les racines de l'arbre (le fidèle chien de chasse, qui lui n'a pas de chaussures, ferait mieux de prendre garde à ce que son maître ne lui marche pas sur la patte). D'autres lignes riment entre elles : celles du fusil, des cuisses du chasseur, de son mollet, du chien et du manteau ; une des basques de la veste répond au ruban qui pend du chapeau de Mme Andrews. Légèrement de travers, le tricorne du mari conduit au coin de l'œil de l'épouse. Un attachement profond et un artifice naïf ont contribué à créer la première représentation réussie d'une idylle très anglaise.

Paul Gauguin   1848-1903

Vase de fleurs

1896. Huile sur toile, 64 x 74 cm

Bien que né à Paris, Gauguin vécut au Pérou jusqu'à l'âge de sept ans. À dix-sept ans, il s'enrôla dans la marine. C'est à ces premières expériences qu'il dut sa méfiance de la civilisation urbaine et de la rationalité, et sa nostalgie du mystère des civilisations primitives, qu'il imaginait fondées sur la foi et sur une relation directe avec la terre. Lorsqu'en 1883 il perdit son emploi d'agent de change en raison d'une crise financière, il décida de consacrer sa vie à la peinture, à laquelle il s'adonnait déjà depuis 1873 environ. Après avoir fait la connaissance des impressionnistes et avoir exposé avec le

Vase de fleurs

groupe à partir de 1879, il finit par rejeter leur idéal consistant à peindre directement d'après nature, et leurs sujets empruntés au quotidien.

De 1886 à 1889, Gauguin devint le chef de file d'un groupe d'artistes réunis à Pont-Aven, en Bretagne. Dans cette région éloignée, inhospitalière, il découvrit, admiratif, les qualités de la « piété paysanne teintée de superstition ». Là, il créa des œuvres nées de son imagination, utilisant des aplats de couleur et des contours appuyés. En 1887, il se rendit à Panama et en Martinique, puis séjourna en 1888 en Arles avec Van Gogh *(cf. p. 286)*. En 1891, il s'installa à Tahiti, où il demeurera jusqu'en 1901, hormis un séjour en France de 1893 à 1895. Il mourra aux Marquises. Sous le soleil des tropiques, il finit par rencontrer ce qu'il n'avait cessé de chercher : un mode de vie primitif – mais voluptueux, contrairement à celui des Bretons. Là, il traita de thèmes universels d'une manière directe et puissante ; il utilisa les couleurs et les rythmes audacieux des paysages d'Océanie, à l'intérieur d'un réseau d'allusions formelles et symboliques aux traditions occidentales et orientales.

Ce vase de fleurs fut peint à Tahiti en 1896 et acheté par Degas en 1898 à Daniel de Mondreid, un ami de Gauguin. En 1893, Degas avait organisé à Paris une exposition de la période tahitienne de l'artiste. La peinture de compositions florales connut un regain en France au cours de la seconde moitié du XIXe siècle, mais les fleurs de Gauguin sont bien différentes des fleurs de jardin de Fantin-Latour, également représentées dans l'aile Est. Le motif choisi par le premier est un motif traditionnel – il s'agit de fleurs et de feuilles disposées dans un vase rond posé sur une table ou une étagère –, mais les vifs contrastes entre le rouge orangé, le vert et le bleu, sont aussi inhabituels que l'exotisme des fleurs constituant le bouquet. Le vase s'impose au centre de la composition, près du premier plan ; la table s'étend d'un bout à l'autre de la toile. S'opposant à ces formes inertes, traitées en aplats, les fleurs se tordent et s'enroulent, frémissantes de vie, se montrant sous tous leurs aspects. En dépit du modelé rudimentaire et de l'uniformité des textures, ces fleurs ne constituent pas de simples motifs de couleur ornementaux. Nous les percevons comme des créatures encore vivantes, nous faisant profiter en toute hâte de leur dernier éclat avant que leurs pétales ne se fanent et tombent.

Vincent Van Gogh   1853-1890

La Chaise de Van Gogh

1888. Huile sur toile, 92 × 73 cm

Les lettres émouvantes que Vincent Van Gogh a écrites à son frère Théo – qui était marchand d'art et a soutenu l'artiste toute sa vie sur un plan tant affectif que financier – éclairent sa propre peinture, mais aussi sa position par rapport à l'art qui l'a précédé. C'est en partie l'admiration qu'il vouait, pour la spontanéité de sa touche, à Frans Hals *(cf. p. 202)*, grand peintre hollandais du XVIIᵉ siècle, qui a permis à Van Gogh d'assimiler l'apparent manque de fini et les couleurs vives de l'impressionnisme, découvert lorsqu'il vint rejoindre Théo à Paris en 1886.

Van Gogh, fils d'un pasteur hollandais, embrassa plusieurs carrières, y compris en Angleterre, avant d'opter pour le métier de peintre : il fut successivement marchand d'art, enseignant, pasteur et missionnaire. Après de brèves études à La Haye, Anvers puis Paris, il partit pour Arles en 1888. À Anvers, il avait commencé à collectionner des estampes japonaises ; comme Monet *(cf. p. 305)*, il considérait le Japon comme un pays idyllique, dont il espérait trouver un équivalent : « [En Arles] j'aurai de plus en plus une existence de peintre japonais, vivant bien dans la nature, en petit bourgeois. » Dans le train qui le menait vers le sud, il regardait par la fenêtre : « Comme j'ai guetté pour voir si c'était déjà du Japon ! » écrivit-il ensuite à Gauguin. Une fois sur place, il fit part à ses correspondants épistoliers de ses premières impressions : « Le pays me paraît aussi beau que le Japon pour la limpidité de l'atmosphère et les effets de couleur gaie. » Il rêvait d'établir une communauté d'artistes, mais ses espoirs furent finalement déçus. Après avoir séjourné dans un hôpital psychiatrique à Saint-Rémy-de-Provence, puis sous sur-veillance médicale à Auvers-sur-Oise, Vincent Van Gogh se tua d'une balle de revolver.

Ses violentes querelles avec Gauguin (cf. p. 285), qui était venu le rejoindre en Arles en octobre 1888, avaient précipité sa crise de folie, survenue en décembre. La Chaise de Van Gogh est l'un des deux tableaux qui, commencés le même mois, étaient censés évoquer Gauguin et lui-même, et leur approche respective de l'art. Il décrivit le tableau qui lui cor-respondait comme une œuvre représentant « [...] une chaise en bois et en paille toute jaune sur des carreaux rouges contre un mur (le jour) » ou encore « [...] une chaise en bois blanc avec une pipe et une blague à tabac ». Le tableau qui évoque Gauguin et lui fait pendant (actuellement à Amsterdam) représente « le fauteuil de Gauguin rouge et vert, effet de nuit [...] sur le siège deux romans et une chandelle ». Le motif de la chaise a peut-être été suggéré à Van Gogh par la gravure de Luke Fildes, La Chaise vide – Gad's Hill, repré-sentant la chaise de Charles Dickens dessinée le jour de la mort de l'écrivain.

Gauguin préconisait une peinture prenant sa source dans l'imagination qui, partant d'une idée (alimentée par la littérature), cherchait à l'incarner dans une forme picturale. La Chaise de Van Gogh illustre le mode d'inspiration de cet artiste : derrière un siège rus-tique en matériaux naturels, vu à la lumière du jour selon une perspective à la japonaise, germent des bulbes, suggérant la croissance naturelle des choses. Mais une association d'idées plus sombre pourrait planer sur ce tableau d'un coloris clair : Van Gogh n'ignorait sans doute pas que, dans l'art hollandais du XVIIe siècle, la pipe renvoyait au caractère éphémère de la vie, en écho au texte d'un Livre que Van Gogh connaissait bien : « Seigneur, écoute ma prière [...] car mes jours sont partis en fumée [...] » (Ps CII, 1-4).

Vincent Van Gogh   1853-1890

Tournesols

1888. Huile sur toile, 92 × 73 cm

Au cours de l'été ayant précédé l'arrivée de Gauguin en Arles, Van Gogh s'était mis à peindre une série de tournesols pour décorer sa maison, qu'il espérait partager avec le « nouveau poète ». Gauguin, qui, selon Van Gogh, était fou de ses tournesols, le représen-ta à son chevalet en train de les peindre. Van Gogh peignit au total quatre toiles, mais considéra que seules deux d'entre elles valaient la peine d'être signées et accrochées dans la chambre de Gauguin (elles sont aujourd'hui à la National Gallery et à Munich). Elles font partie des rares œuvres que Van Gogh a osé exposer : admirées à Bruxelles en 1889, leur succès a perduré. « Obtenir la chaleur suffisante à la fonte de ces ors [...] n'est pas à la portée de tout le monde, cela exige l'énergie et la concentration de tout l'être [...] », avait écrit Vincent à son frère Théo.

Les *Tournesols* de Van Gogh constituent le premier exemple de sa technique « clair sur clair », qui s'inspirait peut-être des expériences de monochromie faites à Paris en 1887 par son compagnon d'études, Louis Anquetin. La teinte dominante du tableau – le jaune, qui pour Van Gogh était un symbole de bonheur – est aussi un hommage de Van Gogh à la Provence et au peintre provençal Monticelli (†1886), qui « représentait le Midi tout en jaune, tout en orange, tout en soufre ».

En janvier 1889, cependant, Van Gogh exécuta trois copies identiques des *Tournesols*. Il imagina un triptyque formé par son portrait de Mme Roulin – une femme rousse, peinte dans de violentes teintes de vert et de rouge – placé entre deux toiles de tournesols, qui par leur forme ressembleraient à « des lampadaires ou des candélabres » : « alors les tons jaunes et orangés de la tête reprend[raient] plus d'éclat par les voisinages des volets jaunes. » L'intérêt que Van Gogh portait à la couleur, bien que trouvant ses origines dans la nature, différait ainsi de celui des impressionnistes, car il s'étendait à des combinaisons décoratives, dans lesquelles les teintes d'un tableau intensifiaient celles d'un autre, modifiant simultanément leur sens initial.

Les *Tournesols* illustrent le cycle de la vie, du bourgeon à la mort en passant par la phase de maturité. En outre, les formes épineuses ou noueuses que peut prendre la nature évoquaient aux yeux de Van Gogh les passions humaines. Il serait cependant erroné de voir ici, comme de nombreuses personnes l'ont fait, le signe d'une frénésie artistique. Lumineux, les tournesols semblent réels ; leur texture obtenue par petites touches – grâce à la ferme consistance des couleurs du commerce *(cf. p. 260)* – a été travaillée de manière à imiter les têtes hérissées et les sépales verts et velus des fleurs ; des touches longues et vigoureuses indiquent la direction des pétales, des feuilles et des tiges. Comme pour contraster avec ces formes naturelles, le dessus de la table et le vase ont été simplifiés, aplanis et leurs contours soulignés, comme dans les images d'Épinal.

Francisco de Goya   1746-1828

Doña Isabel de Porcel

Avant 1805. Huile sur toile, 82 × 55 cm

La célébrité de Goya est aussi ambiguë qu'a pu l'être sa carrière. Peintre de cour et portraitiste de la haute société, autrefois réputé pour ses décors lumineux et gais, il est aujourd'hui connu pour avoir passionnément dénoncé l'injustice et les horreurs de la guerre. S'il a magnifiquement rendu compte des distractions, des superstitions et du labeur de ses compatriotes, il a aussi été le plus grand maître du cauchemar, notamment au travers des « peintures noires » qu'il a exécutées sur les murs de sa propre maison. Alors qu'il a peut-être été le dernier grand artiste à travailler dans un style associé, dans toute l'Europe, à l'Ancien Régime, il a été considéré comme « le premier des modernes ».

Peintre rivalisant avec Vélasquez *(cf. p. 249)* pour ce qui est de la liberté de la touche et de la maîtrise de l'ombre et de la lumière, Goya fut connu en dehors de l'Espagne pour ses gravures – des eaux-fortes et des aquatintes –, certaines figurant au nombre des plus belles jamais produites. À l'issue d'une carrière de plus de soixante ans, il a laissé quelque cinq cents tableaux, dont la plupart sont encore en Espagne (où il a aussi exécuté des fresques), ainsi qu'un très grand nombre d'estampes et de dessins. Les œuvres que possède la National Gallery permettent de percevoir quelques-uns des brusques changements de style et d'humeur de Goya : des plaisirs artificiels du *Pique-nique*, esquisse pour un carton de tapisserie, au *Don Andrés del Peral* d'une finesse cristalline ou à *Doña Isabel de Porcel*, vigoureux portrait de femme, en passant par une scène de sorcellerie comique.

Doña Isabel et son époux Don Antonio étaient de proches amis de Goya ; conformément à la tradition, l'artiste peignit leurs deux portraits, en guise de remerciement pour leur hospitalité, au cours d'un séjour effectué à leur domicile.

Doña Isabel porte ici une robe de *maja* – un vêtement associé à l'origine au demi-monde de Madrid, mais qui fut adopté à la fin du XVIIIe et au début du XIXe siècle par les femmes à la mode en signe de patriotisme – mais aussi, à n'en pas douter, parce que la mantille en dentelle noire et la taille haute de la robe mettaient follement en valeur la femme qui les portait, comme en témoigne ce portrait. La robe justifie la pose, que nous connaissons par le biais du flamenco : le poing gauche sur la hanche, le torse et la tête tournés dans des directions opposées. Parfaitement adaptée à un portrait en buste – le bras et la main droits mis en avant fournissent une base stable au torse –, cette pose aurait été, sans la référence aux *majas*, d'une vulgarité inacceptable pour le portrait d'une dame. Ici, nous la percevons comme le témoignage d'une merveilleuse émancipation.

Goya a fait ressortir ce que Doña Isabel avait de plus beau, ses yeux et son teint frais, sans pour autant dissimuler son nez un peu fort, ni sa mâchoire légèrement tombante ; son double menton naissant ajoute à son charme de jeune femme. Peinte avec liberté, la mantille fait figure d'auréole sombre autour de son visage éclatant, et atténue le chatoiement rose et blanc du corsage, ce qui permet de ne pas distraire l'œil du spectateur des tons chair. Ce sont précisément ces effets qui séduiront Manet *(cf. p. 299)*.

Cette femme cache un secret : les photographies aux rayons X ont permis d'établir qu'elle avait été peinte sur le portrait d'un homme en uniforme *(cf. fig. 7)*.

Fig. 7. Radiographie aux rayons X de Doña Isabel de Porcel *de Goya. Détail montrant le portrait d'homme peint sous la surface actuelle.*

Francisco de Goya 1746-1828

Le Duc de Wellington

1812-1814. Huile sur acajou, 64 × 52 cm

Il peignait en une seule séance, qui pouvait durer jusqu'à dix heures d'affilée, mais jamais en fin d'après-midi. Pour obtenir un plus bel effet, il ajoutait les dernières touches la nuit, à la lumière artificielle », écrivit le fils de Goya, Francisco Javier, dans sa biographie de l'artiste. Ce portrait, l'un des trois tableaux de Wellington que Goya a peints à l'huile, est si vivant qu'il semble être le seul à avoir été exécuté d'après nature (bien qu'il soit douteux que le « Señor Willington », comme l'appelait Goya, ait posé pendant dix heures). Le miroitement des décorations, beaucoup plus vif que les rehauts de la peau ou les reflets des yeux, laisse à penser que les médailles ont peut-être été retouchées à la lumière artificielle. Nous savons que l'uniforme comme les décorations ont été modifiés par Goya après la première séance de pose.

Wellington est le seul Anglais – et l'un des très rares étrangers – à s'être fait peindre par Goya. Vainqueur de la bataille de Salamanque, le comte de Wellington, qui était alors général, avait libéré Madrid des Français, lorsqu'il était entré dans la ville en août 1812, date à laquelle il avait posé pour Goya. Il porte ici les décorations de trois ordres : l'ordre anglais du Bain (l'étoile la plus haute), l'ordre portugais de la Tour et de l'Épée (étoile de gauche en bas) et l'ordre espagnol de San Fernando (décoration de droite en bas). Les insignes de la Toison d'Or ont probablement été ajoutés au costume un peu plus tard dans le mois, et l'uniforme modifié de manière à ressembler approximativement à la tenue de cérémonie d'un général. À l'origine, Wellington avait été peint avec le médaillon ovale de la Péninsule ; Goya retoucha cependant le portrait deux ans plus tard, lorsque Wellington revint comme ambassadeur auprès du roi Ferdinand VII, revenu au pouvoir : l'insigne avait cédé la place à la Croix d'or militaire.

Arthur Wellesley, premier duc de Wellington, âgé de quarante-trois ans et grisonnant aux tempes lors de l'exécution du portrait, nous regarde avec un air attentif et aimable. Goya donnait souvent à ses modèles une expression animée en les représentant la bouche légèrement ouverte. La reine elle-même, Marie-Louise d'Espagne, montre ses dents dans un célèbre portrait de groupe datant de 1800 – un crime de lèse-majesté impensable à une époque plus reculée. Ici, la courte lèvre supérieure du duc, légèrement relevée, découvre deux grandes dents : c'est un portrait « parlant ». Le modèle n'aurait cependant guère pu parler à Goya, car l'artiste était devenu totalement sourd à la suite d'une maladie contractée en 1792 : il ne pouvait communiquer que par signes ou par l'écriture.

Malheureusement, le retour des Bourbon sur le trône après les jours enivrants de la libération inaugura une nouvelle ère de fanatisme et de répression. Goya demeura premier peintre de la Cour pendant une décennie encore. En 1824, la persécution des libéraux ayant repris, il se cacha. Après la proclamation d'amnistie, il s'installa à Bordeaux et y demeura jusqu'à sa mort, survenue quatre ans plus tard.

Francesco Guardi   1712-1793

Caprice architectural

Avant 1777. Huile sur toile, 54 × 36 cm

Bien que de Francesco Guardi nous connaissions surtout ses scènes vénitiennes, réelles ou imaginaires, l'artiste a peint, avec son frère, des retables, des scènes mythologiques, des batailles et même des peintures murales. Un retable peint vers 1777, récemment découvert, postérieur à la mort du frère, prouve que Francesco continua à peindre quelques tableaux de grande dimension après la dispersion de l'atelier familial. Au début, à partir de 1760 environ, il s'inspirait des vues et des compositions de Canaletto *(cf. p. 262)*. Guardi ne tarda pas cependant à se libérer, tant de sa fidélité à la topographie que de la manière quelque peu prosaïque de Canaletto : il réalisa des *capricci* pleins de poésie – sortes d'assemblages désinvoltes de motifs architecturaux vénitiens, comme dans ce tableau-ci, mais aussi de ruines, et évocation du miroitement des eaux de la lagune qu'il fut le premier peintre à représenter. (Des exemples de ces sujets sont visibles non loin de ce tableau.) Ses tons pastels et sa touche brillante dénotent peut-être l'influence du mari de sa sœur, Giovanni Battista Tiepolo *(cf. p. 323)*. Les tableaux de Guardi devinrent cependant de plus en plus petits, certains étant à peine plus grands qu'une boîte d'allumettes (trois de ces vues, réunies dans un même cadre, sont exposées dans le musée). Ils étaient sans doute conçus comme des babioles pour touristes, des souvenirs destinés au boudoir, et non comme des œuvres rappelant les sites du Grand Tour à accrocher dans les manoirs anglais.

Contrairement à la plupart des vues, celles de Guardi ont un format vertical. Peut-être le peintre a-t-il été inspiré par les quelques petits tableaux tout en hauteur que Canaletto avait exécutés après son retour définitif à Venise, vers 1756. Ils représentent la place Saint-Marc vue soit du dessous, soit à travers son portique. Devant l'œuvre de Canaletto, le spectateur demeure immobile, mais devant ce tableau de Guardi, il suit la petite figure peinte en jaune citron qui semble porter du linge, et traverse ainsi successivement des zones d'ombre et de soleil. Dans ces dernières, la lumière apparaît d'autant

Caprice architectural

plus vive qu'elle est encadrée par une obscurité réfléchissant la lumière ; de la même manière la dimension des arcs est accentuée par la petite échelle des figures représentées en dessous. La scène se passe peut-être au printemps, au petit matin. La lumière du soleil découpe des taches d'un rose pâle – couleur qu'on retrouve plus ou moins soutenue sur les murs en brique au loin et sur d'autres surfaces. Le bleu du ciel vire au blanc, le jaune citron et le rose émergent d'une vapeur argentée, puis se fondent de nouveau l'un dans l'autre pour égayer la pierre d'un gris d'argent et d'étain. Le tableau ne comporte aucune touche de rouge pur, et seulement quelques lignes et quelques touches nerveuses de noir. La parfaite harmonie de ce tableau sans prétention n'est pleinement perceptible que devant l'original : l'œuvre a alors le même pouvoir consolateur qu'un morceau de musique, ou le souvenir d'un voyage dans la Venise de nos rêves.

William Hogarth   1697-1764

Le Contrat de mariage

Avant 1743. Huile sur toile, 70 × 91 cm

Controversé et querelleur, Hogarth est l'un des artistes britanniques les plus séduisants et des plus innovateurs. Né à Londres, il se forma tout d'abord au métier de graveur, puis étudia la peinture dans une académie privée ; mais il fut frustré dans son ambition de s'affirmer comme peintre d'histoire britannique. Il mit cet échec sur le compte de l'engouement de l'époque pour les maîtres anciens et de la concurrence des artistes contemporains du reste de l'Europe. Son patriotisme tonitruant ne parvint cependant pas à dissimuler sa dette envers l'art français. Du reste, il n'hésita pas à proclamer qu'il s'était inspiré des « meilleurs maîtres de Paris » pour graver sa série du *Mariage à la mode*, dont ce tableau constitue le premier volet.

Étant donné qu'il ne pouvait vivre de ses portraits, ni de ses peintures monumentales, Hogarth a en effet introduit un thème neuf, celui des « sujets moraux modernes ». Ceux-ci étaient vendus par souscription sous forme de gravures, mais les tableaux originaux étaient aussi proposés à la vente. Réalisées dans l'esprit des « épopées comiques » de Henry Fielding – Henry Fielding et Hogarth se sont mutuellement influencés –, ces « peintures d'histoire comiques » étaient les œuvres de l'artiste les plus marquantes, et celles qui exprimaient le plus clairement ses propres convictions morales. Il existe un lien avec les feuilles imprimées du XVIᵉ siècle, mais aussi avec les scènes de conversation (*cf. pp. 260 et 322*) et les sujets théâtraux qu'Hogarth lui-même avait contribué à populariser.

Le Mariage à la mode, « représentant diverses scènes de la vie moderne dans la haute société », fut mis en souscription en avril 1743. Le sujet, un mariage malheureux entre la fille d'un riche mais avare marchand et échevin et le fils d'un comte désargenté, avait été suggéré à l'artiste par les faits divers du moment, mais aussi par la comédie du même nom de Dryden, et par une pièce de Garrick. Comme les œuvres étaient destinées à être gravées, et chaque estampe étant l'image inversée de la composition gravée dans la plaque de cuivre, la séquence d'événements et son sens de lecture sur les tableaux sont inversés par rapport aux estampes correspondantes.

La série commence ainsi par la scène où le comte montre fièrement son arbre généalogique remontant jusqu'à Guillaume le Conquérant ; il a posé son pied atteint de goutte – un signe de dégénérescence – sur un repose-pied orné de sa couronne. Derrière lui apparaît par la fenêtre un somptueux édifice de style néoclassique, inachevé faute de finances ; un créditeur présente au comte des factures. Mais sur la table figure devant celui-ci un tas de pièces d'or : il s'agit de la dot de la mariée que l'échevin, la figure à lunettes qui tient en main le contrat de mariage, vient de lui remettre. Un homme de loi murmure, doucereux, quelque chose à l'oreille de la fille de l'échevin, qui, d'un air indifférent, fait tourner son alliance autour d'un mouchoir. Le marié, aux airs de dandy, s'est détourné d'elle pour priser et s'admirer dans le miroir – mais aussi, dans la gravure, pour nous amener à poser notre regard sur le tableau suivant. À ses pieds, un chien et une chienne enchaînés l'un à l'autre symbolisent la condition malheureuse du couple. Sur les murs, d'horribles scènes de martyre dues à d'anciens maîtres italiens laissent présager une tragédie, tandis qu'une tête de Gorgone vocifère dans le cadre ovale, au-dessus du couple.

Le reste de la série relate les aventures pathétiques de ce couple mal assorti : l'époux fréquente une enfant prostituée et contracte une maladie vénérienne ; l'épouse s'endette en s'adonnant à des activités à la mode et prend l'homme de loi comme amant. Découvert dans une maison de rendez-vous avec la comtesse, l'homme de loi tue l'époux ; il est arrêté et exécuté. La comtesse, de retour dans la maison minable de l'échevin – où des peintures hollandaises montrent de pauvres gens, et où le chien meurt de faim –, s'empoisonne ; son père retire de sa main son alliance, et une domestique emporte l'enfant en pleurs, dont le pied invalide, muni d'un appareil orthopédique, renvoie à ses origines entachées.

Jean-Auguste-Dominique Ingres   1780-1867

Madame Moitessier

1847-1856. Huile sur toile, 120 × 92 cm

On a souvent dit que si Delacroix *(cf. p. 275)* a été le grand représentant du romantisme français, son aîné Ingres, obsédé par Raphaël *(cf. pp. 86 et 146)* et l'art antique, défenseur de la ligne contre la couleur, s'est fait le champion de la tradition classique. Mais, la vie étant complexe, on constate que Delacroix était un artiste plus réfléchi que l'hyper-sensible Ingres, lequel n'hésitait pas à violer les règles académiques à des fins expressives. Tous deux ont peint des sujets empruntés à la littérature ou à l'histoire, et les visiteurs de la National Gallery remarqueront dans le traitement du nu féminin de la petite version de *Roger délivrant Angélique* d'Ingres, une charge érotique et une violence à peine sublimée aussi intenses que chez Delacroix. Ingres ne cherchait du reste pas systématiquement à imiter Raphaël ou Poussin *(cf. p. 223)* : au cours de sa longue carrière, il tenta d'adapter son style au sujet traité, se tournant tour à tour vers la peinture des vases grecs, la première Renaissance, et même les scènes de genre hollandaises du XVIIᵉ siècle. Il est cependant exact que le dessin revêtait à ses yeux une importance primordiale. En 1814 à Rome, contraint, pour subsister, de dessiner les touristes anglais, il mit au point une ligne merveilleusement fine, bien que vigoureuse et descriptive. Bien qu'il méprisât le portrait, qu'à l'instar de son maître David il considérait comme un genre mineur, il y excella bientôt.

Il avait d'abord refusé de peindre cette femme, épouse d'un riche banquier ; mais lorsqu'il fit sa connaissance, fasciné par sa beauté, il accepta, lui demandant d'amener avec elle sa petite fille (visible dans un dessin préparatoire du musée Ingres de Montauban). L'enfant, qui devait s'ennuyer et s'agiter sans cesse, fut rapidement bannie des séances de pose au cours desquelles Ingres, aux prises avec son tableau, exigeait de son modèle de longues heures d'immobilité. La robe du modèle fut changée plus d'une fois. Ingres avait débuté ce tableau en 1847 ; en 1849 le décès de son épouse le plongea dans un grand désespoir, qui le rendit incapable de peindre pendant des mois. Il reprit les séances de pose en 1851 et acheva un portrait d'Inès Moitessier (actuellement à Washington), représentée debout et en noir. Quant à la version assise, elle fut reprise en 1852.

Lorsqu'il acheva l'œuvre quatre ans plus tard, le modèle était âgé de trente-cinq ans. Sans âge telle une déesse – dont le profil grec se reflète de manière invraisemblable dans un miroir parallèle à sa nuque –, mais vêtue, avec toute l'opulence du Second Empire, d'un chintz à fleurs, *Madame Moitessier* permet de relever les ambiguïtés de l'art d'Ingres. Le contour ferme des épaules, des bras et du visage définit une rondeur parfaite, bien qu'à peine modelée, de la chair, qui a l'aspect lisse et lumineux de l'albâtre poli, tout en éveillant paradoxalement la sensation de sa douceur au toucher. Contrastant avec la résistance du canapé en crin bien rembourré, cette chair éveille le désir et la crainte de la meurtrissure. La pose, avec l'index droit supportant la tête, s'inspire d'une peinture murale antique et symbolise une modestie de matrone. Mais les formules « classicisantes » sont contrebalancées par le rendu méticuleusement réaliste de l'aspect des tissus, des bijoux à la mode, des cadres en similor et de la porcelaine orientale. L'équilibre entre effet d'ensemble et détails, entre grandeur intemporelle et ostentation bourgeoise, entre langueur et rigueur picturale, est propre à Ingres et bien loin d'un néoclassicisme exsangue.

Thomas Lawrence   1769-1830

La Reine Charlotte

1789-1790. Huile sur toile, 239 × 147 cm

Lawrence, qui était le dernier d'une famille de cinq enfants et avait des parents quelque peu dépensiers, fut un enfant prodige. À dix ans, il dessinait de profil les clients de l'auberge de son père à Devizes. Ses parents se rendirent très rapidement compte que son talent pourrait faire vivre toute la famille. Vers 1787, il fut amené par son père à Londres, où il se mit à peindre des huiles et à exposer à la Royal Academy. L'exposition de 1790, où il présenta parmi une douzaine de tableaux variés ce portrait magistral de la reine Charlotte, établit définitivement sa réputation de portraitiste exécutant à l'huile des portraits en pied. Ce tableau-ci fut admiré en dehors de la famille royale, qui ne l'acheta jamais : peut-être le roi a-t-il été indigné de ce que la reine ait posé tête nue – Lawrence n'avait aimé ni l'un ni l'autre des chapeaux qu'elle avait initialement choisis. La reine elle-même avait trouvé cet artiste de vingt ans « assez présomptueux » lorsqu'il lui avait demandé de parler pendant la séance de pose, afin de rendre ses traits plus vivants. Finalement, ce fut la cameriste préposée à la garde-robe qui compléta les séances de pose pour les détails tels que les bracelets où figurent le portrait miniature du roi et son monogramme.

Lawrence, dessinateur d'une extrême précision, travaillait beaucoup pour donner l'« illusion de la facilité ». Grâce à sa touche éblouissante inspirée de Rubens, Van Dyck, Rembrandt et de Titien *(cf. pp. 158, 193, 227 et 235)*, il prenait plaisir à peindre les draperies, contrairement à Reynolds, son rival vieillissant *(cf. p. 315)*, qui les laissait souvent à ses assistants. Mais il y a bien plus à admirer dans ce portrait que le chatoiement et le bruissement des soies, des gazes et des dentelles du modèle. Peu avant l'exécution du portrait, la reine Charlotte avait été affectée et attristée par la maladie naissante de George III. L'examen aux rayons X a permis d'établir que Lawrence a modifié l'air inquiet qu'il avait observé. Pourtant, il est émouvant de constater que même dans le portrait final, en dépit d'une composition formelle et d'une exécution grandiose, quelque chose du malaise de la reine demeure évident.

Le paysage en arrière-plan comporte l'Eton College vu du château de Windsor. Les arbres virent au rouge : c'était peut-être le cas lorsque la reine posa pour Lawrence fin septembre. En tout cas, le feuillage roux qui se détache sur le ciel bleu fait écho aux contrastes de couleur entre le tapis et la robe du modèle. Bien que la reine ne puisse voir la vue située derrière elle, la direction de son regard nous amène à poser le nôtre sur ces signes avant-coureurs de l'hiver, colorés mais chargés de mélancolie.

Édouard Manet   1832-1883

L'Exécution de Maximilien

1867-1868. Huile sur toile, quatre fragments sur un support unique, 193 × 284 cm

Les critiques contemporains de Manet ont reproché à l'artiste, qui avait une fortune personnelle et fréquentait les milieux parisiens à la mode, son détachement et son « indifférence ». Au début de ce siècle, on considérait encore que Manet n'avait été motivé que par des considérations d'ordre formel. Par la suite, il a été perçu comme un peintre de la vie moderne dont le style avait été marqué par les chefs-d'œuvre du passé, qu'il avait étudiés au Louvre et au cours de son séjour en Espagne en 1865. Ce n'est que dernièrement que l'aspect politique et républicain de certaines de ses scènes citadines des années 1860 a été mis en évidence. En revanche, il n'y eut jamais beaucoup de doute, sous le Second Empire, quant à la nature politique et contestataire de *L'Exécution de Maximilien*.

Âgé de trente-deux ans, l'archiduc Maximilien, frère cadet de l'empereur François-Joseph d'Autriche, après avoir été fait empereur du Mexique en 1864 par un corps expéditionnaire français, fut trahi par le retrait des troupes de Napoléon III. Faits prisonniers par l'armée républicaine victorieuse de Benito Juárez, Maximilien et ses deux fidèles généraux, Miramón et Mejía, furent jugés puis condamnés à mort. Ils furent tués par un peloton d'exécution le 19 juin 1867.

La mort de Maximilien affecta considérablement toute l'Europe, et tout particulièrement Manet. Cet événement était le seul type de sujet – tragique, mais contemporain et politique – qui pouvait inciter l'artiste à peindre un tableau d'histoire. La peinture d'histoire était certes le genre le plus coté au Salon, mais Manet l'avait jusqu'alors dédaigné. De juillet 1867 au début de 1869, il produisit trois toiles de très grande

L'Exécution de Maximilien

dimension représentant Maximilien, Mejía et Miramón face au peloton d'exécution, commandé par un officier ayant à ses côtés un sergent prêt à délivrer le coup de grâce. La première de ces toiles, qui ne fut jamais achevée, était une grande composition essentiellement née de l'imagination de l'artiste. Elle est actuellement à Boston.

Au fur et à mesure que des récits détaillés de la condamnation et des photographies parvinrent en France, Manet commença une deuxième version, plus « authentique », qu'il peignit avec l'aide de modèles, et peut-être même d'une escouade de soldats envoyée à son atelier grâce à un ami de la famille, le commandant Lejosne. Les fragments endommagés de cette deuxième version, actuellement à la National Gallery, furent sauvés par Degas *(cf. p. 272)* et remontés sur une toile approximativement de la même taille que l'originale. Bien qu'il manque sur la gauche les figures de Mejía et de Maximilien, nous voyons que les victimes se tenaient sur le devant, dans un paysage simplifié et plat, de niveau avec le peloton d'exécution, soit très près du spectateur. Les soldats sont armés de mousquets et vêtus d'uniformes identiques à ceux de l'infanterie française, car ils ressemblaient à ceux du peloton d'exécution mexicain. Dans la version finale, actuellement à Mannheim, l'artiste a conservé ces détails provocateurs, mais les figures sont plus en retrait, placées contre un mur au-dessus duquel se pose le regard horrifié de spectateurs. Maximilien porte un sombrero qui fait songer à une sorte d'auréole ; Mejía titube en arrière au moment où les balles sont tirées. Mais le soleil enveloppe le tout de sa lumière, et les soldats obéissent aux ordres avec le même détachement.

L'« indifférence » de Manet – son refus de toute rhétorique expressive – a dû paraître particulièrement choquante dans ces œuvres admirablement peintes. Car si les tireurs ne son pas des scélérats, et si Maximilien est une victime et non un héros, Napoléon III, dont la politique sordide a conduit à cette débâcle, apparaît comme le seul coupable. La version définitive fut refusée au Salon de 1869, et la lithographie que Manet fit de la scène ne fut jamais publiée de son vivant.

Henri Matisse   1869-1954

Portrait de Greta Moll

1908. Huile sur toile, 93 x 74 cm, prêté à la Tate Gallery, Londres

Matisse et les peintres de sa génération ont cherché à conserver l'intensité des couleurs caractéristique de l'impressionnisme, mais à des fins différentes. Comme Gauguin et Van Gogh avant eux *(cf. pp. 285 et 286)*, ils rejetaient la représentation des effets fugitifs de la lumière naturelle telle qu'elle fut pratiquée par Monet et Renoir *(cf. pp. 303 et 314)*, au profit d'un éclat général constant émanant du tableau lui-même. Abandonnant le principe de fidélité à la « réalité », ils répartirent sur la toile des couleurs pures, de manière apparemment arbitraire, afin de créer, par un jeu de contrastes, d'éblouissantes vibrations. Lorsqu'au Salon d'Automne de 1905 à Paris, Matisse et ses amis exposèrent les toiles qu'ils avaient peintes de cette manière, le choc fut si grand pour le public que le surnom de « fauves » leur fut donné.

Trois ans plus tard, lorsque Matisse proposa à son élève Greta Moll, peintre et sculpteur, de fair son portrait, il avait pris du recul par rapport à certaines implications de la méthode fauve. Il se méfiait en particulier de la disparition de la ligne et de la forme, qui conduisait à l'élaboration d'un tableau à partir de touches et de taches de couleur éparpillées. Profondément attaché à l'ordre et à l'unité d'ensemble, dont il s'était fait un idéal, il craignait tout particulièrement la fragmentation de la figure humaine. Il souhaitait cependant, lui aussi, créer une peinture lumineuse : il désirait trouver le type de lumière « dont on doit être sûr qu'elle va durer ». Ici, la lumière irradie toute la composition : Matisse a certes évité les ombres sombres et utilisé beaucoup de blanc, mais il a surtout veillé à ce que les couleurs s'intensifient l'une l'autre. D'un bleu vif, le motif du coton en fleurs situé derrière le modèle – un accessoire d'atelier favori – rehausse le reflet rouge de sa chevelure et son teint frais. La ligne verte au-dessus de l'avant-bras droit et la ligne rouge foncé au-dessous rendent le ton de la peau plus rose et plus hardi. Les touches de rose sous le vert menthe du corsage suggèrent sa transparence, mais le rendent aussi étincelant.

L'impression de rayonnement et de gaieté est le résultat d'un travail considérable. Greta Moll s'est prêtée à dix séances de pose de trois heures chacune. Matisse ne cessait de modifier la gamme chromatique de l'œuvre : le corsage fut un temps blanc-lavande et la jupe verte. Ce tableau prouve que Matisse a étudié l'œuvre des artistes qui l'ont précédé. Il admirait « la ligne sensuelle et délibérée d'Ingres ». Du reste, ce portrait invite pour ainsi dire à établir une comparaison avec le portrait de *Madame Moitessier (cf. p. 279)* de ce dernier, dans lequel le volume et la ligne ressortent par rapport au motif. La position de face de Greta Moll n'est pas sans rappeler celle du *Portrait de femme (La Schiavona)* de Titien exposée dans l'aile Ouest. Selon le souvenir qu'en a gardé le modèle, Matisse, tentant une dernière fois de parvenir à une composition grandiose et monumentale, augmenta l'arrondi de ses bras et accentua ses sourcils – ce qui au début la consterna – sous l'influence d'un Véronèse vu au Louvre.

Luis Meléndez   1716-1780

Nature morte aux oranges et aux noix

1772. Huile sur toile, 61 × 81 cm

Après avoir été considéré en 1745 comme l'étudiant le plus talentueux, Meléndez fut renvoyé de l'Académie Royale d'Espagne en 1748, suite à une querelle ayant opposé publiquement l'Académie à son père, qui était aussi peintre. Cette expulsion l'empêcha de recevoir des commandes de retables ou de grands tableaux d'histoire. Au cours des vingt dernières années de sa vie, il exécuta une centaine de natures mortes, auxquelles il doit d'être connu aujourd'hui. Bien que près de la moitié ait été en tout premier lieu répertoriée dans le palais royal d'Aranjuez en Espagne, il est bien possible qu'elles n'aient pas été directement commandées par le roi ; Meléndez mourut dans l'indigence.

Ce tableau se rattache à un groupe d'œuvres – les plus grandes et les plus belles de l'artiste – que Meléndez a peut-être exécutées dans l'intention d'essayer une seconde fois de convaincre le roi de le prendre à la cour. Comme dans la plupart de ses natures mortes, il s'est attaché à la géométrie et à l'aspect de surface de produits et d'objets quotidiens typiquement espagnols : oranges, noix, melon, boîtes de confiserie en bois, tonneau, pots de terre cuite ; les formes et les textures se révélant sous la forte lumière qui tombe du coin supérieur gauche. La gamme chromatique se limite au noir, au blanc et à un éventail de tons terre, rehaussés uniquement d'orange vif. Le regard du spectateur, si proche de la surface de la toile, se pose juste au-dessus du pot le plus petit. Seules les noix cassées nous permettent d'entrevoir leur chair comestible, par opposition à tous les fruits non pelés et aux boîtes fermées, disposées de manière à susciter la tentation, qui contiennent des sucreries, des olives et de l'huile. De simples produits de l'industrie et du sol espagnols ont été ennoblis par le pinceau de l'artiste.

Claude Monet   1840-1926

La Plage de Trouville

1870. Huile sur toile, 38 × 46 cm

Avec ses amis Pissarro, Renoir, Degas *(cf. pp. 272, 309 et 314)* et une douzaine d'autres artistes, Monet fut un des membres fondateurs d'une association qui allait organiser sa première exposition de groupe à Paris en 1874, en réaction à l'art officiel du Salon. L'un des tableaux présentés lors de cette première exposition, *Impression. Soleil levant* de Monet (1872, musée Marmottan à Paris) valut aux artistes du groupe de se faire appeler « impressionnistes », nom sous lequel ils sont devenus célèbres. S'attachant à peindre des tableaux modernes, basés sur la vie contemporaine et sur l'utilisation des nouveaux pigments synthétiques – qui élargissaient et complétaient la palette traditionnelle de l'artiste –, ils cherchèrent surtout à capter les effets fugitifs de la lumière naturelle. Si la plupart de leurs œuvres étaient en fait réalisées en plusieurs étapes, et souvent achevées en atelier, *La Plage de Trouville* est de toute évidence une œuvre aussi spontanée qu'elle semble l'être à première vue : elle fut exécutée en une seule séance, en plein air, dans la station balnéaire où Monet amena sa première épouse, Camille, en juin 1870, peu après leur mariage. La toile est saupoudrée en surface de vrais grains de sable *(cf. fig. 8)*, amenés là par ce vent qui, dans cette œuvre de Monet, est responsable du déplacement rapide des nuages. D'épais empâtements de blanc, aplatis par une autre toile qui y a laissé son empreinte, indiquent que le tableau a été empilé avec d'autres œuvres juste après avoir été peint.

Camille, vêtue d'une robe claire et d'un chapeau à fleurs à voilette, est probablement accompagnée de Mme Boudin, l'épouse de l'artiste Eugène Boudin, dont on connaît surtout les tableaux des années 1860 représentant la plage de Trouville. Ce qui, sur le dossier de la chaise vide séparant les deux femmes, ressemble à une chaussure d'enfant, pourrait permettre de conclure à la présence du petit Jean, le fils des Monet, alors âgé de trois ans. La mise en page peu conventionnelle – les deux figures sont placées très près du spectateur tout en étant rejetées aux deux extrémités de la toile – ajoute à l'extraordinaire immédiateté de l'œuvre, de même que l'absence de modelé traditionnel et l'utilisation de larges aplats de couleur.

La Plage de Trouville

Cependant, la luminosité fraîche et aérienne de cette toile est essentiellement due au fait que Monet a utilisé la couleur de la préparation (apprêt dont on enduit la toile avant l'application de la couche picturale) comme un élément clé de la composition finale. Ce fond apparaît à de nombreux endroits dans le ciel, mais aussi autour de la chaise ; elle tient lieu de rehaut aux fleurs du chapeau de Camille et de main à m^me Boudin et apparaît enfin sous la forme d'une simple tâche au centre même de la composition. Les couleurs avoisinantes modifient le gris clair et chaud de la préparation, de sorte qu'il prend des teintes plus froides, sombres ou claires et vire presque au mauve parmi les touches bleu-vert du ciel. Étant donné que Monet travaillait très rapidement dans le frais, les dernières touches étalaient les précédentes ou se mêlaient à elles, produisant à la surface de la toile des mélanges de couleurs. Lorsqu'il mélangeait ses couleurs sur sa palette – comme ce fut le cas pour les noirs fort complexes, modifiés par toute une gamme d'autres pigments –, la toile recevait davantage de sable.

On a dit de ce tableau que c'était une expérimentation osée, mais ce qui le rend très attachant est peut-être l'espièglerie dont témoigne dans cette petite toile le mépris affiché des règles de la profession.

Fig. 8. Monet, La Plage de Trouville, *grossissement macro de grains de sable du bord inférieur de la toile.*

Claude Monet   1840-1926

Le Bassin aux nymphéas

1899. Huile sur toile, 88 × 92 cm

Jusqu'à la fin des années 1870, Monet s'était consacré à la peinture de sujets modernes : Paris, ses faubourgs, les lieux de villégiature fréquentés par les habitants de la métropole, les rives et les ponts de la Tamise à Londres, où il s'était réfugié pendant la guerre franco-allemande. Suite à la dissolution du groupe impressionniste dans les années 1880, Monet, désirant tout de même rester fidèle au style qu'il avait, peut-être plus qu'aucun autre, créé, commença à voyager dans toute la France, effectuant des séries de tableaux en des lieux divers, à partir d'un nombre limité de motifs de paysage, dans des conditions atmosphériques variables et sous différentes lumières. Nombre de ces œuvres ne faisaient aucune place à la civilisation, s'attachant uniquement à la perception de la nature par l'artiste.

Les critiques, qui ne tardèrent pas à reconnaître l'importance de cette entreprise héroïque, considérèrent Monet comme « le paysagiste le plus important des temps modernes ». Il était en particulier perçu comme le suprême interprète des aspects essentiels de son pays : sauvage comme à Belle-Isle, ou entièrement modelé par la main de l'homme (*cf. La Cathédrale de Rouen*), ou encore – comme dans les séries des *Meules* et des *Peupliers* dans les années 1880 et le début des années 1890 – façonné conjointement par la nature et le travail de l'homme.

Les deux dernières séries mentionnées ont été peintes près de Giverny, le village où Monet s'était installé en 1883. L'artiste avait toujours eu une passion pour les jardins. Dans les années 1890, devenu riche et célèbre, il avait acheté la propriété dans laquelle il vivait, et avait créé deux jardins complémentaires : un jardin à l'occidentale regorgeant de fleurs, près de la maison, et, de l'autre côté de la route et des voies de chemin de fer, un jardin avec un plan d'eau et un pont japonais, exécuté d'après une estampe accrochée dans sa salle à manger. Monet admirait les Japonais, qu'il considérait comme un peuple profondément artiste, dont les Français feraient bien d'imiter, selon lui, l'amour de la nature et du beau. En 1899, lorsque la végétation du jardin comportant le plan d'eau fut des plus abondantes, Monet commença une série de vues où le regard traverse le bassin en direction de l'arche du pont japonais. Sur les dix-huit vues qu'il peignit, douze – y compris celle de la National Gallery – furent exposées chez le marchand Durand-Ruel en 1900. Cette version est l'une des plus paisibles.

Dans la lumière oblique d'un après-midi d'été, le jardin présente de fraîches harmonies de vert et de mauve contrebalancées par des reflets jaune vif et des nénuphars d'un rouge et d'un blanc éclatants. La toile, presque carrée, est divisée en deux dans le sens de la hauteur par le pont ; celui-ci paraît sombre devant les saules baignés de lumière, et clair contre la zone d'ombre. Sous son arche, le bassin, qui forme un triangle irrégulier, donne l'impression de s'étendre jusqu'à un point de fuite invisible. Petites touches, taches et traînées de couleur servent, certes, à rendre ce que l'artiste a voulu dépeindre, mais elles assurent aussi la cohérence de l'ensemble, la texture dense et toute en vibrations qui couvre la surface de la toile et s'opposent à toute profondeur spatiale. C'est une scène qui, bien que statique, est traversée par un frémissement ; elle est cependant dépourvue du soupçon d'espièglerie décelable dans les esquisses des décennies précédentes consacrées à la vie moderne. Dès 1890, Monet avait écrit à son futur biographe : « Je travaille dur, penché sur une série aux effets différents [...] Je deviens très lent [...] [mais] il est impératif de travailler beaucoup pour obtenir ce que je cherche : l'instantanéité, surtout [...] la même lumière présente partout [...]. »

Claude Monet   1840-1926

Baigneurs à La Grenouillère

1869. Huile sur toile, 73 × 92 cm

Au cours de l'été 1869, Monet et Renoir *(cf. p. 314)* travaillèrent côte à côte à La Grenouillère, lieu de détente populaire sur la Seine, non loin de Paris. Les deux artistes voulaient fournir au Salon de 1869 de grands tableaux mettant en scène ce lieu à la mode. Mais au mois de septembre, Monet n'avait fait que quelques « mauvaises pochades », comme il l'écrivit à l'un de ses amis, le peintre Bazille. Le tableau de la National Gallery figurait au nombre de ces toiles. Y sont représentées des cabines de bain, des barques de location, et une passerelle en bois étroite conduisant à un îlot rond, « le camembert », qui apparaît au centre d'une seconde esquisse de Monet, actuellement à New York, au Metropolitan Museum. Une troisième esquisse représente deux barques (Kunsthalle de Brême). Une composition plus élaborée a été exécutée par l'artiste, mais nous ne la connaissons qu'au travers de vieilles photographies.

Ainsi, l'un des plus célèbres tableaux impressionnistes de Monet s'avère n'être qu'un travail préliminaire à une œuvre plus achevée. Pourtant, les expériences réalisées en exécutant ces toiles allaient avoir une répercussion sur l'œuvre de l'artiste : Monet allait en effet abolir la distinction entre la pochade, produite rapidement en extérieur sur le motif, et le tableau, basé sur des esquisses mais soigneusement travaillé en atelier.

Cette évolution allait être grandement facilitée par deux inventions du XIXe siècle : celle du tube métallique de peinture et celle des pinceaux à virole métallique. Les nouveaux tubes, compressibles, permettaient de stocker les peintures à l'huile (désormais produites et vendues par des fabricants spécialisés) sans qu'elles ne sèchent. Elles pouvaient ainsi être utilisées à tout moment tant en extérieur qu'en atelier. Les viroles

métalliques permettaient, quant à elles, de fabriquer des pinceaux plats, par opposition aux pinceaux ronds ; elles ouvraient donc la voie à un nouveau type de touche : la tache. Large, plate et d'une épaisseur égale, celle-ci est l'élément clé de la technique rapide et directe utilisée par Monet dans *Baigneurs à La Grenouillère*. Le vert pâle des arbres inondés de lumière dans le coin supérieur gauche est constitué d'une série de petites touches serrées de peinture fluide mais opaque ; des rectangles horizontaux brisés donnent l'illusion de reflets dans une eau sans cesse en mouvement ; des traits continus dessinent les contours des bateaux et de la passerelle. Les figures humaines ont reçu un traitement tout aussi sommaire. En effet, quelques taches de peinture ont suffi à croquer le flâneur parisien en veste sombre et pantalon clair ; il accoste deux femmes sur la passerelle dont les costumes de bain osés et l'attitude de l'une d'elles, le poing sur la hanche, laissent deviner qu'elles ne sont que des femmes légères. Ici, l'opposition traditionnelle entre la ligne et la couleur est enfin surmontée dans la mesure où les taches de couleur, qui volent prestement sur la toile, rendent compte à la fois des formes, des substances et de la lumière ; la matérialité même de la peinture engloutit les détails de la scène représentée et impose une unité picturale.

Pourtant cette vue, apparemment instantanée, n'a pas été obtenue sans de profondes modifications. Les rayons X ont montré que Monet, ayant mal débuté son œuvre, avait peut-être renversé la toile avant de recommencer. À l'œil nu, des plats-bords rouges apparaissent dans différentes positions sous la couche de peinture finale. Comme Berthe Morisot l'a indiqué en 1875 lorsqu'elle travaillait sur un bateau au large de l'île de Wight, « tout oscille, le clapotis de l'eau est infernal [...] les bateaux changent de position à chaque instant [...] ». Dans sa « mauvaise pochade », Monet est parvenu à dépasser ces difficultés, et le résultat est aussi rafraîchissant qu'un plongeon à La Grenouillère.

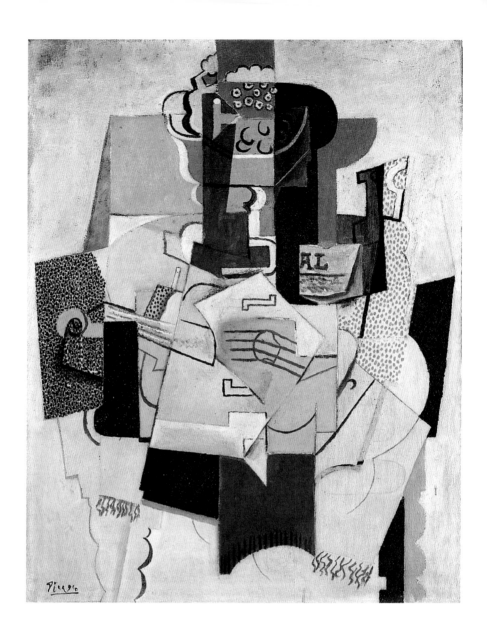

Pablo Picasso   1881-1973

Compotier, violon et bouteille

Vers 1914. Huile et sable sur toile, 92 x 73 cm, prêté à la Tate Gallery, Londres

Pendant des siècles, la peinture occidentale a donné l'illusion de fenêtres ouvertes sur un espace et des formes tridimensionnels. À la fin du XIXe siècle, cette convention a été contestée. L'illusion de la tridimensionnalité pouvait être obtenue en photographie. En peinture, les problèmes que posaient la perspective et les effets fugitifs de la lumière avaient été résolus. De nombreux artistes avaient alors le sentiment que pour être sincère et authentique, la peinture se devait désormais d'être elle-même, c'est-à-dire un arrangement de lignes, de tons, de textures et de couleurs sur un support plat. Si elle se voulait représentative, elle devait représenter le monde en utilisant un nouveau langage, et non pas reposer sur celui, dépassé, qui était enseigné dans les académies et les ateliers.

De 1910 à 1913 environ, Picasso et Braque mirent au point un nouveau genre de peinture, le cubisme dit analytique. Les objetes étaient fragmentés de manière à obtenir des formes à facettes qui n'étaient pas en soi descriptives mais qui, une fois redisposées sur la toile, pouvaient évoquer les choses représentées comme si elles étaient vues sous plusieurs angles. La lumière, qui devint un élément pictural arbitraire, pouvait être dirigée dans n'importe quelle direction. À ce stade, les deux amis limitèrent leur palette à des tons neutres, essentiellement des teintes cassées de blanc, de gris, de brun et de noir, assurant ainsi l'unité structurelle de chaque composition et minimisant l'illusion d'espace. Étant donné que l'effet produit par ce genre d'art dépendait de la faculté qu'avait le spectateur d'identifier les formes devenues des abstractions, l'éventail des sujets se limitait aux thèmes les plus familiers et les plus traditionnels, c'est-à-dire les plus facilement identifiables, soit essentiellement des natures mortes et des portraits.

Vers 1912-1913, les limites du cubisme analytique semblaient avoir été atteintes. Pour revitaliser l'œuvre des deux artistes, Braque inventa la technique du papier collé consistant à découper des formes dans du papier et à les coller sur la toile. Le cubisme dit synthétique, auquel se rattache ce tableau de Picasso, est né de cette technique. Par inversion du processus consistant à « analyser » puis à fragmenter une figure ou un objet, les éléments purement picturaux – les formes et les plages de couleur – sont d'abord synthétisés, de manière à obtenir ensuite une composition. La ressemblance avec un objet réel intervient à un stade plus avancé du processus. Ici, des couleurs vives, décoratives, constituent avec des textures « réelles » – du sable et de la toile nue – un ensemble complexe qui s'efforce de conserver la perception de la toile comme une surface plate. (Lorsqu'on place une couleur sur du blanc, ou une forme sombre sur une forme claire, il est difficile de ne pas percevoir l'un des éléments comme « l'objet » et l'autre comme « l'arrière -plan ».)

En tournant la reproduction de 90°, on saisit mieux à quel point la composition de *Compotier, violon et bouteille* est réussie : la bande verte s'inscrit dans le prolongement de la bande noire de manière à diviser le tableau quasiment en deux ; les formes se font écho et riment entre elles de la plus grande à la plus petite courbe. Renversée, l'œuvre demeure aussi variée, stable et agréable à l'œil que dans le sens initial. Aucune zone n'apparaît secondaire, quelles que soient sa couleur ou sa texture, et chacune donne de l'énergie au reste de la composition. Observée dans le bon sens, l'œuvre donne au spectateur le surcroît de plaisir d'identifier une nappe et une table, un journal, des raisins et un violon. Bien que monumentale et audacieuse, cette œuvre est – et se veut – une œuvre gaie et non difficile. Le message est que l'art n'a aucun message en dehors de sa propre aptitude à créer.

Camille Pissarro   1830-1903

La Route de Sydenham

1871. Huile sur toile, 48 x 73 cm

Pissarro, qui allait être l'aîné du groupe impressionniste, refusa de faire carrière dans les affaires comme l'avait souhaité son père et, quittant les Antilles où il est né, vint s'installer à Paris en 1855 pour y être artiste. À cette époque, les artistes les plus « progressistes » se tournaient vers le paysage, qui semblait fournir l'occasion de peindre fidèlement la nature et d'échapper aux conventions dépassées de l'Académie. Pissarro, qui admirait tout particulièrement Corot *(cf. p. 270)*, chercha conseil auprès de lui pour

La Route de Sydenham

la peinture de plein-air. À partir de 1859, quelques-uns de ses paysages furent acceptés au Salon, mais l'artiste, son épouse et leur enfant, continuaient à vivre dans une extrême pauvreté. En 1870, fuyant devant l'arrivée des Prussiens en France, ils partirent pour Londres, où Monet *(cf. p. 303)*, ami de Pissarro, les avait précédés.

À Londres, Pissarro peignit douze tableaux, dont cette scène printanière, qui a dû être achevée peu avant son retour en France en juin 1871. Si cette vue est encore identifiable de nos jours, sa composition s'inspire peut-être de *L'Avenue, Middelharnis* d'Hobbema *(cf. p. 206)*, qui avait été exposée à la National Gallery un mois plus tôt. Le format traditionnel, relativement grand, le sujet – un quartier résidentiel à la mode – et le degré de fini de l'œuvre sont peut-être imputables au désir de solliciter l'acheteur. Pissarro réussit en effet à vendre le tableau au marchand d'art Durand-Ruel, qu'il rencontra à Londres.

La Route de Sydenham a une fraîcheur qui semble à première vue caractéristique d'une œuvre peinte sur le vif. Cependant Pissarro a commencé par faire une étude préparatoire à l'aquarelle (actuellement au Louvre). Le tableau lui-même a été peint en deux étapes, après l'exécution d'un dessin préliminaire déterminant les lignes de la composition. L'examen aux rayons X a montré que les principales zones de la toile ont tout d'abord été définies par des blocs de couleur, qui ne sont pas tout à fait jointifs. À l'étape suivante, Pissarro a travaillé dans le frais de manière à unifier la composition, appliquant une couleur juste à côté ou sur une autre, avant que la précédente n'ait séché, pour que les teintes se fondent les unes dans les autres. Comme Corot, il a peint la majeure partie de son tableau avec des mélanges de couleurs complexes, rehaussés de pigments blancs, afin d'obtenir une tonalité d'ensemble claire – contrairement à Renoir, qui, dix années plus tard dans *Canotage sur la Seine (cf. p. 315),* utilisera des pigments purs, non dilués, d'une grande intensité. Pissarro a ensuite mis en place des arbres assez petits se détachant sur le ciel. Les figures ont été représentées en dernier, sur une peinture sèche – donc sûrement dans son atelier. À un stade très avancé a été effacée une figure féminine s'avançant vers le spectateur sur le trottoir de droite (sous le clocher de l'église), tandis qu'un groupe de personnages plus lointain a été ajouté plus à droite. À l'œil nu, cette femme n'est visible qu'en partie, mais elle est très apparente à la réflectographie infrarouge *(cf. fig. 9)*. Comme

Pissarro allait le dire par la suite, peindre directement sur le motif est indispensable pour l'élaboration des études, mais « l'unité que l'esprit humain donne à la vision ne peut être trouvée qu'à l'atelier. C'est là que nos impressions, auparavant dispersées, sont co-ordonnées et se mettent en valeur l'une l'autre pour créer[un] vrai poème ».

Fig. 9. *Réflectogramme de* La Route de Sydenham *de Pissarro.*
Détail montrant la figure féminine qui a été effacée.

Pierre-Cécile Puvis de Chavannes   1824-1898

La Décollation de saint Jean-Baptiste

Vers 1869. Huile sur toile, 240 × 316 cm

Dans les mêmes années où Monet et Renoir cherchaient à capter dans leur peinture de fugitives visions de la vie moderne *(cf. pp. 303 et 314)*, un Lyonnais, qui avait manqué d'être polytechnicien, travaillait dans une direction quasiment opposée. Fils d'un ingénieur des Mines, Puvis de Chavannes était en effet tombé gravement malade quelques jours avant de passer son concours d'entrée à l'École Polytechnique de Paris. De retour d'Italie, où il était parti après deux années de repos, il décida d'abandonner la technologie au profit de la peinture, et ouvrit son propre atelier à Paris. Deux allégories, *Concordia* et *Bellum*, dont la première fut achetée par l'État et la seconde offerte en pendant par l'artiste, lui valurent une médaille au Salon de 1861, alors qu'il était âgé de trente-sept ans. Dès lors, sa carrière fut constituée d'une succession de commandes publiques, et ce, pas seulement en France : en 1896, il décora la bibliothèque publique de Boston.

La Décollation de saint Jean-Baptiste donne un aperçu de l'esthétique et des méthodes de travail de Puvis. Bien que le tableau n'ait vraisemblablement pas été achevé, sa surface picturale maigre est caractéristique du métier de l'artiste. Puvis s'étant épris des fresques des primitifs italiens au cours de ses voyages, il tentait d'imiter leur surface plate et mate. L'admiration qu'il vouait à ce type de décoration murale eut cependant des implications plus générales. Dès 1848, les discussions portant sur le soutien de l'État dans le domaine artistique et l'avenir de la manufacture des Gobelins avaient établi clairement les différences profondes entre peinture de chevalet et peinture murale. Le chimiste Eugène Chevreul, alors directeur des Gobelins, avait mis en garde contre la reproduction de tableaux de chevalet et de leurs « demi-teintes » dans les tapisseries

La Décollation de saint Jean-Baptiste

destinées à décorer les monuments publics. Cette mise en garde laissait entendre que l'art ornant les murs des édifices publics avait une mission plus élevée que la peinture de chevalet illusionniste, d'usage essentiellement privé. Puvis, qui aspirait à un style « mural », se fixa donc pour objectif d'atteindre dans cette noble discipline simplicité et vérité. Plus modeste, la version de la *Décollation* exposée au Salon de 1870 (actuellement à Birmingham), fut bien accueillie par les critiques d'art et les institutions qui louèrent son caractère élevé, mais de nombreux visiteurs, auxquels elle rappelait les images d'Épinal, la trouvèrent ridicule.

La décollation de saint Jean-Baptiste est l'un des sujets les plus répandus dans l'art chrétien. La version populaire du récit, selon laquelle une femme fatale aurait fait tuer le saint pour l'avoir en vain désiré, avait nourri depuis le XVIᵉ siècle des représentations érotiques dans lesquelles la tête tranchée du saint – souvent l'autoportrait de l'artiste – était portée par Salomé. Ce thème, repris en 1841 par Heinrich Heine dans son poème exotique *Atta Troll*, devint rapidement populaire dans tous les domaines artistiques. Puvis, peut-être inconsciemment, semble avoir puisé aux deux traditions : la pâle Salomé qui apparaît ici ressemble, a-t-on dit, à sa maîtresse, la princesse roumain Cantacuzène, et le bourreau « maure » est l'un des éléments dénotant l'influence de Heine. Mais l'« austère simplification de la forme » chez Puvis et son respect du mur s'inspirent de fresques d'église. Les corps – tel le dos musclé du Maure – ont été distordus de manière à être parallèles à la surface de la toile ou orientés afin qu'ils se dessinent en strict profil, comme le personnage de droite. La perspective a été évincée, et les branches du figuier découpent l'espace situé derrière en formes bidimensionnelles. Le « silence des couleurs » est obtenu grâce à des étendues presque plates – telle la cape rouge foncé du courtisan –, non affectées par d'éventuels reflets ou réverbérations.

Odilon Redon   1840-1916

Ophélie parmi les fleurs

Vers 1905-1908. Pastel sur papier, 64 x 91 cm, prêté à la Tate Gallery, Londres

Odilon Redon avait d'abord eu l'intention détudier l'architecture et non la peinture. Il abandonna cependant sa formation initial, et effectua un bref passage dans l'atelier parisien du peintre académique Gérôme. Après une dépression nerveuse, il retourna à Bordeaux, sa ville natale, où il fut instruit de manière informelle par un aquarelliste de la région et par l'aquafortiste et graveur Rodolphe Bresdin. De 1879 à 1899, sa production fut essentiellement constituée d'œuvres monochromes sur papier qu'il appela ses « Noirs ». Ses dessins au fusain et ses séries lithographiques, très remarquées par l'avant-garde littéraire, influencèrent de plus jeunes artistes. Un grand nombre de ses lithographies sont liées à des œuvres littéraires de Baudelaire, de Flaubert ou d'Edgar Poe, dont elles livrent une interprétation libre. À l'instar de ces poètes, la compréhension de l'apparence des choses l'intéressait moins que l'interprétation des rêves, « l'élévation de l'esprit jusqu'au royaume du mystère, jusqu'à l'angoisse de l'irrésolu et jusqu'au monde délicieux de l'incertitude ». Bien qu'il ait continué à peindre sur le vif des études de paysage et des compositions florales ou encore à exécuter des portraits au pastel, il reprochait aux peintres impressionnistes d'être asservis à l'objet.

En 1897, la maison d'enfance de Redon, près de Bordeaux, fut vendue. C'est l'année où l'artiste semble s'être libéré des souvenirs amers qui avaient hanté ses œuvres en noir et blanc. Il s'installa à Paris où, sous l'influence de Gauguin *(cf. p. 285)*, artiste plus jeune que lui, il se tourna de plus en plus vers la couleur. Dans de flamboyantes compositions florales, il tenta de saisir le rayonnement émanant de « l'essence de l'objet », le dotant d'une lumière spirituelle.

Ophélie parmi les fleurs est la seule œuvre de Redon que possède la National Gallery et une des rares à faire partie d'une collection publique britannique. Un mythe s'est répandu : l'œuvre, asymétrique, aurait été à l'origine conçue comme une composition florale verticale – un vase bleu-vert, posé sur une table brune –, et le profil d'Ophélie aurait été ajouté ultérieurement. Mais rien ne permet cependant d'étayer cette thèse, et Redon a du reste exécuté de nombreuses compositions de ce genre. Les bâtonnets de pastel tendre, dont Redon savait obtenir des traits, des hachures, des superpositions de couleurs, des estompages translucides sur papier blanc ou des surfaces colorées denses et opaques, l'ont amené à imaginer l'Ophélie de Shakespeare – un de ses sujets de prédilection – sous les traits d'une poétesse visionnaire couronnée de « guirlandes capricieuses », et qui, avant de se noyer, flottait dans le ruisseau « tandis qu'elle chantait des bribes de vieux airs / inconsciente peut-être de sa détresse ».

Pierre-Auguste Renoir   1841-1919

Canotage sur la Seine

Vers 1879-1880. Huile sur toile, 71 × 92 cm

Ces deux jeunes femmes peintes par Renoir en train de ramer nonchalamment sur la Seine dans la chaleur d'une journée d'été, évoquent parfaitement les moments de loisirs qu'offraient les environs de Paris et qui constituent le répertoire le plus connu et le plus apprécié des impressionnistes. Dans ce tableau, la technique picturale illustre on ne peut plus clairement la théorie des couleurs qui fascinait les impressionnistes. Renoir allait au début des années 1880 abandonner la facture libre et spontanéité dont *Canotage sur la Seine* semble être exemplaire, au profit d'un style plus traditionnel basé sur la discipline du dessin. En 1879 cependant, il cherchait avec ses amis Monet, Pissarro *(cf. pp. 303 et 309)*, Sisley et d'autres encore, à peindre, avec les nouveaux pigments en tube permettant de saisir les effets fugitifs de la lumière naturelle, des tableaux résolument « modernes », attentifs à la vie contemporaine.

Depuis le XVIIe siècle au moins, les artistes ont commencé à faire des esquisses en plein air ; mais ils avaient l'habitude d'exécuter leurs tableaux en atelier, dans des conditions soigneusement étudiées. Les impressionnistes voulurent faire croire qu'ils exécutaient leurs tableaux sur le vif, en une seule séance. Bien que leurs œuvres fassent admirablement illusion, ce fut rarement et peut-être même jamais le cas des toiles destinées à la vente. *(Cf. p. 304, La Plage de Trouville, une petite toile que Monet exécuta à la hâte, est la seule œuvre de la National Gallery qui fasse de cette légende une réalité.)* Le petit tableau représentant des rameuses sur la Seine a été élaboré, en dépit de son apparente spontanéité, en plusieurs étapes, comme l'analyse scientifique l'a démontré.

Les photographies aux rayons X ont fait apparaître quelques repentirs. La vue a été élaborée avec des peintures de composition et de consistance fort variées, et c'est à la très fréquente apparition en réserve de la préparation de la toile que ce tableau doit son coloris clair. Mais l'éclat et le miroitement qui en font la splendeur ont été obtenus à l'aide de la couche de peinture appliquée en surface. Renoir a juxtaposé des couleurs vives et pures, directement sorties de leurs tubes : il s'est limité au blanc de plomb et à sept pigments d'une grande intensité qui, pour la plupart, existaient depuis peu. Aucun pigment noir, ni aucune couleur terre n'apparaissent. En plaçant l'orange vif de la yole et de ses reflets contre le bleu de cobalt du fleuve, l'artiste a mis à l'épreuve le principe fondamental de la théorie des couleurs proposée en 1839 par le chimiste français Chevreul : le principe du contraste simultané. Selon ce principe, lorsque deux couleurs complémentaires (comme ici le bleu et l'orange) sont juxtaposées, elles s'intensifient mutuellement. On ne pourrait imaginer une meilleure démonstration de la validité de cette théorie que le tableau éclatant de Renoir.

Canotage sur la Seine

Sir Joshua Reynolds 1723-1792

Le Capitaine Robert Orme

1756. Huile sur toile, 240 × 147 cm

Joshua Reynolds, troisième fils et septième enfant du révérend Samuel Reynolds, effectua à l'âge de dix-sept ans un apprentissage à Londres, auprès du portraitiste Thomas Hudson, originaire comme lui du Devonshire mais peintre peu inspiré. Cependant, Reynolds, qui avait de l'ambition, n'entendait pas rester un peintre quelconque : il devint par lui-même un portraitiste recherché, se lia d'amitié avec les hommes de lettres les plus illustres d'Angleterre, fut nommé en 1768 premier président de la Royal Academy, et décoré chevalier en 1769. Bien qu'il ne soit pas parvenu à être un grand peintre d'histoire, il a insufflé l'esprit, la poésie et la noblesse des peintures héroïques à ses innombrables portraits d'aristocrates anglais. Ses quinze *Discours sur la peinture*, prononcés à la Royal Academy entre 1769 et 1790, demeurent la contribution anglaise la plus convaincante et la plus émouvante à la théorie artistique occidentale inspirée de la Renaissance italienne.

Nous avons aujourd'hui tendance à préférer la fraîcheur de Gainsborough *(cf. p. 283)* aux expérimentations de Reynolds, son rival. Expérimentateur invétéré et impatient, ce dernier combinait sans discernement liants et pigments variés, imitant les effets obtenus par les maîtres anciens sans rien saisir de leurs méthodes ; aussi, il voyait ses tableaux pâlir, s'écailler et se craqueler, de sorte que ses portraits mouraient sous les

Le Capitaine Robert Orme

yeux de ses modèles... Même ses contemporains s'indignaient de ses erreurs techniques. Pourtant, plus nous prêtons attention à la prodigieuse variété de Reynolds, que Gainsborough lui enviait à juste titre, plus nous nous rendons compte qu'il est parvenu à donner forme à ce qu'il appelait « cette grande idée, qui donne à la peinture sa véritable dignité [...] parler au cœur ». Pour ce qui est de son « grand dessein », « frapper l'imagination », Reynolds a, plus que tout autre peintre anglais avant lui, participé « à cet échange amical qui devrait exister entre artistes et qui consiste à recevoir des morts et à donner aux vivants, et peut-être même à ceux qui ne sont pas encore nés » (*Discours 12*).

Reynolds avait ouvert depuis peu son atelier londonien lorsqu'il peignit *Le Capitaine Robert Orme*, un des grands portraits romantiques de militaires. Lorsqu'il fut exposé en 1761 à la Société des Artistes, un visiteur y perçut « un officier de la garde [de Coldstream] qui, une lettre à la main, s'apprête à monter à cheval avec ce feu mêlé de rage que peuvent susciter la guerre et l'amour de son pays ». Le modèle, Robert Orme (1725-

1790) avait été l'aide de camp du général Braddock en Amérique. Lorsqu'en 1755 Braddock avait trouvé la mort au cours d'une embuscade française, Orme était revenu en Angleterre et avait quitté l'armée. L'année suivante il posait pour Reynolds.

Orme n'a jamais acheté le portrait exécuté par l'artiste, dans l'atelier duquel il était très remarqué en raison de son « audace et de sa singularité ». La composition pourrait être une libre adaptation de dessins de fresques italiennes et de sculptures romaines que Reynolds avait exécutés au cours de son séjour en Italie de 1750 à 1752 ; peut-être fait-il aussi allusion au portrait pédestre de Charles Iᵉʳ par Van Dyck *(cf. p. 193)* actuellement conservé au Louvre. Mais l'effet est superbement théâtral et immédiat : le ciel orageux et son éclairage dramatique, la dépêche vivement éclairée que l'aide de camp, les cheveux au vent, tient en évidence dans sa main, le manteau rouge découvrant son épée au côté, enfin son coursier écumant – tout suggère un moment héroïque et transitoire de la vie d'un jeune officier.

Sir Joshua Reynolds   1723-1792

Lady Cockburn et ses trois fils aînés

1773. Huile sur toile, 142 × 113 cm

Au cours de son septième *Discours sur la peinture*, prononcé à la Royal Academy en 1776, Reynolds déclara :

> Celui qui dans le portrait désire ennoblir son sujet, que nous supposerons être une dame, évitera de la peindre dans le costume moderne, dont l'air familier suffit pour détruire toute dignité [...] Il donnera à la draperie de sa figure un air antique pour y mettre la dignité, et conservera quelque chose du costume actuel pour y sauver la ressemblance.

Dans le quatrième *discours* de 1771, il avait recommandé au peintre d'histoire de ne jamais « dégrader ses conceptions par une attention minutieuse aux différences de draperies [...] les étoffes ne sont ni laine, ni toile, ni soie, ni satin, ni velours : c'est de la draperie, ce n'est rien de plus ».

Reynolds n'était pas le seul à être préoccupé par l'aspect ridicule que commençaient à prendre les portraits au fur et à mesure que la mode changeait. L'habit des Grecs et des Romains de l'Antiquité appartenait, de l'avis des gens cultivés, à cette période de l'histoire européenne qui avait donné à la civilisation des modèles restant valables à travers les âges ; on pensait en outre qu'il respectait mieux la nature que l'habillement moderne – surtout lorsqu'on songeait au « corset lacé des dames anglaises », « préjudiciable [...] à la santé et à une longue vie ». Mais tous les modèles ne souhaitaient pas se prêter à des charades antiquisantes, dont le résultat était parfois encore plus risible que de porter un corsage démodé : ainsi la scène d'offrande aux Trois Grâces que Reynolds imagina pour le portrait de Lady Sarah Bunbury, qui pourtant « aimait manger des beefsteaks et jouer au cricket »...

Le portrait de Lady Cockburn témoigne de la demi-mesure adoptée avec le plus grand succès par l'artiste, et sa signature apposée sur l'ourlet de la robe – une magnifique « draperie » dorée – reflète le plaisir qu'il a pris à peindre ce tableau. Conformément à la nouvelle mode consistant à exalter la maternité, Augusta Anne, seconde épouse de Sir James Cockburn, a été représentée avec ses trois enfants (mais des documents prouvent que les deux aînés ont posé séparément). Né en 1771, James, le chérubin agenouillé sur la gauche, deviendra général ; Georges, qui entoure le cou de sa mère, est né en 1772 et deviendra l'amiral qui emmènera Napoléon en exil à Sainte-Hélène ; le bébé, William, né au mois de juin, entrera en religion et deviendra doyen d'York. La commande a dû rappeler à Reynolds l'image traditionnelle de la Charité,

Lady Cockburn et ses trois fils aînés

représentée sous les traits d'une femme accompagnée de trois enfants ; il connaissait sans doute le tableau de Van Dyck (actuellement à la National Gallery, il faisait partie à l'époque d'une collection privée anglaise) ou la célèbre gravure qui en a été tirée, car de nombreux détails de sa composition s'en rapprochent.

Cependant, alors que la Charité de Van Dyck lève les yeux vers le ciel, Lady Cockburn regarde tendrement son fils aîné, et nous montre son profil. Malgré le regard espiègle de George à l'adresse du spectateur – qu'il faut probablement imaginer être son père –, la composition rappelle les splendides sibylles peintes par Michel-Ange au plafond de la Sixtine. L'accent chromatique constitué par l'ara au plumage éclatant – un oiseau que la famille Reynolds affectionnait et qui, à en croire certains documents, aimait se percher sur la main du Dr. Johnson – fut ajouté en dernier ; il rappelle l'utilisation faite par Rubens d'une formule similaire. Lorsqu'une gravure destinée à être publiée fut effectuée à partir de ce tableau, Sir James s'opposa à ce que le nom de son épouse fût associé à une œuvre publique. Mais Reynolds avait si bien réussi à donner à Lady Cockburn « un air antique », que l'estampe fut intitulée *Cornelie et ses enfants*, en référence à la matrone romaine qui se vantait de n'avoir pour seuls joyaux que ses enfants.

Henri Rousseau 1844-1910

Tigre dans une tempête tropicale (Surpris !)

1891. huile sur toile, 130 × 162 cm

En 1885, un an après l'achèvement d'*Une baignade à Asnières* de Seurat *(cf. p. 321)*, un obscur commis du Service des Douanes de la municipalité de Paris (malgré son surnom « le Douanier » il n'a jamais atteint ce grade), ancien musicien de régiment, prit sa retraite pour se consacrer sérieusement à l'art. Bien qu'aussi interprète et compositeur, poète et dramaturge, il s'adonna surtout à la peinture. Ses tableaux d'amateur, dont beaucoup se moquèrent, suscitèrent l'admiration de quelques-uns. En 1908, Picasso *(cf. p. 308)* organisa dans son atelier un banquet en l'honneur de Rousseau.

   Les grandes toiles du Douanier, qui ont une dimension onirique obsédante, ont exercé une influence sur divers courants picturaux du xxe siècle. Rousseau disait s'être fait conseiller, pour ce qui est de la technique, par Gérôme et Clément, deux peintres académiques. Mais, comme c'est souvent le cas des artistes n'ayant pas reçu de véritable formation, il attachait plus d'importance au motif qu'à l'« exactitude » de la représentation. Certains motifs récurrents, tels que les branches qui se détachent sur le ciel, relèvent autant de la calligraphie que de l'observation. Rousseau prétendait avoir servi dans l'armée française au Mexique *(cf. Manet, p. 299)*, mais il est vraisemblable que ses scènes exotiques s'inspiraient de gravures populaires. Cette composition, la première d'une vingtaine de toiles consacrées à la jungle, présente quelque ressemblance avec un pastel de Delacroix *(cf. p. 275)*. Outre des estampes et des illustrations de livres, Rousseau étudiait les animaux et les plantes exotiques du jardin des Plantes, à Paris. Certains des effets les plus magiques sont dus à l'agrandissement de plantes d'intérieur ornementales : c'est ainsi que des sansevières apparaissent le long du premier plan, et un caoutchouc, dans le coin inférieur droit.

Tigre dans une tempête tropicale fut tout d'abord exposé sous le titre *Surpris !* au Salon des Indépendants de 1891, salon annuel sans jury, créé en réaction contre le Salon officiel. Rousseau le décrivit par la suite comme un tableau représentant un tigre occupé à poursuivre des explorateurs, mais peut-être avait-il eu à l'origine l'intention de considérer la tempête qui s'abat subitement sur le tigre comme la « surprise ». De longs éclairs fendent le ciel, et nous pouvons imaginer les roulements de tonnerre. C'est une peinture audacieuse. Toute la composition repose sur des bandes de couleur ; les rais de pluie ont été créés à l'aide de fins glacis de gris et de blanc transparents. On aurait pu s'attendre à un premier plan éclatant et à un arrière-plan plus terne, mais, à l'inverse, des taches écarlates embrasent le paysage derrière le feuillage vert et fauve, faisant écho au rouge plus pâle des babines du tigre qui, effarouché, feule.

Georges-Pierre Seurat   1859-1891

Une baignade à Asnières

1884. Huile sur toile, 201 × 300 cm

Formé à l'instar de Degas *(cf. p. 272)* auprès d'un élève d'Ingres *(cf. p. 296)* à Paris, Seurat avait un goût profond pour le dessin comme discipline. Ses magnifiques dessins au crayon Conté reposent certes davantage sur des contrastes de tons que sur la ligne si chère à Degas et à Ingres, mais il avait comme ces deux artistes une approche disciplinée de l'organisation picturale.

Pour ce tableau, sa première grande toile, Seurat effectua plus de vingt études préparatoires au crayon Conté et à l'huile, dont certaines sur le motif. Le site d'*Une baignade à Asnières* et de la deuxième toile monumentale de Seurat, *Un dimanche après-midi à l'île de la Grande-Jatte* (actuellement à Chicago), est une portion de la Seine située au nord-ouest de Paris, entre les ponts d'Asnières et de Courbevoie. Au loin figurent les grandes usines de Clichy tandis qu'au premier plan les ouvriers profitent de leur jour de repos. Le thème de Seurat, les loisirs des classes laborieuses, était d'actualité : c'était un sujet auquel s'intéressaient alors les radicaux et, parmi les écrivains, les naturalistes. Le traitement du sujet par Seurat n'est en apparence porteur d'aucun discours social explicite. Lorsqu'on voit l'original, cependant, sa dimension est déjà en elle-même un message percutant. Seurat savait pertinemment que les théoriciens de l'art académique comparaient la peinture de genre à la comédie, c'est-à-dire la représentation littéraire ou théâtrale de « personnes comme nous-mêmes ou de condition inférieure à la nôtre ». Seule la peinture d'histoire, qui était mise en parallèle avec la tragédie ou l'épopée, c'est-à-dire avec le récit d'actes nobles accomplis par des « individus qui nous sont supérieurs » – avait droit à des dimensions monumentales. En utilisant pour un genre réputé inférieur les critères traditionnellement réservés au genre noble, Seurat se montrait subversif. Le jury du Salon de 1884 l'avait probablement compris : il refusa la toile.

Actuellement, le nom de l'artiste est surtout associé au pointillisme, dérivé de la

théorie impressionniste des couleurs. Cette technique consiste à juxtaposer des minuscules taches de couleur pure, que l'œil placé à une certaine distance de la toile fait automatiquement fusionner. Seurat retravailla certaines parties de la *Baignade à Asnières* pourtant achevée en utilisant cette technique : le chapeau orange a ainsi été modifié à l'aide de points bleus et jaunes *(cf. détail p. 258)* et l'eau a aussi été en partie retouchée. Le traitement d'origine revêtait diverses formes : des touches épaisses de type impressionniste représentant l'eau du fleuve, aux touches « en croisillon » entrelaçant des lignes roses, orange, jaunes et vertes pour figurer l'herbe. Exactement comme dans les dessins au crayon Conté, c'est le ton de l'arrière-plan, travaillé sans préoccupation de la réalité perceptible, qui a donné aux figures toute leur luminosité. Cette technique est particulièrement flagrante là où l'eau se fonce derrière une peau mise en lumière, et s'éclaircit derrière une peau ombrée. L'artiste a ainsi obtenu des contours nets avec un minimum de modelé et sans avoir recours à la ligne, ce qui renforce l'impression d'une lumière vive et pourtant voilée.

Tout – du chapeau melon aux bottines en passant par le chien guilleret, et du menton fuyant du garçon apathique assis dans l'herbe, au maillot de corps – dénonce l'appartenance de ces hommes et de ces jeunes garçons au prolétariat (à l'exception de l'enfant de droite, qui, se prenant pour le dieu marin Triton, fait semblant de souffler dans sa conque). De la même manière les poses guindées du couple à l'ombrelle et au chapeau haut-de-forme qui se fait conduire sur l'autre rive, sous le drapeau tricolore de la Troisième République, trahissent leur origine bourgeoise. Mais ce sont les ouvriers que Seurat élève au rang de monarques et d'anges, tels ceux auxquels la géométrie de Piero della Francesca *(cf. p. 80)* avait conféré grandeur dans les fresques d'Arezzo – dont Seurat pourrait avoir étudié la copie dans la chapelle de l'École des beaux-arts à Paris.

George Stubbs   1724-1806

Les Familles Milbanke et Melbourne

Vers 1769. Huile sur toile, 97 × 149 cm

Né à Liverpool, Stubbs avait pour père un corroyeur et sellier. On peut imaginer que c'est dans la boutique de son père, parmi les selles et harnais en vente, qu'il est entré pour la première fois en contact avec le monde de la chasse, des courses hippiques, et des haras, dont il est devenu par la suite le principal interprète. C'était un monde où les ducs côtoyaient les garçons d'écurie ; les grands propriétaires terriens, les vendeurs de viande de Smithfield, les dames de la haute société, les jockeys de Newmarket ; et les hommes et les femmes de toutes conditions, les chiens et les chevaux. Passé « maître dans l'art de distinguer les classes », comme l'a fait remarquer l'historienne d'art Judy Egerton, jamais il ne flattait, ni tournait en dérision ses modèles : il peignait en revanche en « acceptant les choses plus ou moins comme elles [étaient] ». Selon Mary Spencer, qui fut sa compagne pendant une cinquantaine d'années, « chaque élément du tableau était un portrait ».

Cherchant à donner de ses figures l'image la plus ressemblante possible, Stubbs étudia l'anatomie dans une école de médecine, et disséqua des chevaux pour réussir à mieux les représenter. En outre, il apprit par lui-même la gravure, et publia une *Anatomie du cheval*. Bien qu'il ait pu caresser l'idée d'être peintre d'histoire à la manière académique, il n'avait, semble-t-il, gardé en mémoire du séjour effectué à Rome en 1754-1756 qu'un marbre antique représentant un lion en train d'attaquer un cheval. Ce sujet cependant le poursuivit pendant plus de trente ans, et c'est dans son œuvre le thème qui s'approche le plus de la manière dont la « pitié et la terreur » sont évoqués dans les tableaux épiques. L'originalité de Stubbs ne s'exprimait pas au travers d'un récit mais au travers d'une composition abstraite.

L'effet poétique produit par l'alliance entre la recherche de schémas abstraits et l'observation impassible apparaît merveilleusement bien dans ce petit portrait de groupe en pied représentant, de gauche à droite, Elizabeth Milbanke, âgée de dix-sept ans, son père Sir Ralph Milbanke, son frère John Milbanke, et son époux Sir Peniston Lamb, futur vicomte Melbourne. Bien que ce genre de tableau, apprécié en Angleterre au XVIIIe siècle, ait reçu dans ce pays le nom de « scène de conversation » *(cf. p. 295)*, les figures de cette œuvre ne conversent pas plus que l'équipage, les chevaux ou l'épagneul de Sir Peniston. L'absence de dialogue résulte probablement du fait que Stubbs a étudié chaque groupe de figures séparément, et à partir d'un angle différent. Peut-être sommes-nous censés imaginer que les nobles Milbanke accueillent Sir Peniston, simple parvenu sans intérêt. (Il fut nommé vicomte en 1784 suite à la liaison de son épouse avec le Prince de Galles.)

En soi complète, chaque vignette – aussi précise dans l'analyse psychologique que dans l'étude du costume, du teint, du harnachement ou de la courbure des roues vues en perspective – a été soigneusement juxtaposée à la suivante de manière à suggérer une ligne serpentant élégamment d'un bout à l'autre du tableau. Le long de cette ligne, une importance égale a été accordée aux groupes de figures et d'animaux. La frise s'incurve vers l'intérieur aux deux extrémités de la toile. Après avoir déployé ses figures de manière satisfaisante, Stubbs ajoutait souvent un paysage imaginaire en toile de fond. C'est sans doute ainsi qu'il a ici procédé, ajoutant des masses de feuillage, une falaise et des étendues de ciel faisant contrepoint au rythme mélodieux des figures. Et une communication « vitale mais infiniment silencieuse » (pour reprendre la belle expression de David Piper) prend corps à travers les formes et le coloris des espaces qui entourent les figures, à travers les rythmes que créent les encolures et les croupes des chevaux, les jambes des hommes et les pattes des bêtes, mais aussi les accents constitués par les tricornes et par les touches de rose, de bleu, de chamois, de bai et de gris.

Giovanni Battista Tiepolo   1696-1770

Allégorie avec Vénus et le Temps

Vers 1754-1758. Huile sur toile, 292 × 190 cm

Pour pénétrer pleinement dans le monde radieux de Tiepolo, il faut se rendre tout d'abord à Venise, sa ville natale, ensuite à Udine et Vicence, puis franchir les Alpes pour aboutir à Wurzbourg en Bavière, et enfin voyager à Madrid en Espagne où, craignant l'évolution du goût dans son propre pays, l'artiste choisit de passer les dernières années de sa vie. Tiepolo, qui fut le plus grand peintre décoratif de son siècle, aimait surtout peindre à fresque, car dans ce cas sa manière « rapide et résolue » devenait une nécessité technique. Sur les murs et les plafonds, sous l'effet de sa virtuosité, des espaces aériens, inondés de lumière, s'ouvraient pour accueillir des êtres héroïques – bibliques, mythologiques, allégoriques, historiques ou poétiques –, éblouissant les mortels venus les admirer. On a dit de Tiepolo qu'il était le dernier peintre de la Renaissance et qu'il avait beaucoup emprunté à Véronèse *(cf. p. 165)*. Mais Tiepolo n'était jamais tout à fait sérieux lorsqu'il peignait une scène épique, bien moins encore que Véronèse. Il pouvait être majestueux, mais jamais solennel, et il était plus saisissant que tragique. En ce siècle qui découvrait la sensibilité féminine, il introduisit une note de tendresse dans les scènes les plus graves et les plus nobles.

Par bonheur, les esquisses à l'huile de Tiepolo et cette toile, destinée à être insérée dans le plafond d'un des nombreux palais vénitiens de la famille Contarini, conservent un peu de la fraîcheur qui caractérise les décorations murales de l'artiste. Cette toile est dessinée pour être regardée par en dessous, mais selon un certain angle, depuis la porte d'accès de la salle. Vénus, somptueuse dans sa nudité blanche, or et rose, est descendue d'un ciel infiniment lumineux ; ses colombes, libérées de leur harnais, volettent tendrement au-dessus d'elle. Du haut d'un nuage teinté de la lueur du petit matin, les Trois Grâces sèment des roses. Cupidon, le fils divin de Vénus, voltige en dessous, son carquois plein de flèches. Vénus est venue confier au Temps son nouveau-né, qu'elle vient de laver avec

Allégorie avec Vénus et le Temps

l'eau d'une amphore en terre cuite. Ayant posé sa faux, le Temps symbolise ici davantage
l'éternité que la mort. L'enfant – aux grands yeux, aux lèvres charnues et aux cheveux
plantés en V sur le front – ressemble aux pages que Tiepolo avait peints à fresque peu de
temps auparavant dans la cage d'escalier du palais des princes-évêques à Wurzbourg. Il est
clair que ce poupon doit être perçu comme un vrai bébé. Le seul enfant humain qu'ait eu
Vénus fut Énée, né d'un père mortel et fondateur de Rome. Les Contarini, l'une des plus
anciennes familles de Venise, s'étaient inventé un arbre généalogique remontant jusqu'à
la Rome antique ; la référence faite à Énée laisse à penser que la voûte avait peut-être été
commandée à l'occasion de la naissance d'un fils. Par ses augustes ascendants et ses
propres actes héroïques, un Contarini pouvait – tel Énée – espérer une gloire éternelle.

Joseph Mallord William Turner   1775-1851

Le Vaisseau de ligne « Le Téméraire » remorqué à son dernier mouillage
pour y être démoli

1838-1839. Huile sur toile, 91 × 122 cm

Si Constable *(cf. p. 267)*, originaire du Suffolk, souhaitait devenir un « peintre naturel »
(natural painter), Turner, fils d'un modeste barbier de Covent Garden, aspirait au
sublime. Formé au dessin de vues topographiques, il y parvint en apprenant à maîtriser
le langage pictural de Claude Lorrain *(cf. p. 184)* et des plus grands paysagistes et
peintres de marines du xviie siècle hollandais *(cf. pp. 178 et 241)* ainsi que les effets
mélodramatiques du décorateur de théâtre Philippe Jacques de Loutherbourg (1740-
1812). Presque tombé dans l'oubli de nos jours, ce dernier, qui était d'origine alsa-
cienne et membre de l'Académie, enthousiasma à l'époque le public londonien et
influença de nombreux artistes – de Gainsborough *(cf. p. 283)* à Joseph Wright of Derby
en passant par Turner – par les vues panoramiques de son théâtre miniature : associant
des paysages peints à un éclairage et un son appropriés, il simulait des phénomènes
naturels et des terribles catastrophes.

    Turner, à la recherche du sublime, voyageait beaucoup. Il esquissait des paysages
grandioses soumis à des conditions atmosphériques extrêmes, qu'il transposait ensuite
sur des toiles. Pour les expositions, il leur associait des citations poétiques. Il considérait
La Fondation de Carthage par Didon (1815) comme son chef-d'œuvre. Du reste, il légua

cette toile ainsi que *Lever de soleil dans la brume* à la National Gallery, à la condition que les deux œuvres fussent présentées à côté de *La reine de Saba s'embarquant pour se rendre chez Salomon* et du *Mariage d'Isaac et Rebecca* de Claude Lorrain *(cf. pp. 170 et 185)*, comme c'est actuellement le cas dans la salle 15.

Si Turner tentait d'imiter la peinture baroque, il ne renonçait pas pour autant aux références modernes : il les intégrait au « grand art ». C'est de cette manière qu'il se mesurait tant aux maîtres du passé qu'aux grands peintres contemporains. Le *Téméraire* fut exposé à la Royal Academy en 1839 avec l'extrait d'un poème de Thomas Campbell intitulé *Vous, les marins d'Angleterre* : « Il n'appartient plus / au drapeau qui a bravé la bataille et la brise. » Le *Téméraire* s'était distingué à la bataille de Trafalgar en 1805, mais, dans les années 1830, les vaisseaux des guerres napoléoniennes étaient remplacés par des bateaux à vapeur. Turner a dû lire dans la presse que le vieux navire, mis hors service, était remorqué de Sheerness à Rotherhithe pour être démantelé. Dans son tableau, le site et le chantier naval ont été modifiés à des fins symboliques et picturales. Turner a conçu la scène à la manière d'un Claude Lorrain moderne : un *Téméraire* fantomatique est tiré par un remorqueur noir trapu, crachant du feu et de la suie, avec en toile de fond un coucher de soleil empourpré. Sa technique diffère beaucoup de celle du Lorrain : les forts empâtements représentant les rayons et les reflets contrastent avec les zones ayant reçu une fine pellicule de peinture, et les couleurs passent brusquement du clair au foncé. Une époque héroïque et raffinée se termine, l'ère mesquine de la vapeur et de l'argent s'ouvre et précipite sa disparition. Le soleil qui se meurt signale la fin de la première ; une lune aux pâles reflets, l'essor de la seconde. Mais tout comme les levers et les couchers de soleil de Claude Lorrain invitent au voyage, le dernier mouillage du « Téméraire » rappelle que toute vie humaine a une fin.

Joseph Mallord William Turner 1775-1851

Pluie, vapeur et vitesse. Le chemin de fer Great Western

Avant 1844. Huile sur toile, 91 × 122 cm

Alors que dans le *Téméraire*, Turner semblait déplorer l'avènement de l'ère industrielle, son attitude est beaucoup plus ambiguë dans ce tableau-ci – l'une de ses dernières grandes œuvres. Les années 1840 furent marquées par la « manie du chemin de fer », et Turner, qui ne tenait pas en place, appréciait la vitesse et le confort de ce moyen de transport. Selon une anecdote peu plausible, rapportée par Ruskin, le grand défenseur de Turner, l'origine de ce tableau remonterait à un voyage en train effectué sous une pluie torrentielle, au cours duquel l'artiste aurait passé la tête par la fenêtre. Attiré comme toujours par les sensations fortes, Turner réitère l'expérience en peinture, bien que le spectateur soit supposé voir le train d'un point surélevé. Le pont est identifiable : il s'agit du viaduc de Maidenhead qui enjambe la Tamise entre Taplow et Maidenhead, sur la ligne alors nouvellement mise en exploitation de Londres à Bristol et Exeter. Commencé en 1837 selon les plans de Brunel et achevé en 1839, ce viaduc fut un sujet de polémique, les détracteurs de cette ligne de chemin de fer affirmant qu'il allait s'effondrer. Ici, le spectateur regarde en direction de Londres ; le pont perceptible sur la gauche est le pont routier de Taylor, dont la première pierre fut posée en 1772.

Là encore, Turner s'est inspiré de Claude Lorrain *(cf. p. 184)* pour ce qui est de la diagonale qui conduit du premier plan à un point de fuite situé au centre du tableau. Il poursuivait cependant un objectif différent. Le raccourci excessif du viaduc, le long duquel notre regard file jusqu'à la ligne d'horizon, sert à suggérer la vitesse avec laquelle la locomotive, fendant la pluie battante, fait irruption dans notre champ de vision, les rayons de son fanal se dispersant sous nos yeux. Devant la locomotive, un lièvre – animal qui passe pour être le plus rapide de tous –, d'une grandeur disproportionnée, saute au milieu des voies : nous doutons fort qu'il puisse gagner la course et en sortir vivant. Une barque vogue sur le fleuve situé en contrebas, tandis qu'au loin un laboureur retourne la terre. Des volutes, des balafres, des traînées et des giclées de peinture d'une grande virtuosité suggèrent la pluie, la vapeur et la vitesse, rendant floues les figures de la campagne d'antan. Ivresse et regret se mêlent à l'inquiétude : dans une seconde, nous devrons sauter de côté pour laisser le cheval de fer passer à toute allure.

Élisabeth Louise Vigée Le Brun   1755-1842

Autoportrait au chapeau de paille

Après 1782. Huile sur toile, 98 x 70 cm

Fille et élève de Louis Vigée, peintre parisien mineur Mme Vigée Le Brun était une femme charmante et séduisante qui, bien que bonne portraitiste d'hommes, s'était spécialisée dans de ravissants portraits de femmes et d'enfants. La conception qu'avait le XVIIIe siècle de l'élégance et de la spontanéité peut paraître coquine ou sentimentale à un spectateur du XXe siècle. L'artiste lança cependant un nouveau style. Ses portraits à la mode, aux robes simplifiées, dites « à la grecque », se passaient des colonnes et des draperies du décorum baroque : l'artiste cherchait à montrer des attitudes et des sentiments naturels, anticipant en cela le néo-classicisme de David *(cf. p. 271)*.

   Mme Vigée Le Brun fuit la Révolution en 1789, évitant le sort qui fut réservé à sa plus illustre commanditaire, la reine Marie-Antoinette. Elle se fit alors une réputation internationale dans les capitales européennes, et retourna dans sa ville natale en 1814, après la Restauration. Elle rendit compte de ses débuts, mais aussi de ses tribulations et de ses succès ultérieurs dans des *Mémoires* qui, publiés en 1835, sont très faciles à lire, mais peu fiables.

Elle se souvient dans cet ouvrage que le peintre Claude Joseph Vernet lui avait conseillé d'étudier les maîtres italiens et flamands, mais surtout de s'inspirer de la nature. Cette toile est une réplique autographe d'un autoportrait qui avait été peint par l'artiste à Bruxelles en 1782 et qui témoigne avec esprit de son admiration pour un célèbre chef-d'œuvre flamand, le *Portrait de Suzanne Lunden* de Rubens, connu sous le titre *Le Chapeau de paille (cf. p. 238)*. Elle écrit dans ses *Mémoires* que le plus bel effet de ce tableau réside dans les deux types d'éclairage que créent la simple lumière du jour et la lumière du soleil. Enthousiasmée par cette œuvre, elle effectua son propre portrait en cherchant à donner le même effet.

Le vif éclat et le rayonnement général produits par la lumière extérieure directe et par son reflet ont été en effet soigneusement rendus comme dans le tableau de Rubens, mais Mme Vigée Le Brun a aussi pris soin de rendre compte de sa dette envers la nature. Elle s'est représentée en plein air, devant un ciel tacheté de nuages. Elle semble incarner l'art de la peinture, ce qui n'est pas surprenant puisqu'elle est à la fois peintre et modèle. À l'occasion de cette excursion fictive à la campagne, mais aussi pour témoigner de son pouvoir d'observation, elle porte un vrai chapeau de paille, contrairement au modèle de Rubens dont le chapeau était en fait en castor. À la plume d'autruche, pleine de panache, elle a ajouté une couronne de fleurs des champs fraîchement cueillies. Elle ne porte pas de perruque, et ses cheveux n'ont pas été poudrés. Tandis que Suzanne Lunden croisait modestement les bras et regardait par-dessous son chapeau, Madame Vigée Le Brun offre au spectateur une amitié sans affectation. Ce sont cependant ses seins qui semblent représentés avec le plus de naturel. Contrairement à ceux de la beauté de Rubens, qui étaient moulés dans un corset étroit, Madame Vigée Le Brun montre clairement, par son grand décolleté, qu'elle n'a nul besoin d'un tel artifice.

Joseph Wright, dit Wright of Derby   1734-1797

Expérience avec un oiseau dans une pompe à air

1768. Huile sur toile, 183 x 244 cm

Né à Derby, dans les Midlands, près de la première grande manafacture d'Angleterre, Joseph Wright devint tout naturellement le premier peintre de la révolution industrielle. Il fut ainsi le portraitiste de ses amis industriels et ingénieurs, ainsi que des hommes de science qu'on appelait encore les « philosophes naturalistes ». Formé à Londres dans l'atelier de Thomas Hudson, comme Reynolds avant lui *(cf. p. 315)*, Wright ambitionne d'être plus qu'un peintre « ordinaire ». S'inspirant de l'intérêt pour l'enquête scientifique de ses amis de Derby et de l'art des disciples hollandais du Caravage – les maîtres « à la chandelle » tels que Honthorst *(cf. p. 206)* – Wright étudie sans relâche les effets de la lumière, notamment dans ses scènes nocturnes du monde industriel – forges, souffleurs de verre, hauts fourneaux, filatures – et d'éruptions volcaniques, qu'il illustre à maintes reprises après avoir été témoin d'une éruption du Vésuve au cours d'un séjour en Italie en 1773-1775. Il peint tous ses tableaux en précurseur du romantisme et, selon les mots du savant et poète, le Dr Erasmus Darwin, grand-père de l'évolutionniste Charles, Wright a pour talent « d'enrôler l'Imagination sous la bannière de la Science ».

Ces mots ne sauraient mieux décrire l'atmosphère de ce grand tableau, à la fois scène de genre moderne, peinture d'histoire, vanité *(cf. pp. 248-249, 259-260)* et portrait. Wright n'illustre pas tant une expérience scientifique qu'une représentation du progrès

Expérience avec un oiseau dans une pompe à air

du type de celle qu'organisa Josiah Wedgwood en 1779, lorsqu'il fit venir un assistant du chimiste Joseph Priestley pour instruire ses enfants et ses amis. Dans le tableau de Wright, un philosophe naturaliste démontre les effets du vide et le rôle de l'air chez les êtres vivants. Dans la cloche de verre de l'imposant appareil scientifique s'élevant sur la table, le vide a été fait au moyen de la pompe à air, inventée vers 1650 par le physicien allemand Otto von Guericke. Dans la cloche de verre, un cacatoès lutte contre l'asphyxie et semble près de mourir. Seul l'homme de science – que sa chevelure blanche, son regard et toute son attitude apparentent à l'imagerie traditionnelle de Dieu le père – peut sauver l'oiseau en relâchant la soupape au sommet de la cloche. Le garçonnet à la fenêtre descend la cage, espérant y remettre l'oiseau vivant. Ses deux sœurs, en larmes, reçoivent le froid confort des paroles de raison prodiguées par le père. Le vieillard, à droite, médite sur la mort – un thème universel rendu encore plus tangible par le crâne humain dans le grand bocal derrière lequel brûle une chandelle. L'autre métaphore traditionnelle du temps qui passe est la montre avec laquelle l'homme sur la gauche chronomètre l'expérience. Derrière lui, un jeune garçon est fasciné par la scène. Seul le jeune couple, les yeux dans les yeux, est indifférent à son entourage et ne pense qu'à la vie. Il s'agit de Mary Barlow et de Thomas Coltman, qui se marièrent en 1769. Le portrait des deux époux, peint par Wright en 1771, se trouve également à la National Gallery.

La deuxième source de lumière, plus diffuse, est celle de la lune derrière la fenêtre. Cet élément gothique nous rappelle qu'à la fin du XVIIIe siècle, on faisait parfois l'amalgame entre le scientifique et l'occulte. On n'est qu'à quelques années de la démonstration à Paris du « magnétisme animal » par le Dr Mesmer, tandis qu'en Angleterre, la Lunar Society du Dr Erasmus Darwin se réunit chaque lundi le plus proche de la pleine lune pour débattre des progrès de la science et de la technologie.

Saint Michel triomphant du Diable avec le donateur Antonio Juan

Saint Michel triomphant du Diable avec le donateur Antonio Juan

1468. Huile et or sur bois, 180 x 82 cm

Le plus célèbre peintre roux de l'histoire doit être sûrement cet Italien du XVIe siècle surnommé Rosso Fiorentino, le « Roux de Florence ». Sur ses talons serait l'espagnol Bartolomé de Cardénas, si ce n'était que de toute son œuvre, seulement une vingtaine de tableaux nous sont restés. Appelé en espagnol Bartolomé Bermejo, il était fier de signer en latin *bartolomeus rubeus*, « Bartélémy-le-Roux », sur le petit parchemin en trompe-l'œil au premier plan de ce panneau magnifique, qui est une des acquisitions les plus importantes de la National Gallery de ces dernières années. Il fut l'un des premiers, et le plus doué, des maîtres du style hispano-néerlandais, employant les techniques de glacis à l'huile élaborées par les peintres néerlandais Campin, Jan van Eyck, Rogier van der Weyden et leurs successeurs *(cf. pp. 31, 44, 93)*. Né à Cordoue en Andalousie, mais féru semble-t-il des voyages, Bermejo laissa des traces de son passage à Valence, à Daroca, à Saragosse et à Barcelone dans le royaume d'Aragon ; peut-être fit-il aussi une partie de son apprentissage aux Pays-Bas.

Saint Michel triomphant du Diable avec le donateur Antonio Juan est la première peinture de son œuvre, son authenticité confirmée par des documents autant que par la signature. Elle était le panneau central d'un retable composite, commandé pour l'église de San Miguel à Tous, près de Valence, par Antonio Juan, seigneur féodal de la ville. Celui-ci, qui combattit à côté de Jean II d'Aragon contre les Français en 1473, figure en bas à gauche. Portrait à petite échelle, mais d'une présence physique robuste, il est vêtu d'une tunique de damas gris-violet, à col luxueux de velours, et porte la chaine et l'épée d'un chevalier. Agenouillé sur la terre nue aux pieds de saint Michel, il tient un psautier ouvert à deux psaumes pénitentiaux, dont on peut lire les premiers versets, « Pitié de moi, mon Dieu, dans ton amour », (Ps. 51) et « Des profondeurs je crie vers toi, Seigneur », (Ps. 130).

La défaite du diable-dragon par saint Michel et ses anges, comme elle est racontée dans le livre de l'Apocalypse, était un sujet très en vogue dans l'Espagne catholique du quinzième siècle, se rapportant à la *reconquista*, la reconquête du territoire des Maures, qui continuèrent à régir la Granade jusqu'en 1492. Ainsi Bermejo, à la différence du Pérugin *(cf. p. 78)*, a saisi le Lieutenant de Dieu dans l'acte même d'abattre le démon, mais évite de montrer la balance dans laquelle l'archange va peser les âmes au Jugement Dernier. Comme le Pérugin, cependant, il a déployé les ressources techniques de la peinture à l'huile pour rendre le métal poli de l'armure du saint, qui paraît ici être en or plutôt qu'en acier : on voit dans la cuirasse bombée le reflet des tours gothiques de la Jérusalem Céleste. Dans un passage d'une bravoure encore plus poussée, Bermejo montre un bouclier à dôme de cristal, à la fois translucide et réflecteur. Une chape sacerdotale en brocard doré, doublée de soie cramoisie et attachée au cou par une broche sertie de pierres précieuses, voltige autour du saint guerrier avec une véhémence crispée. Elle accentue l'élégance suave avec laquelle il manie sa lourde épée, le calme de ses ailes d'ange, et la beauté sans expression de son visage jeune, tout en faisant ressortir sa mince silhouette sur l'or du fond, où des dessins estampés ornent la surface usée.

Le démon que Michel foule à ses pieds chaussés de solerets sertis de bijoux est une chimère fantastique – à la fois reptile, oiseau, papillon, chauve-souris, coquille, hérisson, enfant rebelle – aux yeux et aux mamelles luisants, à la langue lascive et aux dents dévorant sa propre chair. Il est aussi suggestif que tout monstre inventé au cours des décennies suivantes par Jérôme Bosch *(cf. p. 25)*. Donateur et artiste seraient-ils ahuris de savoir combien il paraît irrésistible à moi, enfant que je suis du vingtième siècle, nourrie de bandes dessinées et de dessins animés? Ou bien le ridicule faisait-il partie de l'intention de Bermejo?

Albrecht Dürer   1471-1528

Saint Jérôme

Vers 1495. Huile sur bois, 23 x 17 cm

Une discordance féconde marque la personnalité et la carrière d'Albrecht Dürer. Fils d'un orfèvre de Nuremberg, et aussi son élève appliqué, il largua le métier de son père pour s'initier à la peinture (tout en déployant, cependant, ses connaissances d'orfèvre dans la gravure sur métal). Artisan alors peu instruit, il brûlait d'être gentilhomme et savant. En 1494 il se plia volontiers à un mariage de convenance, et fonda peu après un atelier avec la dot de sa femme, mais il les abandonna l'une et l'autre quelques mois plus tard en s'enfuyant au delà des Alpes en Italie du nord. Cette escapade dût être instiguée par Willibald Pirckheimer, fils du propriétaire de la famille Dürer et ami d'enfance d'Albrecht, qui faisait alors son Droit à Pavie.

Ce tableau, le premier incontesté de l'artiste à être acquis par une collection publique en Grande Bretagne, se situe juste après son retour chez soi vers la fin de 1495. A partir de ce moment, le jeune Nurembergeois, si richement doté de l'individualisme empirique que lui-même attribuait à « la mentalité allemande », s'efforçait à découvrir le secret détenu par les Italiens de l'harmonie universelle.

La Mecque artistique de l'Italie du nord à cette époque n'était ni Pavie, ni même Milan toute proche, malgré la présence dans cette ville de Léonard de Vinci, mais la Venise de Mantegna *(cf. p. 62)* et de Bellini *(cf. p. 22)*. Dürer copia les gravures innovatrices de Mantegna, rendues exotiques par les *nackete Bilder*, les « figures nues », ainsi que par les rhythmes, la violence et le pathétique stylisés de l'art antique gréco-romain. Il réagit avec une égale vigueur à la lumière et aux couleurs de Giovanni Bellini, toutes pénétrées de poësie. A la différence des « inventaires topographiques » exécutés pendant son apprentissage, les paysages alpins qu'il dessina à l'aquarelle lors de son retour vers le nord soumettent le détail à une conception de l'ensemble, et harmonisent la couleur des objets individuels aux conditions atmosphériques et lumineuses.

Le panneau minuscule de *Saint Jérôme* (pour l'histoire et l'imagerie du saint voir pages 20–21) montre la transformation de ces dessins alpins en peinture religieuse tout à fait vendable. Plus tard Dürer devait écrire qu'il pouvait « chaque année faire un tas » de telles œuvres ; mais cette peinture de sa jeunesse semble aussi travaillée et aussi profondément sentie que les gravures auxquelles il prodiguait énormément de temps et de soins. A travers la synthèse nordique et italienne des styles et des motifs, Dürer aurait voulu que le spectateur refasse le chemin de la découverte qu'il avait lui-même parcouru.

A cette époque les artistes néerlandais et allemands représentaient d'habitude saint Jérôme en savant dans son cabinet, comme Dürer lui aussi le fit auparavant dans une gravure sur bois. Ici, cependant, vêtu en pénitent, le saint paraît en visionnaire héroïque. Son lion familier doit davantage à l'imagerie du lion de saint Marc, saint tutélaire de Venise, qu'à l'observation de lions vivants, mais les plantes et les insectes, les pinsons au plumage éclatant qui trempent pattes et bec dans le cours des eaux vives, sont représentés avec une exactitude méticuleuse, quel que soit le poids de leur symbolisme religieux. Le crucifix du saint est enfoncé dans une souche de bouleau. Des sapins surmontent les rochers dentelés, et une route sinueuse se perd dans une forêt de chênes et de conifères parmi lesquels se dressent les toits pointus d'un château bavarois. Au delà de ces ténèbres germaniques s'ouvre une plaine ensoleillée à l'italienne, et plus loin encore des montagnes aux reflets chatoyants s'estompent dans l'éther bleu. La silhouette noire en filgrane d'un arbre nu intensifie le rayonnement jaune et orangé d'un soleil qui lance son défi aux nuages, soient-ils à son coucher les sombres avant-coureurs de la nuit, ou bien son arrière-garde en retraite devant l'aube.

Sur le dos du tableau se trouve une comète rapidement ébauchée, peut-être le présage céleste du Jugement Dernier, dont Jérôme est censé avoir entendu sonner les trompettes dans le désert.

Wolf Huber   1480/5-1553

Les adieux du Christ à sa Mère

Après 1520. Huile sur bois, 95,5 x 68 cm

Ce fragment poignant d'un retable plus grand illustre le même sujet et les mêmes préoccupations picturales que la peinture d'Albrecht Altdorfer reproduite à la page 102. La

Les adieux du Christ à sa Mère

première peinture de Wolf Huber à faire partie d'une collection publique en Grande Bretagne, elle est un fort appui à la collection allemande de la National Gallery, bien que, pour être plus exact, Huber naquît dans ce qui est devenu de nos jours l'Autriche.

Comme Altdorfer, Huber faisait partie d'un petit groupe d'artistes, travaillant pour la plupart en Bavière, qui s'inspiraient des coteaux boisés de la vallée du Danube. L'éloge du paysage des auteurs classiques et de ceux de la Renaissance italienne, le renouveau du genre à Venise *(cf. Giorgione, p. 115)*, et, sous l'influence vénitienne, l'exemple de Dürer, les poussait à évoquer ces lieux familiers par des dessins, des gravures et des peintures à l'huile. Huber, à la différence d'Altdorfer, ne semble pas avoir peint de

« purs » paysages, bien que son influence ait été répandue par ses nombreux dessins consacrés à ce thème. Il y puisait des détails, tel le pont en bois à l'arrière plan de ce panneau, pour enrichir le fond de ses portraits et de ses tableaux narratifs.

Dans ce prélude de la Passion, où le Christ fait ses adieux à sa mère, la triste complainte des femmes, dessinées tout en courbes molles et tombantes, devient plus pathétique encore par le contrepoint des sapins verticaux rangés dans le fond, qui répondent à la figure droite du Sauveur entrevue au bord du panneau. Sa main étendue en un geste de bénédiction, visible à l'extrême droite de ce fragment, accentue les angles droits formés par l'intersection des troncs d'arbres avec le pont, dont la ligne horizontale prolonge celle du bras. La faiblesse féminine est contrastée avec le courage masculin, la douleur humaine s'oppose à la volonté divine, et à l'élan vital d'une nature irrépressible. Le feuillage sombre de la forêt fait ressortir les rouges et les bleus intenses des manteaux, ainsi que les draperies grises et bordeaux des Saintes Femmes, qui tombent en cascade lorsque celles-ci s'inclinent pour secourir la Vierge évanouie.

Cette tragédie de déchirement et de la douleur d'une mère est représentée ici en costumes contemporains du tableau, et dans le paysage où vivaient les premiers spectateurs, d'autant plus universelle qu'elle se réfère à un lieu précis. Huber accroît encore la sympathie envers ses personnages par une subtile maîtrise de la perspective, évidente surtout dans le raccourci des planches du pont. Paysage, ciel – dont une partie doit manquer – et figurants sont réunis par un même point de vue au niveau du regard des femmes les plus verticales, dont la plus lointaine fixe ses yeux sur le Christ.

Les planches qui constituent ce panneau incomplet ont dû à une certaine époque être séparées, pour être mal rassemblées plus tard. Au cours d'un traitement conservatoire à la National Gallery qui suivit l'achat du tableau, il a été possible de les ajuster correctement, et également de remplacer un morceau étroit, large de 2,1 centimetres, qui manquait entre deux planches sur la droite du panneau, ce qui a rendu le geste du Christ de nouveau perceptible.

Faa Iheihe

Faa Iheihe

1898. Huile sur toile, 54 x 169.5 cm, prêt de la Tate Gallery, Londres

Ce tableau, qui entra dans la National Gallery en 1997 par le biais d'un d'échange avec la Tate Gallery, fut peint à Tahiti, ainsi que la composition florale de Gauguin à la page 286. Il est, cependant, beaucoup plus innovateur et important. Non seulement illustre-t-il plus nettement la préoccupation de Gauguin avec l'art et l'esprit « primitifs » de l'Océanie, mais il marque aussi les débuts d'une nouvelle phase de sa vie. Peu avant de le peindre, il tenta de se tuer en prenant du poison ; il n'y réussit pas et ne renouvela jamais la tentative. *Faa Iheihe* ressemble par le style et le format à la dernière peinture achevée avant son suicide manqué, *D'où venons-nous? Que sommes-nous? Où allons-nous?* (maintenant à Boston), mais son tître même indique une sérénité nouvelle. En fait, la locution « Faa Iheihe » n'existe pas dans la langue Tahitienne. Ou Gauguin confonda deux coups de glotte pour des sons-h dans le mot *fa'ai'ei'e*, « s'embellir, se parer, orner », ou il fit une erreur en écrivant *faa ineine*, « préparations d'une fête ». L'un ou l'autre sens convient aussi bien à une œuvre qui est à la fois décorative et solennelle, qui tire sa signification plutôt des motifs et des couleurs exotiques, et de leur disposition formelle, que d'aucun narratif particulier.

Le format de la toile et les poses de certaines des figures – notamment celle de la femme qui lève son bras d'un geste rituel de prière ou de salutation – ont leur origine dans le décor sculpté des temples javanais, dont on a trouvé des photographies dans la case de Gauguin après sa mort. On ne nous invite pas à lire la toile d'un côté à l'autre, comme dans une frise narrative ou processionnelle telle qu'on les conçoit à l'occident, mais plutôt du centre vers l'extérieur, suivant le regard vers notre gauche de la femme

rousse, et celui de son image spéculaire, vue nue et de dos, vers notre droite ; les profils sombres du cheval et du chien renvoient notre regard vers l'intérieur. (Le chien, pas plus que d'autres détails, n'a été étudié sur le vif, mais provient d'une peinture de Courbet qui avait appartenu au gardien de Gauguin.) Les couleurs aussi tendent à diviser le tableau en deux parties, plus froides à gauche, plus chaudes à droite. Cependant, à cette division binaire s'oppose la façon dont figures et décor s'entrelacent sur toute la surface : une arabesque de branches et de vignes traverse le haut de la toile, tandis qu'elle est ponctuée sur toute sa longueur par le rhythme vertical des troncs d'arbres, des figures, des fleurs et des arbrisseaux d'ornement.

Gauguin justifia ce genre de composition dans une lettre à son ami Charles Morice, écrite entre 1896 et 1898, mais attaquant les critiques parisiens de son exposition tahitienne de 1893 :

> ...la foule, puis la critique, hurlerent devant ces toiles qui ne s'aéraient pas suffisament. Point de perspective aimée, des allées, des allées... Voulaient-ils que je leur présentasse Tahiti fabuleuse, semblable aux environs de Paris, alignée, ratissée ?
> ...Toute perspective d'éloignement serait un non sens ; voulant suggérer une nature luxuriante et désordonnée, un soleil du tropique qui embrase tout autour de lui, il me fallait bien donner à mes personnages un cadre en accord... ces femmes chuchotant dans un immense palais décoré par la nature elle même... De là toutes ces couleurs fabuleuses, cet air embrasé, mais tamisé, silencieux.

> « Mais tout cela n'existe pas ! »

> « Qui, cela exist comme équivalent de cette grandeur, profondeur, de ce mystère de Tahiti, quand il faut l'exprimer dans une toile d'un mètre carré... »

Index

Les noms d'artistes en gras renvoient à une ou plusieurs entrées, dont la pagination figure également en gras.
Les numéros en italique renvoient aux pages ou figurent les illustrations.
